Les dames de Sibérie

HENRI TROYAT | ŒUVRES

La Lumière des justes :	
I. LES COMPAGNONS DU COQUELICOT	*J'ai lu* 272***
II. LA BARYNIA	*J'ai lu* 274***
III. LA GLOIRE DES VAINCUS	*J'ai lu* 276***
IV. LES DAMES DE SIBÉRIE	*J'ai lu* 278***
V. SOPHIE OU LA FIN DES COMBATS	*J'ai lu* 280***
LA NEIGE EN DEUIL	*J'ai lu* 10*
LE GESTE D'ÈVE	*J'ai lu* 323*
LES AILES DU DIABLE	*J'ai lu* 488**
Les Eygletière :	
I. LES EYGLETIÈRE	*J'ai lu* 344****
II. LA FAIM DES LIONCEAUX	*J'ai lu* 345****
III. LA MALANDRE	*J'ai lu* 346****
Les Héritiers de l'avenir :	
I. LE CAHIER	
II. CENT UN COUPS DE CANON	
III. L'ÉLÉPHANT BLANC	
FAUX JOUR	
LE VIVIER	
GRANDEUR NATURE	
L'ARAIGNE	
JUDITH MADRIER	
LE MORT SAISIT LE VIF	
LE SIGNE DU TAUREAU	
LA CLEF DE VOÛTE	
LA FOSSE COMMUNE	
LE JUGEMENT DE DIEU	
LA TÊTE SUR LES ÉPAULES	
DE GRATTE-CIEL EN COCOTIER	
LES PONTS DE PARIS	
Tant que la terre durera :	
I. TANT QUE LA TERRE DURERA	
II. LE SAC ET LA CENDRE	
III. ÉTRANGERS SUR LA TERRE	
LA CASE DE L'ONCLE SAM	
UNE EXTRÊME AMITIÉ	
SAINTE RUSSIE. Réflexions et souvenirs	
LES VIVANTS (théâtre)	
LA VIE QUOTIDIENNE EN RUSSIE AU TEMPS DU DERNIER TSAR	
NAISSANCE D'UNE DAUPHINE	
LA PIERRE, LA FEUILLE ET LES CISEAUX	*J'ai lu* 559**
ANNE PRÉDAILLE	*J'ai lu* 619**
GRIMBOSQ	*J'ai lu* 801***
UN SI LONG CHEMIN	*J'ai lu* D103**
Le Moscovite :	
I. LE MOSCOVITE	*J'ai lu* 762**
II. LES DÉSORDRES SECRETS	*J'ai lu* 763**
III. LES FEUX DU MATIN	*J'ai lu* 764**
LE FRONT DANS LES NUAGES	*J'ai lu* 950**
DOSTOÏEVSKI	
POUCHKINE	
TOLSTOÏ	
GOGOL	
CATHERINE LA GRANDE	*J'ai lu* 1618*****
LE PRISONNIER N° 1	*J'ai lu* 1117**
PIERRE LE GRAND	*J'ai lu* 1723****
VIOU	*J'ai lu* 1318**
ALEXANDRE Ier, LE SPHINX DU NORD	
LE PAIN DE L'ÉTRANGER	*J'ai lu* 1577**
IVAN LE TERRIBLE	
LA DÉRISION	*J'ai lu* 1743**
MARIE KARPOVNA	*J'ai lu* 1925**
TCHEKHOV	
LE BRUIT SOLITAIRE DU CŒUR	*J'ai lu* 2124** *(fév. 87)*
GORKI	

Henri Troyat
de l'Académie française

La lumière des justes
4

Les dames de Sibérie

Éditions J'ai lu

PREMIÈRE PARTIE

1

Nicolas dormait en marchant parmi les cris des gardiens et le fracas des chaînes entrechoquées. Dans la cour, le froid de l'aube lui sauta au visage. Il frissonna, éclaboussé de lumière jusqu'au fond des yeux. Ses camarades s'arrêtèrent avec lui et balancèrent leurs têtes somnolentes. A la clarté du matin, le bagne de Tchita était un enclos charmant. Du givre brillait, en poudre d'argent, sur les hauts pieux de la palissade. La boule rouge du soleil se dégageait d'un épais limon de nuages. Le ciel était encore gris, mais on devinait une immensité bleue par-derrière. Nuits glaciales et journées chaudes, c'était la règle, en Sibérie, aux approches de l'été. Des oiseaux pépiaient autour des flaques tendues d'une pellicule translucide et friable. Un sous-officier bomba le torse et hurla :

— En colonne par deux ! Arrangez vos fers !

Les forçats obéirent mollement : impossible de travailler avec ce poids aux chevilles. Pour se donner de l'aisance, ils devaient suspendre leurs chaînes par une courroie à leur ceinture ou à leur cou. Ils se baissaient, se relevaient, comme s'ils eussent ramassé leurs entrailles.

Nicolas attacha l'anneau du milieu à la corde qui lui serrait les reins. La faim le tenaillait. Au réveil, il avait tout juste eu le temps d'avaler un verre de thé tiède et de mastiquer une tranche de pain noir. Le liquide ballottait tristement dans son estomac. Pourtant, il se portait bien. Le climat vif, la nourriture rude, l'exercice quotidien avaient rétabli sa santé, usée par quatorze mois de cachot. La plupart de ses compagnons avaient, eux aussi, meilleure mine qu'à la prison Saint-Pierre et Saint-Paul. Comme il n'y avait pas d'uniformes pour les criminels politiques, chacun s'habillait à son idée et selon ses moyens. Touloupes, capes, redingotes en loques, bonnets à oreilles, chapeaux ronds, bottes de feutre, sandales de tille, on eût dit qu'un chiffonnier leur avait laissé son lot de guenilles en partage. A piétiner parmi ces mendiants, Nicolas doutait parfois qu'ils fussent, en réalité, des nobles de premier rang, des officiers de la garde, hauts fonctionnaires, ou simplement des fils de bonne famille. Le coup d'Etat manqué du 14 décembre 1825 les avait tous précipités, pêle-mêle, dans le malheur. Deux ans et demi déjà depuis qu'ils s'étaient dressés, au nom des Droits de l'Homme, contre la tyrannie du tsar. Qui se souvenait de cette folle entreprise, hormis ceux qui la payaient de leur liberté?

Heureusement, à Tchita, la discipline était supportable. Les forçats rassemblés dans la cour avaient plutôt l'air de se préparer à une partie de campagne. Certains portaient sous leurs bras des livres, des journaux, d'autres un tapis roulé, un échiquier, une table pliante, une cassette, un samovar... Comme d'habitude, l'officier de garde fermait les yeux sur cet attirail de pique-nique. D'anciens condamnés de droit commun poussaient dans des brouettes les pelles et les pioches de « messieurs les condamnés politiques ». « Jusqu'à quel échelon descend la hiérarchie sociale en Russie, pensait Nicolas, puisque même des bagnards comme nous trouvent des gens d'une condition plus basse pour les servir ? »

Des soldats, l'arme à la bretelle, encadrèrent la chiourme. L'officier prit la tête du détachement et tira son épée avec élégance. Mais il n'y avait personne pour l'admirer. Sur son ordre, le grand portail s'ouvrit à deux battants. Les forçats, une cinquantaine en tout, s'ébranlèrent, traînant les pieds, dans un lourd cliquetis de ferraille. En traversant le village, ils lorgnèrent les maisonnettes de bois, à droite, à gauche, pour voir si quelque figure de connaissance ne se montrait pas à une fenêtre. Il y avait déjà sept épouses de décembristes installées à Tchita : la princesse Troubetzkoï, la princesse Volkonsky, Mme Mouravieff, Mme Fonvizine, Mme Davydoff, Mme Narychkine, Sophie, plus la petite fiancée d'Annenkoff, Pauline Guèble, dont le mariage était pour bientôt. D'autres arriveraient encore, si le tsar ne mettait pas un terme à cette migration amoureuse. En approchant de l'isba où logeait Sophie, Nicolas eut un serrement au cœur. Elle lui avait parlé, la veille, comme chaque soir, à travers la palissade du bagne. Mais ce n'était pas suffisant. Il avait besoin de l'apercevoir ce matin, fût-ce le temps d'un clin d'œil, pour reprendre courage. Personne sur le seuil, personne à la fenêtre. Il était trop tôt. Elle dormait encore. Nicolas baissa la tête et imagina Sophie dans son lit, les paupières closes, souriant, rêvant à lui peut-être. Une brusque chaleur se répandit dans ses veines. Il eut envie de courir, d'enfoncer la porte, de se jeter sur ce corps amolli de sommeil. Son regard se heurta aux gardiens. Ils étaient la réalité en marche. De nouveau, il éprouva le poids de ses chaînes.

— Gauche, droite ! Gauche, droite ! criait le serre-file.

Mais il n'y avait pas dix hommes qui fussent au pas.

La maison de Sophie disparut derrière la tête d'un soldat qui chiquait. On arriva au bout du village, là où les chiens ne se sentent plus chez eux et hésitent à aboyer contre les passants. Les dernières masures s'arc-boutaient pour ne pas glisser sur la pente sablonneuse de la colline. En bas, brillaient l'eau vive d'une rivière et l'eau immobile d'une mare. Les prairies étaient d'un vert juteux, avec des bouquets d'arbrisseaux enfoncés les pieds dans la vase. A l'horizon, se dressait un demi-cercle de montagnes bleues et dentelées. Comme il fallait bien occuper les forçats à quelque besogne, le général Léparsky, commandant le bagne, les envoyait chaque jour aux abords de Tchita, pour combler un grand ravin. Mais le premier coup de vent, la première pluie d'orage emportaient la terre qu'ils avaient patiemment entassée, et, dès le lendemain, tout était à reprendre. L'inutilité et la permanence de ce travail dispensaient l'administration d'en chercher un autre et enlevaient aux prisonniers la tentation de mettre du cœur à l'ouvrage. Ils avaient surnommé ce lieu la Tombe du Diable, peut-être en considération du fait que le diable est d'un naturel coriace et qu'on n'a jamais fini de l'ensevelir.

En pensant aux heures vides qui l'attendaient, Nicolas était pris de nausée. Pouvait-on subsister avec si peu d'espoir ? Il observa ses compagnons et leur trouva l'air plus abattu que le jour de leur condamnation. A cette époque-là, ils étaient encore plus proches de la révolte, réchauffés par les derniers feux de leur idéal politique. En Sibérie, leur vaillance, leur foi s'étaient usées au fil des jours. Sur chaque visage, Nicolas pouvait mettre un chiffre. « Celui-ci en a encore pour dix-sept ans, cet autre pour douze... » Lui-même, appartenant à la quatrième catégorie, était bon pour une huitaine d'années de travaux forcés et, ensuite, pour la relégation à vie. Son voisin, le petit Youri Almazoff, grommela :

— Tu en fais une tête ! Ça ne va pas, ce matin ?

— Non, dit Nicolas.

— Chacun son tour ! Hier, c'était moi qui flanchais. Demain, ce sera un autre. Il faut réagir. Prends exemple sur Lorer. Il est toujours gai, lui !...

Lorer, qui marchait devant eux, se retourna, remonta sur son épaule la courroie fixée à ses chaînes, et un sourire puéril éclaira son visage maigre, coupé d'une grosse moustache et encadré de favoris châtains. Il avait appartenu à l'Union du Sud, mais comptait des amis parmi tous les conjurés à cause de son humeur enjouée.

— Les regrets sont inutiles, mon cher, dit-il. Chacun doit construire son bonheur avec ce qu'il a sous la main, même s'il ne dispose pour cela que d'un quignon de pain et d'un bout de ciel bleu. On en pousse une ?

— Allons-y ! dit Nicolas avec enthousiasme.

— Eh ! les chœurs ! cria Youri Almazoff. Attention ! Une, deux !...

Lorer cambra la taille et se mit à chanter d'une voix de ténor, claire et étirée :

Au fond des mines sibériennes,
Demeurez fiers et patients...

C'était le début d'un message, que le poète Pouchkine avait fait parvenir secrètement en Sibérie par l'intermédiaire de la princesse Volkonsky et que les décembristes avaient transformé en chanson de route. Des têtes se redressaient, des regards s'allumaient ; quelques voix se joignirent à celle de Lorer :

Les chaînes lourdes tomberont !
Les prisons s'ouvriront ! Dehors,
La liberté vous attendra !
Vos frères vous rendront vos glaives...

Tous, maintenant, marchaient au pas. Les chaînes tintaient en mesure. Il ne pouvait y avoir meilleur accompagnement à ce plaidoyer pour la subversion. Par prudence, les forçats ne prononçaient pas distinctement les paroles les plus compromettantes. Mais il était facile de les deviner au vol. L'officier restait impassible. Peut-être faisait-il semblant de ne rien comprendre, pour n'être pas obligé de sévir. Il se nommait Vatrouchkine, était d'un naturel paresseux et détestait les histoires ! Quant aux soldats de l'escorte, ils étaient ravis de cet intermède. Leur imbécillité les mettait à l'abri de la méfiance. D'ailleurs, ils avaient eux-mêmes l'habitude de chanter n'importe quoi en marchant. Pour un peu, ils eussent mêlé leurs voix à celles des prisonniers. Parfois, au bord de la route, surgissait un paysan ou un ouvrier, ancien bagnard, avec la marque d'infamie imprimée sur le front. En voyant passer le cortège, il retirait son chapeau et se signait, croyant, sans doute, que les condamnés politiques chantaient un hymne religieux.

— Eh ! les amis, si nous donnions la réponse maintenant ?... cria Yvan Poushine en se haussant sur la pointe des pieds.

Cette réponse au poème de Pouchkine avait été écrite, au bagne, par Odoïevsky. De nouveau, Lorer lança les premiers mots et le chœur suivit :

Les accents de ta lyre ardente et prophétique
Sont enfin parvenus, poète, jusqu'à nous !...

Nicolas, qui avait commencé par chanter du bout

des lèvres, donnait à présent toute sa voix. Sa tête, ses bras, ses jambes, ne lui appartenaient plus. Il était un élément de la foule. Empaqueté, embarqué, emporté avec les autres, par la même force :

Nos chaînes serviront à forger d'autres glaives !
Nos mains rallumeront partout la Liberté !
Nous donnerons l'assaut à nos vils adversaires !...

Il savait bien que c'était façon de parler, que les murs des prisons ne s'écrouleraient pas, que les décembristes ne se précipiteraient jamais, un glaive à la main, sur le despote tremblant, et que les lueurs de la Liberté n'étaient pas près d'éclairer le monde, mais il lui semblait évident qu'un idéal chanté par tant de bouches à la fois ne pouvait disparaître. La pensée survivrait aux hommes comme l'étincelle survit au foyer détruit. Un souffle sur la braise et les flammes reprennent. Les pieds martelaient la route sablonneuse. On avançait, jusqu'à la ceinture, dans un nuage de poussière ocre. A la fraîcheur du matin succéda une chaleur sèche, qui descendait du ciel bleu. La verdure pâlissait dans cette clarté dévorante. Enchaînés, assoiffés et suants, les hommes braillaient toujours leur foi en un avenir de justice. On s'arrêta près de la Tombe du Diable. Le chant mourut dans un cliquetis de chaînes.

— Déchargez les brouettes ! cria l'officier.

Les forçats se partagèrent les outils. Devant eux, se creusait un profond ravin, aux flancs de sable croulants. Le travail commença. Les pelles et les pioches attaquaient la terre faiblement. Quand une brouette était pleine, on déversait la charge dans le trou. Elle s'y perdait aussitôt, comme une fumée dans l'air. Nicolas et Youri Almazoff haletaient, côte à côte, en maniant des bêches lourdes et ébréchées. Mais cet exercice physique ne leur déplaisait pas. Les soldats, ayant formé les faisceaux, s'égaillèrent par petits groupes au bord de la combe. Des cartes sales et déchirées fleurirent entre leurs doigts. Ils jouaient à la bataille ou à la bête, et payaient avec des graines de tournesol. Seules quatre sentinelles demeurèrent debout, dans des poses molles, avec leur fusil pour tuteur. L'officier s'était allongé sur sa capote. Les mains sous la nuque, il regardait le ciel en bâillant. Au bout d'un instant, il s'endormit, la bouche ouverte.

— Ce serait facile de s'enfuir ! murmura Nicolas.

— Oui, dit Youri Almazoff. Mais, très vite, nous serions repris. Odoïevsky et Iakoubovitch ont un autre projet.

— Lequel ?

— Ils t'en parleront eux-mêmes, tout à l'heure.

— Je me méfie de Iakoubovitch. C'est un fou !

— Il s'est beaucoup assagi, depuis quelque temps...

Ils rêvèrent à cette évasion qui était la préoccupation de tous, bien que personne, au fond, ne la crût possible. L'officier poussa un ronflement rauque et s'éveilla en sursaut, comme effrayé par le bruit qu'il avait fait. Les forçats travaillaient de plus en plus nonchalamment. Leurs gestes semblaient ralentis par la consistance visqueuse de l'air. Bientôt, ils s'arrêtèrent.

— Allons, Messieurs ! dit l'officier. Encore un petit effort !...

Des grognements fatigués lui répondirent. Il ne songea pas à s'en formaliser. Pour les soldats, comme pour les prisonniers, cette corvée n'avait qu'une valeur symbolique. Il s'agissait de tuer le temps ensemble, les uns gardant les autres. Du moment que les apparences étaient sauves, le reste importait peu. Nicolas se dit que la discipline du bagne était un curieux mélange de férocité et de bonhomie. Plus la règle était stricte, plus les accommodements se révélaient nombreux.

— Encore deux brouettes par équipe, dit l'officier, et, après, on fera la pause !

Les forçats obéirent. Dix minutes plus tard, abandonnant leurs outils sur le chantier, ils se dirigèrent vers un petit bois où dominaient les feuillages des peupliers argentés et des hêtres pourpres. L'ombre y était fraîche, le sol élastique, tapissé d'herbe courte et de mousse. C'était un lieu rêvé pour le repos. Des hommes se laissaient tomber par terre et fermaient les yeux, d'autres s'asseyaient, le dos à un tronc d'arbre, et ouvraient un livre sur leurs genoux, d'autres encore jouaient aux échecs, écrivaient, parlaient à voix basse. Nicolas et Youri Almazoff rejoignirent Iakoubovitch et le prince Odoïevsky, près d'une grosse pierre grouillante de fourmis.

— Vous prenez des leçons de science sociale en regardant vivre ces bestioles ? dit Nicolas.

Iakoubovitch se redressa — grand et sec, les yeux exorbités, les sourcils noirs, une taroupe à la racine du nez, la moustache en crocs.

— Oui, dit-il, mais je me demande si c'est la capitale des fourmis ou leur bagne que nous avons là !

Et il partit d'un rire nerveux. Youri Almazoff jeta un regard par-dessus son épaule et chuchota :

— Explique à Nicolas le projet...

— Ça l'intéresse ? dit Odoïevsky.

— Beaucoup, dit Nicolas ; je voudrais des précisions.

Il y eut un silence. Odoïevsky méditait en se caressant le menton d'une main fine, aux ongles noirs de terre. Ses yeux obliques rayonnaient de douceur. Sa lèvre, rose et charnue, luisait sous le petit auvent de sa moustache.

— Oh ! ce ne sont encore que des jeux de l'esprit, soupira-t-il, mais il peut en sortir quelque chose ! As-tu remarqué, Nicolas, comme les soldats qui nous gardent sont, dans l'ensemble, bien disposés à notre égard ? Au fond, ils nous aiment, ils nous plaignent, ils se sentent, dans leur misère et leur abrutissement, plus proches de nous que de leurs chefs. Pourquoi n'exploiterions-nous pas cette situation ?

— De quelle façon ?

— Réfléchis ! dit Iakoubovitch en clignant de l'œil.

— Je ne vois pas !

— Jusqu'à présent, reprit Odoïevsky, ceux d'entre nous qui voulaient fuir envisageaient de le faire individuellement. Méthode vouée à un échec certain ! Comment subsister, seul, dans les déserts de Sibérie ? Les Bouriates touchent une prime pour la capture de chaque évadé. Dès qu'on leur en signale un, ils se lancent à ses trousses. C'est, pour eux, une affaire commerciale. Il faudrait être idiot ou désespéré pour tenter l'aventure dans ces conditions. La meilleure manière de s'en tirer, c'est encore d'agir en force !

— En force ? répéta Nicolas étonné.

Le visage de Iakoubovitch grimaça d'enthousiasme. Ses yeux globuleux étincelèrent :

— Mais oui, mon pigeon ! En force ! C'est évident ! Si nous nous révoltons, tous ensemble, et courons au poste de garde, les soldats ne nous opposeront pas la moindre résistance. D'un côté, un ramassis de pauvres bougres maladroits, et, de l'autre, soixante-dix ou quatre-vingts gaillards de notre espèce, presque tous anciens officiers, farouchement résolus à ouvrir le passage... Nous les désarmerons en un tournemain !

— Et ensuite ? demanda Nicolas.

— Nous emprisonnerons Léparsky et ses officiers, nous raflerons les fusils, la poudre, le ravitaillement nécessaire pour un grand voyage, nous chargerons le tout sur des télègues et, adieu Tchita !... Une chose est certaine : sur la centaine de soldats qui composent la garnison, la moitié au moins se joindra à nous. Les autres...

— Les autres fileront à Irkoutsk, dit Nicolas, et donneront l'alerte !

— Avant qu'ils n'y arrivent, nous serons loin ! Comme nous formerons une troupe armée et cohérente, aucun Bouriate n'osera nous attaquer !

— Et les femmes ?

— Nous les emmènerons, bien sûr !...

Il se tut, parce que le prince Troubetzkoï s'avançait vers le groupe en se dandinant. Sa haute taille se courbait pour passer sous les branches. Il avait encore maigri et son visage se réduisait à un long bec, pris entre deux petits yeux d'oiseau. Vêtu d'une redingote effrangée et de pantalons de mauvaise toile salis aux genoux, les fers aux pieds, un sac pendu à la ceinture, il gardait des manières de gentilhomme.

— Messieurs, dit-il, vous plairait-il de prendre le thé avec moi ? Ma femme m'a fait porter quelques friandises. Je m'en voudrais d'être seul à en profiter.

— Volontiers, prince, dit Nicolas.

Et il ajouta, tourné vers Odoïevsky :

— Ton idée est intéressante. Il faudrait organiser une discussion générale, ce soir, dans la chambrée.

Ils se dirigèrent, suivant le prince Troubetzkoï, vers une clairière où fumait un vieux samovar de cuivre, aux flancs cabossés et à la cheminée plantée de guingois. Ivan Poushine, jovial et poupin, assurait le service. Il n'y avait pas assez de vaisselle pour contenter tout le monde. Les tasses de bois passaient de main en main. Nicolas trempa ses lèvres dans une eau chaude, à peine parfumée, et tendit son bol à Youri Almazoff. Les friandises annoncées par le prince étaient des confitures de myrtilles, de prunes et de framboises. Cette collation, à mi-chemin entre le déjeuner du matin et le dîner de midi, était entrée depuis peu dans les habitudes des prisonniers. Avec l'aisance d'un hôte faisant les honneurs de sa table, le prince Troubetzkoï invita l'officier de garde à se restaurer, lui aussi. Vatrouchkine accepta une tartine. Dans le sous-bois s'agitaient des silhouettes mouchetées d'ombre et de clarté. Les vêtements avaient, par ce faux éclairage, les couleurs sombres des champignons. Mais, quand un bagnard sortait dans le soleil, la violence de la lumière le décolorait de la tête aux pieds et ses chaînes étincelaient comme des bijoux. L'officier de garde, ayant avalé sa dernière bouchée, se suça les doigts avec méthode, en commençant par l'auriculaire et en finissant par le pouce. Puis il oublia le goût du sucre, fronça les sourcils pour se redonner de l'importance, et dit :

— Messieurs, au travail !

★

A leur retour du chantier, les forçats se réunirent dans la cour du bagne, en attendant la soupe du soir. Tandis que les célibataires se tenaient au centre de l'enclos, les hommes mariés se dirigeaient, d'un air faussement désinvolte, vers la palissade. Les pieux étaient très hauts et très serrés, sauf en certains points de la façade nord, où le bois avait été entaillé pour ménager des interstices. C'était là qu'avaient lieu les entrevues clandestines entre les condamnés politiques et leurs épouses. L'officier de service feignait d'ignorer ce manège, les sentinelles regardaient ailleurs. Mais il y avait de brusques réveils de l'autorité. Parfois, sous le coup du zèle ou de la boisson, un soldat se fâchait et séparait les couples. Il fallait éviter d'attirer l'attention des gardiens en parlant trop longtemps ou trop fort. Nicolas s'approcha de l'endroit où, d'habitude, il rejoignait Sophie. L'un après l'autre, tous les maris prirent position le long de la clôture. Ils retrouvaient leurs emplacements respectifs, comme des chevaux bien dressés vont droit à leurs stalles. Collant son œil à une large fente, entre deux piquets, Nicolas eut d'abord une déception. L'espace, devant lui, était vide. Pourquoi Sophie n'était-elle pas venue ? Il jeta un regard à droite, à gauche. Toutes les autres femmes semblaient être là. Mme Mouravieff essayait de glisser un paquet par un trou, au ras du sol. La princesse Volkonsky, au beau visage créole, affectait des mines coquettes, devant le mur. La princesse Troubetzkoï, bien en chair et vite essoufflée, avait apporté une chaise pliante et bavardait, assise, avec son mari, qui se cassait en deux pour rester à sa hauteur. De Mme Davydoff, on n'apercevait, au loin, qu'un pan de jupe. Et ce panier, là-bas, devait appartenir à Pauline Guèble, la fiancée d'Annenkoff. Petite couturière française établie à Moscou, elle avait, par son opiniâtreté, triomphé de tous les obstacles administratifs et familiaux pour rejoindre, en Sibérie, l'homme qu'elle désirait épouser. Bien qu'elle fût nouvelle venue à Tchita, c'était pour elle que Sophie avait le plus de sympathie. Peut-être, simplement, parce qu'elles étaient compatriotes ? Nicolas voulut d'abord demander à Pauline si elle savait pourquoi Sophie n'était pas au rendez-vous. Puis il se ravisa, n'osant déranger Annenkoff et la jeune fille dans leur chuchotement amoureux. Il allait s'écarter de la palissade, quand son cœur sauta de joie : Sophie traversait la route et courait vers lui, à petits pas, en trébuchant dans les ornières. Tout à coup, il eut à portée de son souffle ce visage aimé. Le bord irrégulier de l'ouverture mangeait les contours de l'apparition. Mais les yeux de la jeune femme n'en prenaient que plus d'importance, des yeux immenses, pleins d'une couleur brune, presque noire, jusqu'au ras des cils. La pitié et la tendresse y mêlaient leurs reflets.

— Excuse-moi, murmura-t-elle. J'ai été retardée par Pulchérie. La lessive...

Ce n'était que cela ! Il avait, comme toujours, imaginé le pire. Soulagé, il l'entendit à peine lui exposer quelque problème domestique. Le miracle c'était qu'elle fût là, derrière cette palissade, avec son corps de femme. Elle lui demanda comment il avait passé sa journée. Au lieu de lui répondre, il chuchota :

— Je t'aime, Sophie.

Elle le considéra avec surprise, comme flattée et apeurée, tout ensemble, par la violence de cet aveu.

— Moi aussi, je t'aime, dit-elle enfin d'une voix veloutée.

— Encore un jour et deux nuits à attendre !...

Il faisait allusion à leur prochaine rencontre : le règlement autorisait les hommes mariés à rendre visite, deux fois par semaine, sous escorte, à leur femme. Sophie acquiesça de la tête, le regard vague.

— Oui, dit-elle. Après-demain.

— C'est long !

— Très long, Nicolas.

Il l'observa plus attentivement. N'avait-elle pas rougi ? Tant de pudeur le transporta. Il approcha ses lèvres de la meurtrière découpée au canif entre les piquets, cherchant la place d'un baiser au milieu de tout ce bois dur. La face écrasée contre le panneau, il ne voyait rien, mais sentait la fraîcheur de l'air sur sa bouche.

— Ma chérie ! Ma chérie ! balbutia-t-il.

Longtemps, Sophie ne répondit pas. Puis il éprouva une caresse vivante sur ses lèvres. Un souffle tiède, parfumé, descendit en lui. Il était enfermé dans un cercueil, avec juste ce point de contact entre sa chair et celle de sa femme. Comme toujours, ce fut trop rapide ! Elle écarta son visage. Sans doute était-elle gênée de montrer tant d'amour en public. Il ne pouvait lui en vouloir de sa timidité. Dans son dos, il entendit un tintement de chaînes. Il se retourna. Les célibataires déambulaient, par petits groupes. Tout en feignant de discuter avec animation, ils lorgnaient du côté de la clôture. Il y en avait beaucoup parmi eux qui souffraient du bonheur conjugal de leurs camarades. La jalousie, le désir, le dépit donnaient à ceux-là un air affamé. Ils rôdaient dans l'odeur du festin, comme s'ils eussent espéré en recevoir des miettes. Huit femmes pour quatre-vingts hommes ! Nicolas avait honte de sa chance, quand il considérait les allées et venues de tous ces déshérités de la tendresse. Son regard s'arrêta sur l'un d'eux. Youri Almazoff, se voyant observé, tira un papier de sa poche et l'agita en l'air. Nicolas comprit sa requête : encore une lettre à rédiger ! Comme les condamnés politiques n'avaient pas le droit de correspondre directement avec leurs proches restés en Russie, c'étaient les femmes qui écrivaient à leur place et selon leurs indications. Ainsi, chaque épouse servait de secrétaire à une dizaine de forçats. Sophie avait Youri Almazoff parmi ses « clients ». D'ailleurs, il était sûrement amoureux d'elle. Cette idée ne déplaisait pas à Nicolas. Il était fier que sa femme eût du succès auprès des autres.

— Je ne vous dérange pas trop ? dit Youri Almazoff en s'approchant de la palissade.

Nicolas lui céda la place pour un instant.

— Excusez-moi, Madame, chuchota Youri, mais je voudrais encore envoyer une lettre à ma mère. Je suis sûr qu'elle n'a pas reçu la précédente. Je vous ai mis l'essentiel sur ce brouillon...

— Donnez vite ! dit Sophie.

— Comment vous remercier ?

Il passa le papier par l'interstice de deux piquets et, soudain, fit un bond de côté. Des cris retentirent derrière la clôture. Nicolas reconnut la voix du lieutenant Prokazoff, qui venait de relever Vatrouchkine au poste de garde. Ce Prokazoff, un ivrogne borné, avait gagné son grade dans la surveillance des bagnes de droit commun et refusait d'admettre qu'à Tchita, où ne se trouvaient que des condamnés politiques, le régime pénitentiaire fût plus tolérant qu'ailleurs. Dès qu'il avait bu, il se laissait aller à des insolences. L'œil collé à la fente de la palissade, Nicolas vit arriver cette boule de fureur. A son approche, les dames épouvantées s'écartaient de la barrière. La princesse Troubetzkoï faillit tomber en se levant de sa chaise pliante. Petit, roux, ventru, velu, Prokazoff s'arrêta au milieu de la volière en déroute, puis se précipita sur Sophie et lui arracha la lettre qu'elle tenait à la main.

— Cette lettre m'appartient, Monsieur ! cria Sophie. Veuillez me la rendre immédiatement !

— Je n'ai pas d'ordres à recevoir d'une femme de forçat ! grogna Prokazoff.

— Je me plaindrai au général Léparsky !

— Essayez seulement d'ouvrir la bouche et je vous ferai pisser le sang sous le knout !

Il avait saisi Sophie par le bras et la secouait avec violence.

— Laissez-moi ! gémit-elle.

— Non ! Tu vas me suivre ! Sale Française !...

Nicolas enrageait de ne pouvoir porter secours à Sophie. Tapant des deux poings contre les piquets, il hurla :

— Lieutenant Prokazoff, vous êtes un pleutre et une canaille ! Vous déshonorez votre uniforme !...

Comme dessoûlé par une gifle, Prokazoff lâcha Sophie, se tourna vers la palissade et dit lentement :

— Qui a parlé ? Qui a osé parler ?

Un silence lui répondit. Sa face vultueuse tremblait de haine. Il était prêt à enfoncer le mur avec son front. Oubliant les femmes, il courut, en tricotant des jambes, vers le poste de garde. Trois minutes plus tard, il était dans la cour, escorté de six soldats.

— Que celui qui a parlé se dénonce ! dit-il en se plantant, les jambes écartées, les bras en anses de pot, devant les forçats.

— Surtout ne bouge pas ! murmura Youri Almazoff à Nicolas.

— Je compte jusqu'à dix, reprit Prokazoff.

A dix, ne recevant toujours pas de réponse, il cria :

— C'est bon ! Je vais vous délier la langue ! Si le coupable ne se désigne pas immédiatement, je fais tirer dans le tas par mes hommes !

Visiblement, il avait perdu la tête. Toute son autorité était en jeu. Les décembristes se tenaient devant lui, en rangs serrés, la nuque roide, les bras ballants, le regard ironique. Incapable de se dominer plus longtemps, il commanda :

— En joue !

Du coup, Nicolas voulut se nommer. Pourtant, à sa grande surprise, il remarqua que les soldats demeuraient immobiles. Sans doute, ayant compris que leur supérieur était ivre, n'osaient-ils pas lui obéir.

— En joue ! répéta Prokazoff. Qu'est-ce que vous attendez ? En joue ! En joue !...

Les soldats, de plus en plus indécis, se regardaient, chuchotaient, se poussaient du coude. Nicolas sentit qu'il pouvait tout sauver, à la seconde, en payant d'audace.

— Votre lieutenant est fou ! dit-il à haute voix. Allez vite prévenir le commandant !

La fermeté du ton impressionna les hommes du poste de garde. Soudain, leur chef ne fut plus celui qui portait l'uniforme, mais celui qui portait les chaînes. Un soldat partit en courant.

— A qui obéis-tu, fils de chienne ? rugit Prokazoff. A un forçat ? Je te ferai passer par les verges ! Reviens ! Reviens ! A la garde ! Mutinerie !...

Il trépignait, brandissait un pistolet, s'étranglait dans une écume d'injures. Mais le messager avait déjà disparu. Alors, subitement, la colère de Prokazoff tomba. Ses joues pâlirent, ses traits s'affaissèrent. Avait-il conscience d'être allé trop loin et que cet accès d'humeur pouvait lui valoir une semonce du général Léparsky ? Il lança aux décembristes un regard blanc, abaissa son pistolet et rentra dans le poste de garde. Peu après, le lieutenant Vatrouchkine revint dans la cour.

— Messieurs, dit-il, je ne veux pas savoir ce qui s'est passé ici, en mon absence.

— Mais c'est que, précisément, il ne s'est rien passé, dit Nicolas avec un sourire.

Le lieutenant Vatrouchkine parut soulagé d'un grand poids.

★

Pendant le souper, on évita, d'un commun accord, toute allusion à l'incident. Tant que les estomacs ne seraient pas pleins, les esprits ne seraient pas libres. C'était un prisonnier, élu pour trois mois, qui était responsable de la cuisine. Les achats de nourriture se faisaient par lui sur un fonds alimenté des prestations de tous les détenus, chacun participant à l'*artel* dans la mesure de ses moyens. Les dames fournissaient, en plus, du café, du thé, du chocolat, des confitures et d'autres denrées de luxe. Cette organisation permettait d'améliorer l'ordinaire, qui, s'il n'avait fallu compter que sur les six kopecks par homme et par jour alloués par l'administration, eût été insuffisant. Soupe aux choux et bœuf bouilli. Comme les couteaux étaient interdits, le pain était servi en morceaux. Pas de fourchettes, non plus. On déchirait la viande avec ses doigts. La table était dressée sur des tréteaux, au milieu de la chambrée. Parmi les convives, assis coude à coude sur les bancs, sur les lits, il y en avait qui, jadis, étaient amateurs de bonne chère et d'autres qui, lorsqu'ils étaient libres, mangeaient moins bien qu'à présent. Tous, aujourd'hui, s'intéressaient également au contenu de leur assiette. A mesure qu'ils se rassasiaient, ils devenaient plus bruyants. Tintements de chaînes et éclats de voix résonnaient sous le plafond bas de la salle. Le faible courant d'air qui passait par les fenêtres grillagées ne parvenait pas à chasser l'odeur des plats refroidis. Il faisait jour encore. La soirée serait longue. Sans doute, bientôt, verrait-on arriver d'autres camarades attirés par le vacarme. A cause de l'animation qui régnait habituellement dans cette chambrée, les décembristes l'avaient baptisée Novgorod-la-Grande, cité fameuse autrefois pour ses assemblées populaires. La chambrée voisine était surnommée Pskov, parce que cette ville avait eu, au Moyen Age, comme Novgorod-la-Grande, une constitution républicaine. Dans la troisième chambrée, Moscou, se trouvaient principalement des jeunes gens de bonne famille, aux mœurs seigneuriales. La quatrième chambrée, Vologda, comprenait des prisonniers de condition plus modeste, petits fonctionnaires, obscurs officiers de garnison, qui ne parlaient même pas le français.

Nicolas était heureux d'appartenir à Novgorod-la-Grande, car c'était elle qui donnait le ton à l'ensemble du bagne. Il observa son entourage et constata que, pour beaucoup, le repas tirait à sa fin. Le joyeux Lorer torchait son écuelle avec un quignon de pain, Zavalichine, chevelu, mystique et végétarien, ouvrait une bible sur ses genoux, le gros Narychkine allumait une pipe, et, au bout de la table, le prince Odoïevsky, poète et homme de soupe pour la journée, empilait des assiettes sales devant un baquet d'eau. Youri Almazoff décocha à Nicolas un regard d'intelligence. Le moment était venu de relancer la discussion.

— Que pensez-vous, les amis, de notre altercation avec Prokazoff ? demanda-t-il d'une voix forte.

— Je pense que c'est un imbécile redoutable et qu'à la première occasion il se vengera sur nous de son échec, dit Zavalichine sans lever le nez de sa bible.

Il était assis en tailleur, sur son lit. Ses cheveux pendaient en rideaux des deux côtés de sa figure pâle.

— Ce sont là des considérations accessoires, dit Nicolas. Je voudrais attirer votre attention sur un fait important. Les soldats n'ont pas obéi à Prokazoff, les soldats sont avec nous !...

— Et après ? grommela Narychkine.

— Après ? Mais, s'il en est ainsi, tous les espoirs nous sont permis ! Développe ton idée, Odoïevsky !

Le prince Odoïevsky, les manches retroussées, un tablier autour des reins, trempa une assiette dans l'eau, la retira, l'essuya et dit :

— Il faudrait prévenir Iakoubovitch. C'est lui qui est à l'origine de l'affaire.

— Eh bien ! Va le chercher à Moscou, dit Nicolas.

— Et si d'autres Moscovites veulent venir ?

— Qu'ils viennent, bien sûr ! Nous n'avons pas de secrets pour eux !

— En passant, tu leur demanderas s'ils n'ont pas une serviette propre à te prêter ! dit Ivan Poushine. Regardez avec quel chiffon infect il sèche nos écuelles ! C'est à vous dégoûter de manger dedans !

Le prince Odoïevsky haussa les épaules et sortit — souillon renvoyé par ses maîtres — dans un éclat de rire général. Il reparut peu après, avec Iakoubovitch, plus taciturne encore que de coutume, le prince Troubetzkoï, le prince Obolensky, le prince Volkonsky et quelques autres « Moscovites » de plus basse volée. On se serra sur les lits et sur les bancs pour donner de la place aux nouveaux venus. En parcourant du regard ces visages attentifs, Nicolas ressentit une curieuse impression d'indulgence et de fraternité. Ah ! certes, il n'y avait pas uniquement des héros dans cette compagnie. Mais ceux-là mêmes qui, le 14 décembre 1825, s'étaient montrés indignes de leur tâche, ne se distinguaient plus maintenant des révolutionnaires les plus intraitables. Personne, à présent, n'aurait eu l'idée de reprocher au prince Troubetzkoï son abandon de poste qui avait compromis toute l'entreprise, à Iakoubovitch sa lâcheté de dernière heure après de ridicules fanfaronnades, à Zavalichine son double jeu entre l'empereur et les insurgés. Du seul fait que les indécis, les traîtres, les hâbleurs avaient eux aussi, encouru la sévérité du monarque, ils étaient assurés du pardon de leurs camarades. La rigueur du châtiment avait mis tout le monde d'accord. Le prince Volkonsky pencha sur le côté sa grosse tête de perroquet fatigué et dit :

— De quoi s'agit-il ?

— La parole est à Iakoubovitch ! dit le prince Odoïevsky en se remettant à laver la vaisselle.

Iakoubovitch s'assit d'une fesse sur le coin de la table, prit une expression déterminée et répéta, presque mot pour mot, ce que lui et Odoïevsky avaient expliqué à Nicolas, le matin, à la Tombe du Diable. En écoutant cet exposé pour la seconde fois, Nicolas le trouva encore plus convaincant. L'attitude des soldats du poste de garde n'était pas étrangère à son nouvel optimisme. Comme il fallait s'y attendre, dès que Iakoubovitch eut fini de parler, les objections fusèrent.

— Admettons que nous parvenions à maîtriser et à désarmer le poste de garde, admettons même que nous puissions disposer de quatre ou cinq jours d'avance sur nos poursuivants, où irions-nous ? demanda le prince Troubetzkoï.

— Nous n'avons que l'embarras du choix ! dit le prince Odoïevsky. Nous pourrions nous diriger vers le sud, à travers la Mandchourie, jusqu'en Chine...

— Les Chinois seraient trop heureux de nous arrêter et de nous vendre aux Russes ! trancha le prince Volkonsky.

— Un autre itinéraire consisterait à suivre, en barque, les rivières Tchita et Ingoda jusqu'au fleuve Amour, dit Nicolas.

— C'est absurde ! ricana le prince Troubetzkoï. Nous sommes trop nombreux ! Imaginez cette longue flottille se déplaçant au fil de l'eau ! Notre tête serait mise à prix ! Les riverains nous tireraient dessus !

— Et puis, que ferions-nous si, par miracle, nous arrivions à l'océan ? interrogea le prince Volkonsky.

— Nous tâcherions de nous embarquer pour l'Amérique, dit Nicolas.

Il se revit dans le bureau de Ryléïeff, la veille de l'émeute, devant une carte de la Sibérie placardée au mur. Un pointillé indiquait le chemin suivi par les convois de la Compagnie russo-américaine.

— Ryléïeff ne nous aurait pas conseillé autre chose, reprit-il. Aller en Alaska, ou en Californie. Là-bas, nous serions sauvés.

— C'est vrai, concéda Narychkine. Mais quelle expédition ! La moitié de la Sibérie à traverser avec des cosaques sur nos talons, un capitaine à convaincre pour nous transporter en bateau de l'autre côté du Pacifique !... Non, cette histoire ne tient pas debout. Je préférerais, moi, me diriger vers la Russie d'Europe.

— Cela fait quatre mille verstes jusqu'à l'Oural, dit Youri Almazoff. Partout, des postes, des patrouilles. Et, si on prend le nord, les toundras désertes. Un vrai tombeau ! Le plus sage serait de piquer sur la mer d'Aral et la mer Caspienne, pour aboutir au Caucase...

— Oui ! Oui ! le Caucase, ce serait excellent ! s'écrièrent quelques prisonniers.

Les visages s'échauffaient, les yeux brillaient, comme avivés par l'alcool. Même ceux qui critiquaient le projet de fuite sentaient l'air de la liberté leur monter à la tête. A entendre ces propositions contradictoires, Nicolas se crut reporté à la folle veillée d'armes du 13 décembre 1825. Ses camarades discutaient aujourd'hui les chances de leur évasion avec la même légèreté et le même enthousiasme qu'ils avaient discuté jadis les chances de leur coup d'Etat.

— Rien ne nous oblige à prendre tous la même direction, dit Youri. Il faut simplement que nous soyons en force pour réduire le poste de garde. Après, nous pourrons nous séparer...

— En nous séparant, nous nous affaiblirons !

— De toute façon, Messieurs, nous devons choisir un chef...

On préparait l'assaut contre le palais d'Hiver. Il n'y avait ici que des officiers en uniforme. Encore un peu, et on allait élire le prince Troubetzkoï comme dictateur. Pris de vertige devant ce rappel du passé, Nicolas regarda ses chaînes. Cela ne suffit pas à le dégriser. Il était entraîné dans un rêve avec les autres. Un rêve qu'il savait insensé, périlleux, mais auquel il ne pouvait ni ne voulait se soustraire. Il observa que, dans la confusion générale, seuls les hommes mariés marquaient une réticence au complot. Le prince Volkonsky osa dire tout haut ce que pensaient probablement quelques autres :

— Que deviendront nos femmes dans cette équipée ?

Nicolas se rappela que la même question lui était venue aux lèvres, le matin. Cependant, il n'avait pas besoin de consulter Sophie pour savoir qu'avec son caractère déterminé elle approuverait le projet de fuite et supporterait tous les risques et toutes les fatigues de l'expédition. Peut-être les autres épouses étaient-elles moins vaillantes, moins endurantes qu'elle ?

— Nos femmes nous suivront ! dit-il.

— Où ? s'exclama le prince Troubetzkoï. Dans le désert ? Dans les bois ? Imaginez-vous ces malheureuses traquées en même temps que nous, pendant des semaines entières, affamées, harassées, couchant à la belle étoile, pour finir, peut-être sous les fouets des cosaques ou les flèches des Bouriates ?

— Si on envisageait toujours les catastrophes on n'entreprendrait jamais rien. Nos compagnes nous ont prouvé de quoi elles étaient capables !

— Justement ! répliqua le prince Volkonsky. Après le sacrifice surhumain qu'elles ont assumé en venant nous rejoindre, nous n'avons pas le droit de leur imposer une épreuve plus atroce encore !

— Je partage tout à fait votre avis, dit Annenkoff.

— Tu n'as pas voix au chapitre, tu n'es pas marié ! dit Youri Almazoff avec un grand rire.

Annenkoff ne comprit pas la plaisanterie et se vexa :

— Je le serai le mois prochain, mon cher. Et, quel que soit mon désir de liberté, je n'entraînerai jamais Pauline dans l'aventure !

— Moi, mes amis, dit Zavalichine en levant au plafond un regard extatique, j'estime que l'homme doit rester à l'endroit où Dieu l'a placé !

Le ton montait. Des visiteurs arrivaient à tout moment, venus des autres chambrées, écoutaient le débat, plaçaient un mot, s'en allaient, reparaissaient avec un ami. Bientôt, la salle fut pleine. Les visages s'alignaient à boucheton dans le crépuscule. Dominant le brouhaha des conversations, Fonvizine dressa sa grosse tête au toupet frisé et cria :

— Les célibataires n'ont qu'à partir ! Nous ne les en empêcherons pas !

— Et les représailles ? dit Narychkine. Y avez-vous pensé ? Ceux qui resteront auront à répondre devant les autorités de l'évasion de leurs camarades !

— Evidemment ! renchérit le prince Troubetzkoï avec nervosité. Nous payerons pour eux ! La discipline sera rendue plus rigoureuse ! Peut-être nous interdira-t-on de revoir nos épouses !...

Nicolas n'avait pas réfléchi à cette éventualité. Il allait s'attendrir, donner raison à l'adversaire (toujours cette manie de comprendre le point de vue d'autrui !) mais Iakoubovitch intervint rudement :

— C'est idiot ! Il est sans exemple que, dans un bagne, en cas d'émeute, ceux qui ne bougent pas payent pour les autres ! C'est même le contraire qui se passe ! Les sages, les dociles ont droit à la reconnaissance des autorités !

— Messieurs ! Messieurs ! Je demande la parole ! vociférait Nikita Mouravieff.

Il escalada la table. On fit silence autour de lui. Son visage était maigre, inspiré, ses mains tremblaient comme dans un accès de fièvre.

— Je veux vous dire ceci, balbutia-t-il. Je suis marié et heureux de l'être. Mais je considérerais indigne de chercher à dissuader mes camarades célibataires de leur projet, sous prétexte que son exécution pourrait aggraver mon sort. Tous ceux qui, comme moi, ont leur femme auprès d'eux, devraient convenir qu'ils sont favorisés par rapport aux autres. Moins que quiconque, ici, nous avons le droit de nous plaindre ! Je regrette, prince, que vous ayez élevé la voix !...

— Bravo ! hurla Iakoubovitch.

On applaudit, on tapa des pieds, dans un vacarme de chaînes.

— Vous ne m'avez pas convaincu, dit le prince Troubetzkoï avec humeur. Même si je n'étais pas marié, je vous crierais « casse-cou ! »

— Vous nous l'avez déjà crié le 13 décembre 1825, dit Youri Almazoff avec insolence.

Le prince eut un haut-le-corps. Son visage blêmit de colère.

— Si vous m'aviez écouté, le 13 décembre 1825, nous ne serions peut-être pas ici ! dit-il.

— Et vous, si vous étiez venu sur la place du Sénat, le 14 décembre 1825, nous serions peut-être, aujourd'hui, les maîtres de la Russie ! rétorqua Youri Almazoff.

Une curiosité angoissée entoura les deux hommes qui se mesuraient du regard. Pour la première fois depuis l'arrivée du prince Troubetzkoï à Tchita, un décembriste osait lui reprocher sa conduite. Nicolas craignit que cette dispute n'amenât une explication générale où chacun laisserait des plumes. S'il en était ainsi, la merveilleuse entente qui régnait entre les détenus serait à jamais compromise.

— Que prétendez-vous insinuer ? murmura le prince Troubetzkoï d'une voix blanche.

Youri Almazoff eut-il conscience du danger qu'il y avait à poursuivre son réquisitoire ? Haussant les épaules, il grommela :

— A quoi bon ? Tout cela, c'est de l'histoire ancienne. Ce qui m'intéresse maintenant, ce n'est pas de savoir pourquoi nous avons échoué en 1825, mais comment nous nous évaderons en 1828.

Le prince Troubetzkoï se calma. Trop vite, sans doute, pour un homme qui n'avait rien à se reprocher. Comme les esprits demeuraient excités, indécis, le prince Odoïevsky suggéra de lever la séance :

— L'affaire n'est pas mûre. Il faut y réfléchir encore. Peser le pour et le contre...

— En tout cas, j'exige le secret le plus absolu ! décréta Iakoubovitch. Que les hommes mariés prêtent serment de ne rien dire à leurs épouses !

Il y eut un gargouillement de rires autour de la table. Des têtes hilares se balançaient au-dessus de tous ces vêtements sales et fripés, dans lesquels on dormait, on se vautrait, on faisait des corvées de terrassement. Un à un, les maris prêtèrent serment, à contrecœur. La nuit était presque venue. Les clefs des gardiens tintèrent dans le corridor. C'était l'heure de la fermeture. Les visiteurs regagnèrent leurs chambrées, poursuivis par les cris du sous-officier : « Vite ! Vite ! Chacun chez soi ! Messieurs, je vous en prie, il est temps de vous séparer !... » Puis les verrous claquèrent dans leurs crampons, les serrures grincèrent, le bagne fut un bloc fermé de toutes parts.

En s'allongeant sur sa paillasse, Nicolas sentit un petit objet dur contre son flanc. C'était un os que quelqu'un avait laissé là, par mégarde, après l'avoir rongé. On retrouvait souvent des reliefs du repas dans les lits. Cinq minutes après la clôture des portes, la plupart des prisonniers ronflaient déjà. Certains, en revanche, se tournaient et se retournaient, versant leurs soucis d'un côté sur l'autre, dans un bruissement de chaînes. Bien que la controverse de ce soir n'eût pas abouti, Nicolas avait bon espoir pour la suite. Il y a dans l'idée de liberté une force qui entraîne l'homme toujours plus loin, comme la pesanteur entraîne une pierre dans le sens de la pente. Raisonnable ou non, le projet d'évasion allait faire son chemin dans les têtes. Même ceux qui lui étaient hostiles aujourd'hui finiraient par l'admettre demain, Youri Almazoff, dont le lit touchait celui de Nicolas, dit à voix basse :

— Tu as vu comment j'ai rivé son clou à Troubetzkoï ? Il y a longtemps qu'il m'agace avec ses airs de grand seigneur !

— Personne, ici, n'est sans reproche à l'égard de personne, dit Nicolas. Nous devons, avant tout, éviter de nous dresser les uns contre les autres.

— Alors, tu me donnes tort ?

— Je te donne raison dans tes pensées et tort dans tes paroles.

— Crois-tu que nous réussirons ?

— On ne peut pas toujours tout manquer dans sa vie !

— Moi, soupira Youri Almazoff, je suis sceptique. Je me demande si nous avons bien fait de mettre tant de monde dans le secret !

— C'était indispensable, puisque notre intention est d'entreprendre une action de masse !

— Oui, oui, évidemment, bafouilla Youri Almazoff.

Et il s'endormit. Nicolas resta éveillé dans le noir, comme sur un récif au milieu de la mer. Il repassait en esprit toutes les phases de la discussion, et une crainte s'insinuait en lui à mesure qu'il voulait la combattre : la crainte que tout cela ne fût, de nouveau, qu'une construction chimérique. L'inconscience, la fougue, la naïveté de ses amis et de lui-même lui apparaissaient parfois comme une maladie héréditaire dont souffrait l'élite de la Russie. Non loin de lui, il entendit un murmure. C'était Zavalichine qui faisait ses oraisons à mi-voix. Sans doute demandait-il à Dieu de retenir ses camarades à Tchita. Nicolas s'agenouilla sur sa paillasse et pria Dieu de les aider à fuir.

2

Sophie relut sa lettre aux parents de Youri Almazoff, la rangea dans un tiroir avec celles qu'elle avait déjà rédigées pour d'autres détenus, prit une nouvelle feuille de papier, et, sans désemparer, écrivit à la sœur d'Ivacheff. Ce serait le huitième pensum de la journée. La même formule servait pour tous les destinataires : « Je viens de voir votre fils (ou votre frère, ou votre mari, ou votre cousin...) et il m'a priée de vous dire... » Pour la suite, Sophie s'inspirait des renseignements que les intéressés lui communiquaient de vive voix ou dans un brouillon. Grâce à ce subterfuge, les décembristes n'étaient pas tout à fait coupés du monde extérieur. Sans doute auraient-ils, depuis longtemps, sombré dans l'oubli, si quelques femmes dévouées ne leur avaient maintenu la tête hors de l'eau. C'était par elles qu'ils existaient, qu'ils parlaient, qu'ils respiraient encore. Comme tout le courrier était lu et visé par le général Léparsky, Sophie contenait sa verve et pesait ses mots. Il lui paraissait étrange de correspondre avec tant de gens qui ne lui étaient rien et d'écrire si rarement pour son propre compte. Les lettres qu'elle avait adressées en France, à ses parents, avaient dû se perdre ou être arrêtées par la censure, car ils ne lui donnaient plus signe de vie. En revanche, elle recevait chaque mois une lettre de son beau-père, à qui elle ne répondait jamais. Elle ne pouvait lui pardonner sa haine à l'égard de Nicolas, le double jeu qu'il avait mené pour la détacher de son fils, la dénonciation qu'il avait expédiée au gouverneur d'Irkoutsk, dans l'espoir qu'il la retiendrait sur la route du bagne... Pourtant, si cet homme qu'elle détestait avait brusquement cessé de lui écrire, elle en eût été très malheureuse, car il était le seul à pouvoir lui fournir des nouvelles du petit Serge (1). L'enfant allait sur ses trois ans. « Un véritable Ozareff, affirmait Michel Borissovitch. Rien du côté de son père, tout du nôtre ! » Sophie rêva à ce bébé que Marie lui avait confié avant de mourir et que d'autres élevaient maintenant. Aujourd'hui encore, cet abandon pesait sur sa conscience. Emportée par le courant de ses souvenirs, elle se retrouva au milieu de la page, la plume en l'air, sans savoir à qui elle parlait : « Votre frère serait très heureux s'il vous était possible de lui envoyer un dictionnaire français dont il a grand besoin... » Ah ! oui, ce pauvre Ivacheff ! Un gentil garçon. Avec des tas de problèmes, bien sûr ! Comme tout le monde ! Quel ennui ! Fatiguée, elle repoussa les papiers et s'appuya au dossier de sa chaise. Elle en avait assez de s'occuper des autres ! Il lui sembla qu'elle était plus solitaire qu'aucun de ceux pour qui elle se dévouait. La petite chambre, aux murs de lattes et au plafond bas, sali de fumée, était

---

(1) Afin d'éviter toute confusion avec une personne existante, l'auteur a remplacé, pour le fils de Marie et de Vladimir Karpovitch Sédoff, le prénom de Cyrille, qui figurait dans les premières éditions de *La Barynia*, par celui de Serge.

obscure, mais, derrière la fenêtre, la campagne flambait de soleil. C'était jour de visite. Nicolas allait venir dans une heure. Tout à coup, elle eut envie d'écrire à Nikita pour lui redemander de ses nouvelles. Puis elle se dit que ce serait peine perdue. Trois fois déjà, elle avait essayé. Trois fois, ses lettres étaient restées sans écho, égarées ou détournées par la police. Elle avait également écrit à l'hôtelier français d'Irkoutsk, Prosper Raboudin. Lui, du moins, avait répondu. Mais toujours en parlant d'autre chose. A croire qu'il ne connaissait pas Nikita, qu'il ne l'avait jamais employé, jamais rencontré. Une seule explication : l'aubergiste craignait d'attirer l'attention des autorités en citant le nom du garçon dans ses lettres. Sans doute celui-ci avait-il encore commis quelque sottise et cherchait-il à faire oublier son existence. Et elle qui insistait pour savoir ce qu'il était devenu, au risque de le perdre par son indiscrétion ! Elle ne s'habituait pas à l'idée que des espions mettaient le nez dans sa correspondance, qu'en manifestant trop d'intérêt à quelqu'un elle pouvait lui nuire, qu'elle était plus dangereuse par ses amitiés que par ses haines ! Une pestiférée !

Elle reprit sa lettre à la sœur d'Ivacheff. Encore deux lignes de banalités et, de nouveau, Nikita fut devant elle, grand et musclé, blond et candide, avec un regard bleu-violet, d'une tendresse insoutenable. Quel merveilleux compagnon de route il avait été ! Non pas un serf, un domestique, mais un homme de confiance, presque un ami. Elle regrettait de l'avoir laissé à Irkoutsk pour ne pas se retarder dans son expédition. Et, aussitôt après, elle se félicitait de lui avoir trouvé une si bonne place. Il devait être passé garçon de salle, depuis le temps... En achevant sa lettre, elle se sentit délivrée. Comme si ce n'était pas à la sœur d'Ivacheff qu'elle eût écrit, mais à Nikita ; comme si, toutes ses pensées, il allait les lire entre les lignes.

Des coups frappés à la porte la surprirent. Elle n'attendait pas Nicolas si tôt. D'un bond, elle fut sur ses pieds. Un regard à la glace : décoiffée. Tant pis ! Elle ouvrit à son mari et se trouva devant trois femmes :

— Vous savez la nouvelle ? dit Marie Volkonsky en entrant. Les visites sont annulées.

Sophie demeura un instant muette, incapable de démêler ce qui se passait en elle : au lieu de la révolte qu'elle prévoyait, une étrange résignation s'emparait de son esprit. Elle devenait froide et légère à l'annonce de ce rendez-vous manqué.

— Pourquoi ? murmura-t-elle.

— A cause de la stupide histoire d'avant-hier avec le lieutenant Prokazoff ! s'écria Catherine Troubetzkoï. Nous avons appris cette décision tout à fait par hasard, en parlant avec Vatrouchkine. C'est inadmissible !

— Il faut absolument que nous allions protester auprès du général Léparsky ! renchérit Alexandrine Mouravieff.

Noyée sous ce flot de paroles, Sophie n'arrivait pas à s'indigner encore.

— Combien de temps serons-nous punies ? demanda-t-elle.

Marie Volkonsky la considéra avec étonnement :

— Mais, voyons, un seul jour ! C'est bien suffisant !

— Ah ! j'ai eu peur ! soupira Sophie.

Réduit à ses vraies proportions, l'événement lui parut fâcheux, certes, mais sans gravité pour l'avenir. C'était surtout en pensant à la déception de Nicolas qu'elle s'attristait. Il attendait leurs entrevues avec une telle impatience ! Pour calmer ses interlocutrices, elle dit dans un sourire :

— En protestant trop souvent auprès du général Léparsky, nous risquons de lasser sa bienveillance.

Ne devrions-nous pas réserver ce genre de démonstrations pour les cas les plus importants ?

— Le cas présent ne vous paraît pas assez important ? dit Catherine Troubetzkoï en haussant, sur son petit cou, sa face ronde et rose de pivoine. Vous m'étonnez, ma chère ! Pour moi, tout ce qui touche au droit de visite de mon mari est sacré !

— Mais... pour moi aussi, balbutia Sophie.

Elle se sentit coupable de tiédeur parmi ces trois épouses exaltées. On l'observait avec méfiance, avec sévérité. C'était ridicule !

— Bien entendu, reprit-elle, si vous avez décidé de voir Léparsky, j'irai avec vous.

— Nous ne voulons pas vous forcer ! dit Marie Volkonsky en pinçant la bouche.

Sophie jeta une cape sur ses épaules et sortit derrière les autres. De maison en maison, elles battirent le rappel des épouses frustrées. Ce fut à sept qu'elles se présentèrent dans l'antichambre du général. Il les fit attendre trois quarts d'heure, en espérant, peut-être, que ce délai de réflexion calmerait leur ardeur combative, mais, quand la porte du bureau s'ouvrit pour les recevoir, elles s'avancèrent ensemble, d'un air si résolu, que l'invalide qui servait de planton se plaqua contre le mur et cligna des yeux, éventé par toutes ces jupes en marche. Stanislas Romanovitch Léparsky se tenait debout derrière sa table de travail. Sanglé dans l'uniforme vert des chasseurs à cheval, dont il avait été jadis le commandant, il bombait le torse sous la bimbeloterie de ses décorations et fronçait les sourcils pour donner de la dureté à son regard. Les rides divisaient son vieux visage, comme de grosses coutures. Sa perruque grise débordait, en casquette, sur son front.

— Veuillez prendre place, Mesdames, dit-il.

Mais il n'y avait que quatre fauteuils. Les dames se livrèrent à un assaut de politesse et finalement, avec mille excuses, les princesses Volkonsky et Troubetzkoï, Mme Mouravieff et Mme Fonvizine consentirent à s'asseoir, les autres restant debout, derrière les dossiers des sièges. Ainsi groupées sur deux rangs, elles semblaient prêtes à chanter en chœur. Ce fut Léparsky, toujours froidement aimable, qui donna le signal en disant :

— Puis-je savoir ce qui me vaut l'honneur de votre visite ?

Un concert de reproches lui répondit. Il eut un mouvement de recul, comme si une hydre à sept têtes lui eût craché le feu au visage. Pourtant, il devait avoir l'habitude : il ne se passait guère de semaine qu'il ne fût pris à partie par les dames. Les expressions de « scandale sans précédent », de « torture morale » et de « plainte en haut lieu », revenaient souvent dans leurs propos. Tout en protestant avec les autres, Sophie admirait que le commandant de Tchita fût si patient. Elle regardait le chapeau en paille jaune à rubans bleus de Catherine Troubetzkoï, assise devant elle, et ne se sentait pas solidaire de ce charivari féminin. Soudain, dominant la voix de ses compagnes, Marie Volkonsky lança :

— Savez-vous ce que vous êtes, Excellence ? Un nouveau Hudson Lowe !

Cette accusation étonna tout le monde, à commencer par celle qui l'avait proférée. Il y eut un long silence, qui parut à Sophie annonciateur d'un orage. Marie Volkonsky était allée trop loin. Tête baissée, le général Léparsky réfléchissait lourdement. Sans doute, essayait-il de démêler ce qu'il avait de commun avec le geôlier de Napoléon. Enfin, il releva le front et sa moustache prit un pli moqueur.

— Votre admiration conjugale vous égare, princesse, dit-il. Ce n'est pas une raison parce que vous voyez votre mari en Napoléon pour que vous me voyiez, moi, en Hudson Lowe. Si Hudson Lowe avait été à ma place, il aurait répondu à vos invectives en vous interdisant toute visite à l'empereur... pardon, au prince, pendant six mois ! Vous oubliez trop vite les facilités que je vous donne ! Je m'efforce constamment d'améliorer votre sort ! Je ferme les yeux !

— Vous ne fermez pas les yeux, dit Catherine Troubetzkoï, puisque nous expions aujourd'hui le crime d'avoir parlé, avant-hier, à nos maris, à travers la palissade !

— C'est contraire au règlement !

— Mais nous le faisons chaque jour, depuis des mois !

— Je n'aurais rien dit si le lieutenant Prokazoff ne vous avait pas vues !

— Une véritable brute ! s'écria Sophie. Il a été avec moi d'une grossièreté inqualifiable ! Il m'a menacée de...

— Je sais ! Je sais ! grogna le général Léparsky. Aussi l'ai-je mis aux arrêts. Mais, justement, l'ayant puni pour abus de pouvoir, je suis obligé de vous punir, vous, pour désobéissance !

— Obligé ? Par qui ?

— Comment, par qui ? Mais par... par... par ma conscience de commandant !

Les dames échangèrent des sourires entendus. Il les observa avec tristesse, comme s'il les eût jugées bien cruelles de douter qu'un commandant de bagne pût avoir une conscience.

— Vous ne nous ôterez pas de l'esprit, général, que tout, ici, dépend de votre bon vouloir, dit Sophie.

— Tout, ici comme ailleurs, dépend de Saint-Pétersbourg ! répliqua Léparsky.

— Saint-Pétersbourg est à six mille verstes, protesta Catherine Troubetzkoï. De si loin, on ne voit pas ce qui se passe dans votre circonscription !

— Détrompez-vous, princesse. « Ils » n'ignorent rien de moi, là-bas. Rien ! Je suis espionné !

— Par qui ?

— Quelle naïveté ! Par mes collaborateurs, évidemment ! La délation joue à tous les échelons ! Je dois redouter davantage ceux que je commande que ceux qui me commandent !

Sophie crut d'abord qu'il était en proie au délire de la persécution. Puis elle se dit qu'en effet toute l'administration russe tenait debout grâce à cette crainte qu'avaient les fonctionnaires d'être dénoncés les uns par les autres. La solidité de l'Etat était assurée non par la cohésion de ses serviteurs, mais par leur méfiance réciproque. Ils vivaient, les yeux fixés sur le sommet, dans une inquiétude permanente, comme les habitants d'une vallée observent les nuages qui se forment autour des cimes, pour prévoir le temps.

— Vous n'allez pas prétendre, tout de même, que l'incident d'hier risque d'être rapporté à l'empereur ! dit Alexandrine Mouravieff.

— Si, Madame ! Des messages secrets partent d'ici pour la capitale ! J'en ai la preuve ! Dieu nous préserve d'une commission d'enquête arrivant inopinément à Tchita ! On aura tôt fait de prouver que je me suis montré trop conciliant avec vous, on me mutera dans une autre garnison, et, à ma place, on nommera un général à poigne ! Celui-là, croyez-moi, n'acceptera pas d'écouter le dixième de ce que je viens d'entendre ! Il rétablira la discipline dans toute sa rigueur ! Votre vie deviendra un enfer ! Alors, vous pourrez parler de Hudson Lowe !

Il se tut, hors d'haleine. Le bloc des dames fut ébranlé. Quelques cœurs battirent pour ce général, dont l'aveu de faiblesse était plus désarmant qu'une manifestation d'autorité. Marie Volkonsky réagit contre le charme.

— En somme, dit-elle, vous craignez pour votre carrière ?

— Ma carrière est finie, répondit Léparsky. J'ai

soixante-quatorze ans. Les décorations, les distinctions ne m'intéressent plus. Je ne souhaite rien d'autre que le repos éternel !

— Dans ces conditions, vous ne devriez plus vous préoccuper de ce que le tsar ou Benkendorff penseront de vos actes, mais de ce qu'en pensera Dieu.

— Qui vous a dit que Dieu n'est pas du côté du tsar et de Benkendorff ?

— Tout ce que nous savons du Christ, général, répliqua Marie Volkonsky.

Et elle se leva, d'un mouvement onduleux. Sa haute taille, son visage basané, son regard noir, tout cela, pensa Sophie, était beau mais peu sympathique. Catherine Troubetzkoï et Alexandrine Mouravieff étaient autrement attachantes par leur douceur et leur discrétion.

— Je vous promets que vous reverrez vos maris normalement, à l'avenir, dit Léparsky. C'est tout !

— Vous pourriez encore rapporter votre décision et nous les faire rencontrer ce soir, avant le couvre-feu, Stanislas Romanovitch, suggéra Mme Fonvizine.

— Non, grommela-t-il. Je ne reviendrai pas sur ce que j'ai dit. La discipline... il faut de la discipline... Même parmi vous, Mesdames !

Il se dirigea en claudicant vers la porte, sur ses jambes arquées de cavalier. L'audience était terminée. Elle n'avait servi qu'à froisser le général et à convaincre les femmes de leur impuissance. Elles voguèrent avec dignité vers la sortie. Au moment où Sophie allait franchir le seuil, Léparsky la retint :

— Je voudrais vous parler en particulier, Madame.

Elle vit les robes multicolores s'engouffrer en bouquet par la porte, et se retrouva seule avec le général dans un monde éteint. Il reprit place, avec un soupir, à son bureau, et elle s'assit devant lui dans le fauteuil tiède encore, qu'avait occupé Catherine Troubetzkoï.

— Vous m'excuserez d'aborder avec vous des questions financières, dit-il, mais il se trouve que, par la force des lois, je suis votre banquier !

Sophie sourit et inclina la tête. D'après le règlement, c'était le commandant du bagne qui gardait l'argent des détenus et de leurs épouses. Il ne le délivrait que par petites sommes et sur justification de l'emploi qui en serait fait. Aussi, à côté de ce capital officiel, toutes les femmes avaient-elles quelques milliers de roubles non déclarés, qu'elles cachaient dans leur maison. Sophie, démunie par les dépenses de son voyage et ne recevant aucun secours de Russie, était certainement parmi les plus pauvres. Elle calculait qu'en mettant les choses au mieux elle aurait de quoi vivre pendant six ou sept mois encore... Après, sans doute devrait-elle travailler pour subvenir à ses besoins. Mais quelle occupation trouverait-elle dans ce village perdu, dont les habitants étaient trop misérables pour payer le moindre service ? C'était son grand souci, pour l'avenir. Elle évitait d'en parler à Nicolas. Le général prit une fiche dans son tiroir, chaussa des lunettes dont un verre était fendu, fronça le nez pour les maintenir en place et dit :

— Savez-vous combien il reste à votre compte ?

— Quatre cent soixante-dix-sept roubles, dit-elle.

— Eh bien ! j'ai l'agréable mission de vous annoncer que je viens de recevoir cinq mille roubles pour vous, par courrier spécial.

Trop étonnée pour se réjouir encore, elle balbutia :

— Vous devez vous tromper, Excellence...

— Nullement.

— Qui aurait envoyé cet argent ?

— Vos parents.

— De France ?

— Pas exactement. Ils ont écrit à votre beau-père et l'ont chargé de...

Elle lui coupa la parole avec fureur :

— Ce n'est pas vrai !

— Comment ? J'ai là une lettre de Michel Borissovitch Ozareff, qui m'explique...

— Il ment !

— Lisez vous-même !

Il lui tendait un pli ouvert. Elle reconnut l'écriture de son beau-père et repoussa le papier.

— Il ment ! reprit-elle. La censure ne laisse passer aucun courrier de Sibérie en France ni de France en Sibérie. Mes parents ne savent donc même pas où je me trouve. Encore moins que je suis à court d'argent !

— Justement ! dit Léparsky. Ne pouvant correspondre directement avec vous, ils se sont adressés à Michel Borissovitch Ozareff pour avoir de vos nouvelles et pour vous faire parvenir tout ce dont vous auriez besoin...

— Et moi, je vous dis que cette somme ne vient pas d'eux mais de lui !

— Quel intérêt aurait-il à se dissimuler derrière vos parents ?

— Il sait que je n'accepterai pas un sou de sa main !

— Pourquoi ?

La colère était en elle comme un tremblement de feuillage. Plus elle essayait de se dominer, plus elle se sentait agitée et faible :

— Parce qu'il a eu, envers mon mari et moi-même, une conduite abominable, impardonnable !...

Léparsky attendit une seconde pour inciter Sophie à préciser ses griefs, puis, comprenant qu'elle n'en dirait pas plus, il murmura :

— Quels que soient les torts de votre beau-père, je n'approuve pas votre attitude. Si j'étais sûr que cet argent était le sien, je vous dirais qu'il se repent, à sa manière, et que vous n'avez pas le droit, en tant que chrétienne, d'empêcher un homme de pratiquer la bienfaisance. Mais, quoi que vous en pensiez, un doute subsiste : il se peut aussi que cet argent soit réellement celui de vos parents. Alors, vous commettriez un crime et une sottise en le repoussant... Dans les deux cas, vous devez accepter.

Elle secoua la tête dans une négation farouche, mais un point de son esprit avait été touché par le raisonnement. Léparsky le devina et accentua son avantage, la voix plus forte, le regard pesant :

— Avouez-le donc : c'est par fierté que vous vous obstinez encore !

— Peut-être. La fierté, c'est tout ce qui nous reste, à nous autres. Ne nous demandez pas d'y renoncer !

— En parlant ainsi vous ne songez qu'à vous-même !

— J'ai l'impression, au contraire...

Il l'interrompit :

— Ah ! Madame, comme vous êtes prompte à vous emporter, à vous leurrer ! Vous oubliez que le bien-être de votre mari et de ses camarades dépend de la somme que chacun d'entre eux verse au fonds commun. Ne croyez-vous pas que la situation tragique où vous êtes devrait vous mettre au-dessus de ces petites histoires de famille, qu'à Tchita les préséances, les vanités, les piques d'amour-propre, les rancunes d'autrefois sont balayées, qu'une seule chose importe : l'entraide, par tous les moyens, de ceux que la malchance a réunis en ce lieu ?

Elle reçut la leçon, sans mot dire, avec une sorte de gratitude honteuse, d'abandon chaleureux au-dedans d'elle-même. Un reste d'orgueil l'empêchait de reconnaître que Léparsky avait raison. Habilement, il lui épargna cette peine.

— D'ailleurs, dit-il, je n'ai pas à vous demander votre avis. J'ai encaissé cinq mille roubles pour vous. Libre à vous d'en disposer ou de les laisser dormir à votre compte.

Ce ton d'autorité bourrue la mettait à l'aise. Elle

ne voulait pas penser aux conséquences pratiques de l'affaire, mais éprouvait un soulagement profond qui ressemblait à de l'espoir. Pour un peu, elle eût remercié le général, qui l'observait maintenant par-dessus ses lunettes, avec une gentillesse narquoise. Troublée, elle se leva.

— Vous êtes pressée ? dit-il.

— Non.

— Accordez-moi cinq minutes encore. J'ai... pour ainsi dire... un service... ou plutôt un conseil à vous demander...

Elle ne cacha pas sa surprise devant ce personnage omnipotent, qui s'adressait à elle en solliciteur.

— Je ne vois pas en quoi je puis vous être utile, dans ma situation, dit-elle.

— C'est au sujet du prochain mariage d'Annenkoff et de Pauline Guèble. J'ai accepté d'être parrain à la cérémonie nuptiale, selon l'usage orthodoxe... En fait, tout le monde savait à Tchita que c'était lui qui avait demandé à être parrain, pour manifester sa mansuétude envers les détenus, et qu'Annenkoff n'avait pas osé refuser cette encombrante faveur.

— Je vous félicite, dit Sophie évasivement.

Il toussota, retira ses lunettes et chuchota d'un air contrit :

— Seulement, je suis de confession catholique... Je ne me suis jamais trouvé dans un cas pareil...

— Et vous voudriez savoir en quoi consisteront vos fonctions à l'église ?

— Voilà ! Evidemment, j'aurais pu me renseigner auprès de ces messieurs... Mais, vous l'avouerai-je ? J'ai redouté leur étonnement, leurs sourires... J'ai pensé que vous, en tant que coreligionnaire, vous me comprendriez mieux...

— Rassurez-vous ! dit-elle en riant. Votre rôle sera des plus simples !

Tout en lui expliquant ce qu'il aurait à faire, elle se demanda s'il ne feignait pas l'ignorance pour prolonger leur conversation. Immédiatement, elle se mit sur ses gardes. Si une certaine estime était concevable entre les détenus et leur geôlier, il ne pouvait être question de confiance réciproque. Quoi qu'il fît pour se rendre aimable, cet homme était là, d'abord, pour empêcher d'autres hommes de vivre libres. Quand il essayait de se rapprocher d'eux, sa sympathie se compliquait de curiosité professionnelle. Il ne les entourait de douceur que pour mieux les désarmer. Ces idées traversèrent Sophie à une vitesse prodigieuse et, sans doute, le reflet en passa dans ses yeux. Le général Léparsky lui jeta un regard aigu, parut deviner son sentiment et se rembrunit. Une expression officielle plomba son visage. Il s'inclina devant Sophie.

— Je ne veux plus vous retenir, Madame, dit-il. N'oubliez pas que la poste part après-demain. Si vous avez des lettres à me soumettre...

Elle sortit. Au lieu de se rasseoir, il se mit à déambuler dans la pièce. Il ouvrait les narines et humait un arôme subtil, qui tranchait sur les fortes senteurs de papier moisi, de bottes chaudes et de drap militaire qui étaient habituellement celles de son bureau. Les dames avaient laissé ce souvenir indéfinissable de leur passage, et pourtant aucune d'entre elles, il en était sûr, ne se parfumait. C'était, pensait-il, leur odeur naturelle de personnes bien nées. Il les comparait en esprit et se demandait laquelle avait sa préférence. A elles huit, elles étaient plus remuantes, plus entreprenantes, plus embarrassantes, que tous les prisonniers réunis. Il y avait incontestablement chez elles une incapacité congénitale à supporter la discipline. La moindre contrainte les hérissait, aucune concession ne les satisfaisait, elles avaient toujours le mot d'injustice à la bouche. Houspillé par elles, Léparsky passait son temps à essayer de concilier la sévérité du règlement avec son désir de leur être agréable. Il y parvenait souvent, mais nul, semblait-il, ne lui en savait gré. Cette indifférence apparente ne le décourageait pas. Il n'eût pour rien au monde échangé sa situation contre une autre plus reposante.

Quelle étrange fin de carrière ! Polonais, élevé chez les jésuites, il avait gagné ses grades, peu à peu, dans l'armée impériale, pour devenir, après cinquante ans de services, commandant du régiment de chasseurs à cheval de Séversk. Il s'apprêtait à prendre sa retraite, quand le tsar Nicolas Ier l'avait convoqué pour lui proposer ce poste redoutable à Tchita. Deux heures d'entretien, tête à tête avec le monarque. « Stanislas Romanovitch, vous me devez cette dernière preuve de dévouement ! Oubliez votre âge ! Partez pour la Sibérie ! Et que Dieu vous garde !... » Aujourd'hui encore, Léparsky ne pouvait se rappeler ces paroles sans une vive émotion. L'empereur l'avait embrassé et lui avait offert une tabatière. Du bout des doigts, il la caressa dans sa poche. En arrivant à Tchita, il s'était préparé à une besogne sévère de surveillance et de redressement. Mais, dès les premiers jours, il avait été séduit par ceux qu'il était venu dominer. Rien que des jeunes gens de bonne famille et de haute culture. Dans sa fureur aveugle, le souverain avait privé la Russie de ses meilleurs serviteurs. Toute une élite d'officiers, d'écrivains, d'historiens, de mathématiciens, de marins, de savants, qui auraient dû travailler à la grandeur de l'empire, s'employait maintenant à charrier du sable au fond de la Sibérie. Cependant, telle est la force de l'intelligence que, malgré leur misère, ces hommes avaient su créer à Tchita une petite société qui vivait intensément par l'esprit. Le commerce des idées entre eux était si ardent, que chacun avait à cœur d'enseigner son voisin. Léparsky regrettait parfois de ne pouvoir adresser un rapport à Saint-Pétersbourg sur le miracle de ce foyer d'instruction dans le désert. On l'eût accusé de sympathie suspecte envers des criminels d'Etat. En vérité, il les considérait un peu comme ses enfants. Leurs femmes, surtout, éveillaient en lui des sentiments paternels. Lui qui ne s'était jamais marié, se trouvait nanti, tout à coup, à soixante-quatorze ans, d'une huitaine de filles insupportables. Il les admirait pour leur courage et s'attendrissait sur leur jeunesse. C'était, autour de lui, un tourbillon de robes claires, un concert de voix mélodieuses. On le bousculait, on le vitupérait, on lui souriait, on le boudait et, le lendemain, il découvrait un bouquet de fleurs des champs sur sa table. Qui l'avait apporté ? Un gamin du village, disait le planton. Impossible d'en savoir plus. D'ailleurs, à quoi bon ? Il avait fallu qu'il devînt commandant d'un bagne pour connaître le bonheur de n'être plus seul sur la terre. « C'est ça, la vie de famille ! » se dit-il rêveusement. Un sourire joua sur ses lèvres. Il ouvrit le dossier des lettres écrites par ces dames, dans le courant de la semaine. D'après le règlement, il devait les lire et les viser avant de les confier à la poste. Tout en réprouvant cette besogne d'espion, il goûtait un plaisir inavouable à pénétrer toujours plus avant dans l'intimité des détenus et de leurs épouses.

D'abord, son regard survola toutes ces écritures féminines, élégantes, insolentes, pointues, bouclées... Comme un gourmet, la serviette au cou, hésite entre plusieurs plats, il ne savait par quelle missive commencer. Marie Volkonsky avait un style alerte, qui donnait du piquant aux histoires les plus banales. Pauline Guèble ne manquait pas d'humour. Alexandrine Mouravieff était, peut-être, la plus poétique. Dommage qu'il n'y eût rien de Sophie Ozareff dans le courrier ! Ce serait pour demain, sans doute. Il prit le parti de grappiller au hasard. Sautant de page en page, il apprenait que Catherine Troubetzkoï avait absolument besoin d'un tissu « très souple » pour une chemise de nuit, que Zavalichine avait entrepris de traduire la bible de l'hébreu en russe, que Mme Fonvizine avait rêvé, deux nuits de suite, d'un chat noir couché dans la neige, ce qui était un mauvais présage, que Iakouchkine avait des aigreurs d'estomac, qu'Odoïevsky s'ennuyait à périr et réclamait des livres, que Pauline Guèble était follement heureuse de se marier et que sa robe, cousue par elle-même, serait magnifique, avec « un corsage plissé, des remplis aux manches et des draperies agrafées en bas »... Du reste, ce n'était pas seulement l'existence des gens de Tchita qu'il découvrait à travers ces confidences de femmes, mais aussi, par le jeu des questions et des réponses, celle des destinataires, qui habitaient Saint-Pétersbourg, Pskov ou Moscou. Ses voyages avaient la rapidité de la pensée. Partout, il était chez lui. Il soulevait les toits des maisons comme des couvercles, faisait connaissance avec des grand-mères, des oncles, des neveux, toute une parentaille compliquée et agissante, se mêlait à des disputes, à des réconciliations, à des projets de mariage, s'initiait aux maladies de l'un, aux soucis financiers de l'autre, et se retrouvait soudain, tout étonné, dans son fauteuil, après avoir vécu cinquante vies en dix minutes. Dès qu'il avait épuisé l'intérêt d'une lettre, il la plaçait à sa gauche. La pile s'élevait. Bientôt, il éprouva de la fatigue. Ce kaléidoscope lui brouillait les yeux. Quelqu'un frappa à la porte. C'était son neveu, Joseph Léparsky, un garçon balourd, maladif et morose, qu'il avait pris comme adjoint, à Tchita.

— Laissez-moi vous aider, mon oncle, dit Joseph Léparsky en s'asseyant au bout de la table.

Et il attira un paquet de lettres pour les examiner.

En voyant les deux grosses pattes de son neveu tripoter ces papiers, le général Léparsky se renfrogna. C'était comme si un malappris eût porté la main sur les dames, en sa présence. Il eût voulu être seul à connaître leurs secrets. Pourquoi diable avait-il demandé, autrefois, à Joseph, de l'aider à dépouiller la correspondance?

— Avez-vous lu celle-ci, d'Alexandrine Mouravieff ? dit Joseph. Elle est charmante !

Que pouvait-il y comprendre ? Alexandrine Mouravieff écrivait en français et il parlait à peine cette langue. Son regard glissait sur le feuillet blanc avec la lenteur visqueuse d'une limace. Il salissait tout.

— Donne ! grommela le général Léparsky. Je finirai moi-même !

— Mais, mon oncle...

— Donne, je te dis !

Il lui arracha le papier des mains. Joseph le regarda avec surprise. Le général Léparsky regretta son mouvement d'humeur, poussa quelques dossiers vers son neveu et le pria d'aller les étudier dans la pièce voisine.

Une heure plus tard, quand le planton entra dans le bureau pour allumer les lampes, il trouva le général assis dans un fauteuil, près de la fenêtre, les lunettes au bout du nez, les lèvres plissées en un vague sourire, une lettre sur les genoux, d'autres sur le tapis.

3

La princesse Troubetzkoï, la princesse Volkonsky et Mme Mouravieff avaient amené chacune de Russie deux servantes. Mais le dévouement de ces filles n'avait pas résisté à l'influence démoralisante du bagne. A voir leurs maîtresses modestement vêtues et logées, et leurs maîtres portant des chaînes comme des malfaiteurs, elles avaient perdu tout respect pour eux. Elles leur répondaient avec insolence, refusaient de travailler et passaient le meilleur de leur temps à rôder, avec des mines aguicheuses, autour du poste de garde. Très vite, elles s'acoquinèrent avec des sous-officiers, ce qui acheva de leur mettre la tête à l'envers. Pour éviter des désordres plus graves, il fallut les renvoyer en Russie. Léparsky signa les papiers nécessaires. Ce fut le cœur gros de mélancolie que les dames assistèrent au départ des soubrettes, qui auraient la chance de revoir bientôt leur pays. Assises, coude à coude, dans le tarantass, elles avaient des airs de morgue sous leurs fichus noués. Elles savaient bien que les plus punies étaient celles qui les congédiaient.

Pour les remplacer, les dames engagèrent des filles de la campagne, ignares et apathiques, qu'elles ne payaient presque pas et qui dormaient dans des soupentes. Si Sophie était relativement bien partagée avec ses logeurs, Zakharytch et Pulchérie, les autres épouses de décembristes devaient se contenter d'un service défectueux. On suppléait à la qualité par la quantité. Chaque barynia régna finalement sur quatre ou cinq fainéantes, aux attributions mal définies. Plutôt que de commander ces incapables, certaines maîtresses de maison préféraient exécuter elles-mêmes les besognes délicates. En vérité, élevées dans le luxe, rares étaient celles qui savaient, en arrivant à Tchita, recoudre un bouton ou cuire un œuf. Sophie elle-même n'était pas toujours à l'aise dans les travaux domestiques. Comme les autres, elle se jeta bravement dans l'aventure, gâcha beaucoup de marchandise, mais acquit, par l'expérience, des rudiments de cuisine, de couture et de rangement. Pauline Guèble, de condition plus modeste, aidait ses compagnes à perfectionner leur éducation ménagère. Une espèce de zèle s'emparait des dames aux mains blanches. Elles se rassemblaient, tantôt chez l'une, tantôt chez l'autre, et, après un repas frugal, se confiaient des recettes succulentes mais irréalisables à Tchita ! L'après-midi, lorsque le temps le permettait, elles allaient faire une promenade, en bande, aux environs. Pour tromper la monotonie de cette existence, elles se fixaient un but dans l'avenir. Ainsi, toutes attendaient le mariage de Pauline, comme si leur propre destin dût en être modifié.

Le grand jour arriva enfin. Une foule nombreuse envahit la petite église de bois, aux murs badigeonnés de couleur bleue. Les saints de l'iconostase avaient des faces de paysans. Leurs auréoles s'alignaient, telles des assiettes sur un dressoir. Soudain, l'assistance tressaillit et se tourna d'un même mouvement vers la porte. Un bruit de ferraille traînée se rapprochait du parvis. Sophie se haussa sur la pointe des pieds pour mieux voir. Comme une vague déferle dans une grotte, les forçats se répandirent dans la nef. Tout le bagne avait reçu la permission de venir au mariage. Les hommes, rasés de près et vêtus d'habits propres, affectaient un air de fête, malgré les chaînes qui entravaient leurs chevilles. Certains portaient une fleur à la boutonnière. On notait même quelques cravates blanches, taillées dans des mouchoirs. Des soldats en armes poussèrent la chiourme sur la droite. Sophie aperçut Nicolas et lui fit signe de la main. Autour d'elle, d'autres épouses de détenus échangeaient avec leurs maris des sourires de pensionnaires. Elles étaient surexcitées par l'importance de l'événement. Les plus belles robes avaient été sorties des coffres. On s'était aidé entre femmes pour échafauder des coiffures de gala. Mme Narychkine avait donné toutes les bougies qu'elle avait en réserve pour éclairer dignement les images saintes. Jamais les paysans de Tchita n'avaient vu pareille illumination dans leur sanctuaire. Un murmure d'admiration salua l'entrée de Pauline au bras de son parrain, le général Léparsky. Trop de gens connaissaient la liaison de la jeune femme avec Annenkoff, pour qu'elle pût prétendre se marier en blanc. De taille moyenne, les cheveux châtain clair, l'œil sombre et vif, la gorge opulente, elle arborait une robe lilas tendre aux reflets changeants. Une couronne de fleurs égayait sa coiffure. Elle souriait pour cacher son émotion. Le général s'inquiéta de l'absence du fiancé, qui aurait déjà dû se trouver sur les lieux. Il arriva bientôt, tout essoufflé, entre deux soldats. Lui aussi portait une cravate blanche et des fers aux pieds. Des protestations s'élevèrent parmi les dames :

— On ne peut marier un homme enchaîné !... Ce ne serait pas chrétien !... Stanislas Romanovitch, faites quelque chose !...

Le désarroi se peignit sur les traits du général :

une fois de plus, le cœur luttait, en lui, contre la consigne. Les dames, pensait-il, avaient l'art de soulever des débats de conscience au moment où il s'y attendait le moins. N'aurait-il jamais de repos avec elles ? Il soupira de tout le ventre, appela un sous-officier et dit :

— Otez-moi ça !

Le sous-officier détacha une clef de sa ceinture et s'agenouilla devant Annenkoff. Un grincement métallique, et les chaînes tombèrent. Le fiancé releva le bas de son pantalon et se massa les chevilles.

— Et les garçons d'honneur ? dit Marie Volkonsky.

— Oui, oui, ces deux-là aussi ! grogna le général en désignant Pierre Svistounoff et Alexandre Mouravieff, qui se tenaient derrière le couple.

Le prêtre, tout jeune, avec une barbiche d'un blond filasse, paraissait effrayé d'avoir à célébrer un mariage si étrange, devant des gens qui connaissaient les usages de la ville. Recroquevillé dans sa chasuble, il expédiait les prières à mi-voix et lorgnait constamment le général, pour s'assurer que les autorités ne trouvaient rien à redire. Comme il n'y avait pas de chœur, c'était le diacre qui ânonnait seul les chants nuptiaux en balançant un énorme encensoir. A travers ce voile de fumée, Sophie apercevait les têtes inclinées de Pauline et d'Annenkoff, sous les couronnes tenues à bout de bras par les garçons d'honneur. Elle se rappelait son propre mariage, treize ans plus tôt, à Paris. Ce souvenir la laissait bizarrement calme. A croire que son passé ne la concernait plus. Près d'elle, Catherine Troubetzkoï pleurait, Mme Fonvizine se mordait les lèvres. Au moment de l'échange des anneaux, il y eut un instant de confusion. Le port des alliances était interdit au bagne. On avait confisqué celles des hommes mariés dès leur arrivée à Tchita. Allait-on faire une exception pour Annenkoff ?

De nouveau, le prêtre regarda du côté de Léparsky, comme pour implorer son conseil. Le général secoua la tête négativement.

— Monstre ! chuchota Marie Volkonsky.

Penché sur les deux jeunes gens, le prêtre leur dit :

— Faites semblant !...

Par trois fois, ils esquissèrent le geste rituel avec la seule alliance de Pauline, que finalement elle garda au doigt. Le prêtre, d'ailleurs, s'adressait à elle en l'appelant Parascève, le prénom de Pauline n'existant pas dans le calendrier orthodoxe. Quand il se fut retiré, après avoir félicité le couple et béni l'assistance, le sous-officier de garde reparut, portant les chaînes dans un sac. Le général se raidit et masqua sa gêne sous une expression autoritaire.

— Dépêche-toi, dit-il.

Dans un silence glacial, le sous-officier remit les fers aux pieds d'Annenkoff et de ses deux garçons d'honneur. Pendant toute cette opération, Léparsky évita de tourner les yeux vers les femmes des décembristes. Il sentait leurs regards appuyés sur lui comme des pointes d'épées. Au moindre mouvement, elles l'eussent transpercé. Sophie se demanda qui, de lui ou des prisonniers, était le plus à plaindre en cette minute. Il s'approcha des jeunes mariés et marmonna :

— Je vous félicite et je souhaite que les douces chaînes du mariage vous fassent oublier celles-ci !

— Mon mari ne pourrait-il passer la soirée avec moi ? demanda Pauline.

Evidemment, par « la soirée » elle entendait « la nuit ». Un sang violet colora les joues de Léparsky.

— Non, Madame, dit-il. Le règlement est le même pour tout le monde. Votre mari doit regagner le bagne immédiatement, avec ses camarades. Vous le verrez le jour de la visite.

Il claqua des talons et s'éloigna, suivi de ses adjoints, entre deux rangées de visages hostiles. Ensuite, commença le défilé des amis. Quand le couple sortit de l'église, une immense ovation éclata. Les forçats secouaient leurs chaînes en cadence. Au milieu de ce ressac métallique, le lieutenant Vatrouchkine hurlait :

— Silence ! Formez les rangs !...

Des soldats séparèrent les jeunes époux. Annenkoff rejoignit les autres prisonniers. Le cercle des dames accueillit Pauline.

— En avant, marche !

La chiourme s'ébranla en chantant :

Au fond des mines sibériennes
Demeurez fiers et patients !...

Sophie accompagna Nicolas du regard. Il marchait à côté d'Annenkoff. Tous deux se retournaient, par intervalles, et sautaient sur place, la tête dévissée. Pauline souriait, pleurait, agitait la main. Les dames la reconduisirent chez elle. Sa chambre était petite, avec, pour principal mobilier, un lit de sangles et une malle au couvercle bombé. Les visiteuses s'assirent par terre, sur des coussins, autour d'une caisse qui tenait lieu de table. Pauline servit du thé et des gâteaux de sa confection.

Malgré la joie d'avoir enfin épousé le beau, l'inquiétant, le ténébreux Ivan Annenkoff, elle souffrait d'avoir dû se séparer de lui aussitôt après la cérémonie.

— Je n'arrive pas à croire que je suis mariée ! soupirait-elle. Qu'y a-t-il de changé pour moi ?

Pour la distraire, Catherine Troubetzkoï l'interrogea sur les souvenirs qu'elle avait gardés de la France. Pressée de questions affectueuses, Pauline raconta que son père, attaché à la suite du roi Joseph, avait été tué en Espagne, que sa mère, privée de pension par la chute de l'Empire, avait eu beaucoup de peine à élever ses quatre enfants, qu'elle-même, l'aînée, avait travaillé jusqu'à quatorze heures par jour dans des magasins de mode parisiens et que, de guerre lasse, elle avait accepté un emploi bien rétribué dans une boutique française, à Moscou.

— C'est là, conclut-elle en rougissant, que j'ai rencontré Ivan Alexandrovitch Annenkoff. Six mois plus tard, c'était la révolte du 14 décembre. L'aurais-je épousé, s'il n'avait pas été envoyé au bagne ? J'ai l'impression que non. Sa mère se serait opposée à cette mésailliance... Mais vous-mêmes, Catherine Ivanovna, vous avez longtemps vécu à Paris, je crois...

— Oui, dit Catherine Troubetzkoï. Ce furent assurément mes plus belles années...

Et elle se lança dans les confidences. Elle était la fille d'un émigré français, Jean Loubrerie de Laval, et d'une riche héritière russe. La France aristocratique, légère et fastueuse qu'elle décrivait n'avait aucun rapport avec la France besogneuse de Pauline. Ce n'étaient que bals aux Tuileries, réceptions dans les hôtels du faubourg Saint-Germain, promenades en calèche sur les Champs-Elysées, spectacles à l'Opéra, courses à Longchamp, pique-niques dans le parc de Saint-Cloud. Elle parlait à mi-voix, les yeux perdus dans le vide, les coudes appuyés sur la caisse de bois blanc :

— Le prince Troubetzkoï m'accompagnait partout. Je crois bien que c'est dans notre loge, aux Italiens, qu'il me fit sa déclaration...

Sophie se dit que sa France personnelle ne ressemblait ni à celle de la princesse ni à celle de la couturière.

— Au fait, reprit Catherine Troubetzkoï en se tournant vers Sophie, n'est-il pas étrange que je ne vous aie jamais rencontrée à Paris ? Vous rappelez-vous la grande saison de 1820 ? Quel tourbillon !

— J'ai quitté Paris en 1815, aussitôt après mon mariage, dit Sophie.

— Mais nous avons certainement des amis communs : les Gramont, les Custine, les Charlaz, les Maleferre-Jouët...

Sophie inclina la tête : « Oui, oui... » Tous les regards convergeaient sur elle. Sans doute attendait-on qu'elle aussi vidât son cœur ? Brusquement, elle comprit qu'il lui serait impossible d'évoquer sa vie à Paris, sa rencontre avec Nicolas, son mariage, sans en éprouver une tristesse insupportable. Ses nerfs se nouaient, ses muscles se contractaient, une barrière s'opposait en elle au passage des mots. Mme Fonvizine la sauva de son embarras en proposant à Pauline de lui tirer les cartes. Toutes les dames se passionnèrent aussitôt pour ce jeu. On délaissa le passé pour se jeter dans l'avenir. Tandis que Mme Fonvizine, spécialiste des songes à clef, interrogeait, d'un œil tragique, les valets, les dames et les rois étalés sur la caisse, Sophie se renfermait dans un silence de désenchantement. A côté d'elle, on soupirait, on s'exclamait, on riait avec un rien d'angoisse au fond de la gorge. Même celles qui se disaient sceptiques ne laissaient pas d'être impressionnées par l'assurance de la pythonisse. Certaines prédictions sonnaient étrangement dans cette isba sibérienne, à deux pas de la maison des enchaînés :

— Ici, un homme brun, d'un certain âge, très important, qui vous veut du bien... Faites-lui confiance... Réussite en affaires... Réussite en amour... Grands caquets... Tromperies de femmes... Libertinage... Tout cela finira merveilleusement... Trois, quatre, cinq... Un long voyage avec l'être aimé... La fortune... Un enfant...

Pauline, les yeux brillants, la respiration contenue, pouvait voir son bonheur se tricoter comme une dentelle sur un tambour.

Après elle, Catherine Troubetzkoï et Marie Volkonsky s'entendirent promettre des félicités différentes, mais aussi enviables. Quand vint le tour de Sophie, elle déclina l'offre de Mme Fonvizine et voulut prendre congé.

— Vous n'allez pas me laisser déjà ! gémit Pauline. En partant, vous donnerez le signal de la débandade !

Contrairement à ces jeunes épouses impatientes, qui s'empressent d'éconduire tout le monde, elle retenait ses invités pour retarder la tristesse d'une nuit de noces solitaire. Sophie resta quelque temps encore, par compassion. Au déclin du soleil, elle se leva de nouveau. Marie Volkonsky et Catherine Troubetzkoï la rattrapèrent dans la rue.

— Cette pauvre Pauline ! murmura Catherine Troubetzkoï.

Elles firent une dizaine de pas sans en dire plus, Puis Marie Volkonsky se pencha vers Sophie et demanda à mi-voix :

— Avez-vous entendu parler d'un projet de fuite ?

— Non, dit Sophie en pensant à autre chose.

— C'est très sérieux ! Les prisonniers... du moins certains d'entre eux... veulent se révolter, désarmer les gardiens... Votre mari, je vous le signale en passant, est tout à fait acquis à cette idée !...

Sophie écarquilla les yeux, comme éveillée en sursaut, et marmonna :

— Allons donc ! Il me l'aurait dit !

— Ne croyez pas cela. Ils ont tous juré de garder le secret sur l'affaire. Même ceux qui y sont opposés ! Ainsi, le prince Troubetzkoï n'en a pas parlé à Catherine, et c'est par hasard que Serge, hier, à la palissade, a laissé échapper un mot à ce sujet devant moi. Je l'ai pressé de questions. Bien entendu, j'ai dû lui promettre de ne rien répéter à personne !... Ce serait pour le mois de juillet... Voici comment ils comptent s'y prendre...

Le complot se déroula devant Sophie. Mais elle écoutait à peine. Du projet d'évasion, elle retenait surtout que Nicolas ne l'en avait pas avertie. Cette dissimulation, de la part d'un être qui prétendait partager avec elle toutes ses pensées, l'affligeait comme un mensonge. Elle avait beau se dire qu'il était contraint au silence par la parole donnée à ses amis, elle n'en avait pas moins l'impression d'être trompée. Quelle distance soudain entre elle et lui, alors qu'elle le croyait tout proche, fondu dans sa chaleur, incapable de vivre sans qu'elle perçût le contrecoup de ses idées et de ses mouvements !

— En somme, acheva Catherine Troubetzkoï, si tout le monde, hommes et femmes, participe à cet exode, nous serons vite rattrapés, et, si les célibataires seuls s'évadent, nos maris subiront les représailles à leur place !

— Oui, oui, balbutia Sophie. Tout cela est absurde !...

— Je suis contente que vous pensiez comme nous ! dit Marie Volkonsky. A tout prix, il faut dissuader ces messieurs de leur entreprise. Puis-je compter que vous parlerez à Nicolas Mikhaïlovitch dans ce sens ?

— Dès demain, je vous le promets.

— Ne lui révélez pas de qui vous tenez l'information. Les hommes ont une conception si étrange de l'honneur ! Ils préfèrent parfois commettre une sottise plutôt que d'être sages en se parjurant !...

— Expliquez-lui que ce sont des bruits qui courent le village, que vous en avez entendu parler par votre logeuse, suggéra Catherine Troubetzkoï.

— Je m'arrangerai.

Catherine Troubetzkoï lui serra vivement la main :

— Plus que jamais nous devons être unies !

Le soleil couchant allongeait leurs ombres sur le sol. Au loin, la route était rose, entre des prairies vert-de-gris. Les trois jeunes femmes s'arrêtèrent devant la maison de Sophie. Jusqu'au bout, elle fit un effort pour être à la conversation.

Une fois dans sa chambre, elle éprouva une angoisse profonde, comme si un grand événement venait de bouleverser sa vie et qu'elle fût impuissante, non seulement à le surmonter, mais encore à le définir. Elle s'assit devant la fenêtre ouverte et regarda le ciel s'assombrir, les arbres se gonfler de nuit. Ce projet d'évasion lui paraissait plein de risques, et pourtant ce n'était pas uniquement par prudence qu'elle y était hostile. Quelque chose, en elle, s'insurgeait contre le dérangement, contre l'aventure. Etait-ce, de sa part, une crainte nouvelle de vivre, une lassitude physique née de son long voyage pour rejoindre Nicolas ? Elle n'aurait su le dire : elle constatait simplement que l'idée d'un changement l'effrayait, bien qu'elle ne fût pas heureuse de son sort. « Ne pas bouger... Surtout ne pas bouger !... » Une sonnerie de trompettes retentit du côté du bagne. Ces notes aigres parlaient de discipline, de fermeté, de confiance. Elle ferma les yeux, bizarrement rassurée.

★

— Je sais bien que c'est un plan audacieux, dit Nicolas, mais, sois tranquille, nous n'agirons que si toutes les chances sont de notre côté...

Il parlait en français, à voix basse, pour n'être pas compris des deux soldats, qui se tenaient en faction derrière la porte de la chambre. Assise au bord du lit, la tête inclinée, les mains croisées sur les genoux, Sophie lui opposait une indifférence qui le navrait plus que ne l'eût fait une franche critique. Jamais il ne l'avait vue à ce point engourdie devant une décision à prendre. Il marcha d'un mur à l'autre, attendit une réplique qui ne vint pas et poursuivit avec véhémence :

— Tu n'as pas le droit de me reprocher ma discrétion : j'avais juré à mes amis de me taire ! Cela compte entre hommes ! Peu m'importe, d'ailleurs, qui t'a mise au courant ! Je suppose qu'à présent toutes les femmes de prisonniers sont averties ! Ce sont elles qui t'ont monté la tête ?...

— Non, Nicolas, répondit-elle faiblement.

— Et moi, je te dis que si ! Livrée à toi-même, tu aurais réagi autrement ! Tu ne peux pas aimer la liberté et accepter que ton mari reste plus longtemps au bagne. Normalement, avec ton caractère, avec tes convictions, tu devrais m'encourager, me réconforter, me presser, tu devrais tout préparer pour que nous puissions fuir ensemble ! Car tu penses bien que je ne fuirai pas sans toi !...

Il se pencha en avant et posa ses deux mains sur les épaules de Sophie. Elle soutint difficilement ce regard, qui coulait sur elle avec une tendresse inquiète. Au bout d'un moment, il se remit à parler. Elle était obligée de convenir qu'il avait raison. Pour être fidèle à elle-même, il fallait qu'elle l'aidât, par tous les moyens, à reconquérir son indépendance... N'était-ce pas elle, qui, toujours, l'avait poussé à l'action ? Elle voulut lui prouver qu'elle ne cherchait pas à le détourner de son entreprise, mais simplement à prendre toutes les précautions nécessaires pour en assurer le succès.

— Je te comprends très bien, Nicolas, commença-t-elle.

Et, soudain, son esprit s'engagea dans une autre voie. Elle s'entendit murmurer :

— Ne crois-tu pas cependant qu'il vaut mieux mettre ton espoir dans une réduction de peine ?

— Quoi ? s'écria-t-il. Tu t'imagines que l'empereur, pris de remords, va tout à coup nous manifester sa clémence ?

— Pourquoi pas ? Il suffirait d'une occasion... Une grande victoire sur les Turcs, par exemple... Il paraît que les armées russes se couvrent de gloire dans les Balkans !...

— Non, Sophie. Le tsar nous a oubliés en Sibérie. Pour lui, nous sommes morts... ou, du moins, enterrés !

Sophie protesta, avec mauvaise conscience. Elle ne se reconnaissait pas dans cette femme timorée, qui alignait les arguments devant elle comme des dominos :

— Et moi, je suis persuadée que tu te trompes ! Le tsar a probablement été averti de votre bonne conduite. En vous révoltant, vous perdrez à jamais la chance d'être libérés par anticipation...

— Nous nous libérerons par anticipation nous-mêmes ! C'est plus sûr !

— Et où irez-vous ?

— Je te l'ai expliqué : soit à l'est, soit à l'ouest...

— En bandes ?... Avec vos femmes ?... Nous serons immédiatement signalés, cernés !... Si nous pouvions partir à deux !...

— Ce serait plus dangereux encore !

— Il nous faudrait... il nous faudrait... je ne sais pas... un guide...

— Pour dix roubles, ton guide nous livrerait aux cosaques. Non, la meilleure solution, c'est encore de partir tous ensemble.

Sophie n'écouta pas la suite. Un rêve était tombé sur elle comme un filet d'oiseleur : elle regretta que Nikita ne fût pas auprès d'elle pour organiser cette évasion. Il était fort, il savait tuer une bête, construire un abri de branchages, prendre le conseil du vent, discuter avec les moujiks, intimider les malfaiteurs, lire la route dans les étoiles. Brusquement, la perspective de voyager sans ce garçon la désempara. Bien qu'elle fût toujours sans nouvelles de lui, elle espérait que tôt ou tard, il viendrait à Tchita. Allait-elle, en fuyant, renoncer à cette dernière chance ? « Si nous partons, pensa-t-elle, je ne le reverrai jamais plus. » Une vague de froid lui toucha le cœur. « Ce n'est pas possible !... Pas possible !... » La violence de son trouble l'étonna ellemême. Nikita avait-il pris une telle place dans sa vie ?... Elle maîtrisa son malaise et tâcha de s'intéresser à ce que disait son mari :

— Nous ferons des provisions, nous nous procurerons des boussoles, des cartes...

Ce murmure s'éloigna, se brouilla, inintelligible comme un bruit de source. Des souvenirs remontèrent du fond de sa mémoire ; elle ne sut pas les refouler. Une chemise d'un rose brique déteint, une main brune posée sur la sienne, des cheveux blonds rebroussés par le vent de la steppe, un rire éclatant de jeunesse. Les images étaient si nettes, si gênantes, qu'elle eut l'impression de n'être plus seule avec Nicolas. Un tiers assistait à leur entretien. Elle n'avait qu'une crainte : que Nicolas ne devînt trop tendre ! La visite du dimanche durait officiellement deux heures. Il avait déjà perdu plus d'une heure à discuter. Manifestement, il avait hâte de la prendre dans ses bras. Son visage, au-dessus d'elle, exprimait une prière précise.

— Tu verras dit-il, peu à peu tu te feras à cette idée, ma chérie... De toute façon, ce n'est pas pour demain... Nous aurons l'occasion d'en reparler...

— Non, non ! dit-elle précipitamment. Parlons-en maintenant ! C'est trop important !...

— Mais puisque je te répète que...

— Attends ! Tu m'as dit... tu m'as dit qu'on pourrait aller jusqu'au Pacifique en descendant le fleuve... Mais, pour cela, il faudrait acheter des bateaux, construire des radeaux... Y as-tu pensé ?...

Elle cherchait à gagner du temps. En eut-il conscience ? Il fronça les sourcils.

— Des radeaux, des bateaux, mais oui, dit-il d'une voix rauque. Pourquoi pas ?

Un souffle effleura la tempe de Sophie.

— Et les Bouriates, les Bouriates qui se lanceraient à nos trousses ? dit-elle en détournant légèrement la tête.

Le souffle la suivit dans ce mouvement.

— Les Bouriates, nous en ferons des alliés ! répondit Nicolas.

— Comment cela ?

— En les payant.

— Avec quel argent ?

— Avec celui que nous aurons volé dans la caisse du commandant !

Deux lèvres tièdes glissèrent sur la joue de Sophie et s'appliquèrent à la naissance de son cou. Elle eut un frisson et chuchota :

— Nicolas !... Non... non !... les gardiens !...

Aussitôt, elle se rendit compte que sa protestation était ridicule.

— Eh bien ! dit-il. Quoi ? Ils sont derrière la porte ! Tu sais bien qu'ils n'entreront pas. Je t'en supplie, Sophie !... Sophie !... Je t'aime !...

Il la renversa sur le lit. Dans le rapprochement de la lutte, elle le jugea beau, avec son visage violent et maigre, aux joues cuites de soleil et aux yeux verts que l'impatience rendait méchants. Mais, plus il montrait d'ardeur, plus elle se figeait dans une lucidité déprimante. « Qu'est-ce que j'ai ? pensait-elle avec inquiétude. Cela n'a jamais été ainsi ! » Elle se laissa dévêtir et caresser. Puis elle lui prit le front dans ses mains. Elle riait, elle l'embrassait, elle s'évertuait à paraître heureuse. Il grimpa sur le lit dans un bruissement de métal. D'habitude, c'était elle qui, par sa tendresse, l'obligeait à oublier ces chaînes, dont il souffrait comme d'une infirmité. Cette fois-ci, le cliquetis des anneaux la surprit désagréablement. Elle avait beau se raisonner, toute la pitié, tout l'amour qu'elle portait dans sa tête ne pouvaient contraindre son corps au désir. Elle perçut, traînant sur ses propres jambes, le poids des fers. Elle aussi était enchaînée. Enchaînée à lui. Pour la vie. « C'est très bien ! Je ne veux rien d'autre ! » Il haletait :

— Ma chérie !... Je te demande pardon !...

Les factionnaires marchaient, parlaient, derrière la porte. Nicolas n'avait pas poussé le verrou : c'était interdit. Simplement, une chaise appuyée contre le battant. Dans dix minutes, ce serait fini. Après, il partirait content. Il se fit plus lourd sur elle, gémit doucement et lui prit la bouche. Un soldat se racla la gorge, cracha. L'autre se mit à rire. Le baiser de Nicolas se prolongeait. Un de ses genoux se glissa entre les jambes de Sophie. « Il faut empêcher cette évasion », songea-t-elle. Et elle ferma les yeux.

4

Figé au garde-à-vous, le courrier de cabinet transpirait à grosses gouttes et dardait sur le mur d'en face un regard dénué de vie. Sa figure ronde était bouillie de chaleur, de fatigue, une épaisse poussière maculait son uniforme jusqu'aux épaulettes. L'urgence de son message était telle qu'il n'avait pas pris la peine de se brosser avant de se présenter à Léparsky. Pour la quatrième fois, le général relut la lettre à en-tête de la IIIe section, et la colère le ressaisit : le comte Benkendorff, chef des gendarmes, lui signifiait qu'à l'issue d'un service religieux célébré à la cathédrale Notre-Dame de Kazan pour le succès des armées russes contre les Turcs, l'empereur, dans sa bienveillance infinie, avait décidé d'alléger le sort de certains condamnés politiques. Ordre était donné au commandant du bagne de Tchita d'enlever les fers aux prisonniers qui, selon lui, auraient mérité cette faveur par leur bonne conduite.

— Ils ne savent qu'inventer à Saint-Pétersbourg pour me compliquer l'existence ! maugréa-t-il. Comment vais-je choisir ? Tous se conduisent bien ! Je ne peux quand même pas tirer au sort entre eux !

Son neveu, Joseph, et son deuxième adjoint, le capitaine Rosenberg, l'écoutaient avec d'autant plus de déférence qu'ils avaient moins d'idées sur la question. « Je ne suis pas secondé ! » songea-t-il. Et il assena un coup de poing sur la table. Joseph tressaillit et son visage mou revêtit une expression importante.

— Qu'en penses-tu ? lui dit Léparsky.

— Il faut réfléchir, mon oncle, marmonna Joseph. Nous finirons bien par aboutir à une solution. Voulez-vous que je prépare une liste ?

— Qui mettras-tu sur cette liste ?

— Eh bien ! par exemple... le prince Troubetzkoï, le prince Volkonsky, le... le prince Obolensky...

— Tu trouves qu'ils se conduisent mieux que les autres ?

— Pas précisément... Mais ce sont de si grands noms !...

— On ne nous demande pas de dresser l'almanach nobiliaire du bagne ! D'ailleurs, Benkendorff se garde bien de me dire combien d'hommes j'ai le droit de libérer des chaînes !

— Un sur deux, cela me paraîtrait équitable, suggéra le capitaine Rosenberg.

— Et pourquoi pas deux sur trois ? Ils sont tous amis, tous égaux, et, brusquement, dans le même pénitencier, certains se promèneront d'un pied leste, pendant que d'autres continueront à traîner leur ferraille !...

Le capitaine Rosenberg reconnut avec empressement que, comme toujours, son chef avait raison. Joseph prit la lettre des mains de son oncle et la relut avec gravité pour se donner une attitude. Quant au courrier de cabinet, après avoir déchaîné l'orage, il planait, l'œil stupide, au-dessus des nuées.

— Allez vous reposer, lui dit Léparsky avec humeur. Et tenez-vous prêt à repartir ce soir.

Le feldjaeger salua, claqua des talons et sortit.

— Auriez-vous pris une décision, mon oncle ? demanda Joseph.

— Non, dit Léparsky. Laisse-moi seul. J'ai besoin de me recueillir.

Cinq minutes plus tard, il se rendait au bagne. Le poste de garde bouillonna à son approche. Une dizaine de soldats, jaillis de leur abri, lui présentèrent les armes en se bousculant. Le lieutenant Prokazoff se dressa devant lui, à l'entrée de la cour, l'uniforme déboutonné et la mine inquiète. Il était rare que le général Léparsky visitât la maison d'arrêt.

— Les prisonniers sont-ils rentrés de corvée ? demanda-t-il.

— Il y a une heure environ, Votre Excellence.

— Que font-ils maintenant ?

— Ils se reposent. Désirez-vous les voir ?

— Oui, mais sans vous !

Plantant là l'officier de garde, Léparsky pénétra d'abord dans la cour, où son apparition suscita un remue-ménage. Il sourit en voyant les hommes mariés s'écarter de la palissade. Pouvait-il leur en vouloir de converser, en cachette, avec leurs femmes ? Un groupe de prisonniers entourait Nicolas Bestoujeff, qui, assis sur un tabouret, un carton en travers des genoux, peignait à l'aquarelle le portrait de Youri Almazoff. Certes, il était interdit, d'après le règlement, d'introduire dans le bagne du papier, des crayons, des plumes, de l'encre et — qui plus est ! — des couleurs. Mais, là encore, Léparsky était d'avis qu'il fallait interpréter les ordres de Saint-Pétersbourg avec intelligence. Y avait-il une distraction plus saine que la peinture ? En s'adonnant à ces travaux, Nicolas Bestoujeff et ses émules — car il en avait déjà — trompaient la monotonie de leur existence et oubliaient la politique qui leur avait fait tant de mal. Le général s'approcha de l'artiste et porta une main recourbée en lorgnette devant son œil droit. Le dessin était rudimentaire, mais ressemblant.

— Du talent ! Beaucoup de talent ! grommela Léparsky.

— Accepteriez-vous de poser pour moi, un de ces jours, Votre Excellence ? dit Nicolas Bestoujeff, le pinceau en suspens.

— Pourquoi pas ? s'exclama le général, ravi.

Et aussitôt, il se demanda ce qu'on penserait de lui à Saint-Pétersbourg en apprenant qu'il se faisait portraiturer par un criminel d'Etat. Il devait constamment se surveiller pour ne pas verser dans une dangereuse indulgence.

Distribuant des regards et des sourires à droite, à gauche, il se dirigea vers l'enclos où les prisonniers cultivaient leurs légumes. Jamais il n'en avait vu de plus beaux chez les paysans de Tchita. Pommes de terre, choux, carottes, tout cela poussait à profusion dans une terre riche. Il y avait même des concombres, denrée presque inconnue en Sibérie avant l'arrivée des décembristes. Au passage du général, des jardiniers aux mains noires et aux visages las se redressaient, et c'étaient des princes, des comtes, d'anciens officiers de la garde. Il les saluait, au milieu de leurs plates-bandes, comme il les eût salués dans les galeries du Palais d'Hiver.

A l'intérieur de la maison de force, il trouva, dans des chambrées propres et silencieuses, d'autres forçats écrivant ou lisant. Au début, conformément à la volonté du monarque, Léparsky avait interdit les livres. Mais les femmes s'arrangeaient pour en faire parvenir clandestinement à leurs maris. Averti que de véritables bibliothèques se montaient dans le pénitencier, Léparsky ne s'était pas senti le courage de les détruire. Maintenant, c'était avec son accord que les prisonniers se procuraient les ouvrages dont ils avaient besoin. Chaque colis postal contenait des publications russes ou étrangères. Le général apposait son visa sur la page de titre : « Lu », et il signait. En vérité, pour lire tout ce que recevaient les détenus il lui aurait fallu savoir en plus du français et du russe, l'anglais, l'allemand, l'espagnol, l'italien, le grec, le latin, l'hébreu... Aussi, depuis quelque temps, remplaçait-il la formule « Lu », par la formule « Vu », moins compromettante à ses yeux.

Marchant entre les lits, il s'arrêta devant Zavalichine, plongé dans la traduction de la bible, puis devant Nikita Mouravieff, qui compulsait *les Philippiques* dans le texte, Bariatinsky alignait des équations, à la craie, sur une ardoise ; Ivacheff trônait au milieu d'une dizaine de bouquins éparpillés sur le sol : *Traité d'archéologie, Dictionnaire classique d'Histoire naturelle, Discours sur les révolutions de la surface du globe.* Le mot « révolutions » accrocha le regard de Léparsky. Un instinct de chasseur le fit frémir joyeusement et il saisit le livre. L'avait-il laissé passer par inadvertance ? Son visa figurait en bonne place. Il chercha le nom de l'auteur : Cuvier. Cela ne lui disait rien. Méfiant, il parcourut quelques pages. Fausse alerte ! Les révolutions en cause étaient tout à fait licites : il s'agissait de sciences naturelles. Ivacheff observait le général avec ironie. Léparsky lui rendit le volume et s'éloigna, avec un rire silencieux. En passant d'une salle à l'autre, il se heurta au Dr Wolff, qui allumait sa pipe. Derrière lui, se tenait le prince Odoïevsky, pâle, les traits tirés, un gros pansement autour de la main. Léparsky les questionna négligemment :

— Rien de grave ?

— Non, dit le Dr Wolff. Il avait un panaris. Je viens de l'inciser.

— Ah ! très bien, très bien, marmonna Léparsky.

Puis se reprenant, il remarqua :

— Vous savez qu'en principe vous ne devriez pas...

— Je le sais, dit le Dr Wolff d'un ton bref, mais c'était urgent.

Le général songea que les forçats avaient de la chance de compter parmi eux cet homme remarquable, autrefois médecin chef de l'état-major et médecin privé du généralissime comte Wittgenstein. Condamné à quinze ans de travaux forcés pour sa participation au mouvement de Pestel, il n'avait plus officiellement le droit d'exercer, mais soignait ses camarades avec l'approbation tacite des gardiens. Même le Dr Joutchkoff, médecin administratif de Tchita — un incapable et un paresseux — se réjouissait d'être déchargé d'une partie de ses responsabilités par ce brillant confrère. On racontait qu'il avait étudié en Allemagne, qu'il était l'ami de Schelling et qu'il possédait des remèdes contre toutes les maladies réputées incurables. Léparsky l'accompagna jusqu'au réduit où il avait installé sa pharmacie. Le Dr Wolff faisait venir ses médicaments d'Irkoutsk, de Saint-Pétersbourg, de Moscou. Un alignement de bocaux, pleins de poudres et de liquides multicolores. Partout, des étiquettes rédigées en latin. Le général s'émerveilla, demanda des explications techniques, puis se rappela, une fois de plus, que tout cela était contraire aux instructions gouvernementales et dit :

— Soyez tranquille, je n'ai rien vu !

— Je vous remercie, Votre Excellence, dit le Dr Wolff en inclinant sa haute taille.

Son visage maigre, coincé entre d'épais favoris bruns, avait une expression naturellement sévère.

Une calotte de velours noir lui coiffait le crâne. Il détacha son tablier et apparut vêtu d'une redingote élimée, une cravate large, à double coque, bouffant sous le menton.

— Tu prendras ça dans un peu d'eau, dit-il en remettant au prince Odoïevsky un sachet de papier.

Après le départ d'Odoïevsky, le général, qui souffrait de palpitations, fut tenté de consulter le Dr Wolff, puis y renonça tristement. En tant que représentant de la loi, il pouvait tolérer qu'elle fût tournée par d'autres, mais n'avait pas le droit de l'enfreindre lui-même.

— Quel est l'état sanitaire de la maison ? demanda-t-il.

(Il disait volontiers maison pour prison.)

— Tout à fait correct, Votre Excellence, répondit le Dr Wolff en reconduisant Léparsky jusqu'à la porte. Mais nous allons bientôt manquer de certains produits. Il faudrait que vous les commandiez à l'apothicaire d'Irkoutsk. Je vous remettrai une liste...

Il traînait ses fers en marchant et ce cliquetis obsédait le général. Jamais il n'y avait prêté une attention aussi douloureuse. En se retrouvant dans la cour, il ne regarda plus les visages des forçats, mais leurs pieds. Des chaînes, des chaînes, des chaînes !... A qui les enlever, à qui les laisser ?... Il aurait voulu saisir Benkendorff par le bras, l'amener ici de force, l'obliger à choisir lui-même. « C'est étrange, se dit-il, je suis fier de mes prisonniers ! » Au lieu de préparer sa décision, cette promenade à travers le bagne l'avait rendue plus difficile.

— Ne vous dérangez pas ! grommelait-il en passant entre les groupes.

Il se pencha sur Nicolas et sur Iakoubovitch, qui jouaient aux échecs, assis par terre, près de la palissade.

— Avez-vous des nouvelles du front, Votre Excellence ? demanda Nicolas en se levant.

D'autres forçats se rapprochèrent. La plupart étaient d'anciens officiers et comptaient des camarades dans les régiments qui combattaient contre les Turcs. Exclus de cette guerre, ils ne pouvaient s'empêcher de rêver à l'avancement, aux décorations, à la gloire qu'ils y eussent gagnés, et que d'autres récoltaient à leur place. Léparsky les déçut en leur disant que l'ennemi, d'abord ébranlé, paraissait maintenant opposer une résistance accrue et que les troupes russes souffraient du climat malsain. « S'ils se doutaient que j'ai reçu l'ordre de déchaîner certains d'entre eux ! » pensa-t-il.

Soudain, sa résolution fut prise. Rompant la conversation, il se précipita, à petits pas courts et pesants, vers le portail. Il ne voyait plus rien, il n'entendait plus rien, il écrivait, dans sa tête, à Benkendorff. Quand il arriva dans son bureau, la lettre était finie. Il n'eut plus qu'à la coucher sur le papier. Débarrassée des formules de politesse, elle se ramenait à ceci : « Tous les prisonniers méritent également la faveur impériale. Il faut donc, pour être juste, n'en déchaîner aucun ou les déchaîner tous. Que Sa Majesté décide ce qu'Elle préfère ; pour ma part, la seconde solution me semble seule conforme à l'intention de clémence manifestée par Notre Souverain. » Content de lui, il appela ses adjoints et leur lut son texte d'une voix enflée par l'émotion. Ils en demeurèrent pantois.

— N'est-ce pas un peu vif ? demanda Joseph. Vous paraissez donner une leçon au tsar...

— On verra bien ! dit Léparsky. Prévenez le feldjaeger !

Toutefois, au moment d'apposer son cachet sur le pli, une crainte le traversa. Joseph avait peut-être raison. Ce n'était pas à un misérable commandant de bagne de discuter les décisions impériales. Trop tard. Le courrier de cabinet était déjà devant lui, épousseté, reposé, le petit doigt sur la couture du pantalon. Léparsky lui tendit la lettre.

★

— Battez-moi, Votre Excellence, je continuerai à crier que c'est la vérité ! gémit le vieux Vassiouk en tombant à genoux. Quand j'ai su que mon gredin de fils voulait les aider pour de l'argent, je ne lui ai rien dit, je suis tout de suite venu vous voir ! C'est le devoir d'un père d'empêcher la jeunesse de commettre des sottises !...

Léparsky s'assit lourdement derrière son bureau et s'épongea le visage avec un mouchoir. Les révélations de Vassiouk ne le prenaient pas au dépourvu. La veille, le lieutenant Vatrouchkine lui avait rapporté qu'à la Tombe du Diable, pendant la pause, il avait entendu quelques prisonniers s'entretenir à voix basse d'un projet d'évasion.

— Avec qui ton fils était-il en relation ? demanda-t-il.

La figure de Vassiouk se plissa dans un effort de mémoire. Le rouge de sa peau et le blanc de ses crins transparaissaient sous une pellicule de suie. Il habitait dans une cabane, aux abords de Tchita et, comme tous les paysans de la région, travaillait à fabriquer du charbon de bois pour les usines de Nertchinsk.

— Les noms, je ne m'en souviens pas bien, dit-il. D'après mon fils, ce sont tous les prisonniers qui vont se soulever, ficeler les soldats comme des saucissons et s'enfuir... Pour cela, ils lui ont demandé de leur procurer des haches, des cordes, de la poudre, du plomb, du thé de brique... est-ce que je sais ?...

Il travaille près d'eux, à la Tombe du Diable... C'est commode !... Il a promis, l'imbécile !... Il a vingt ans !... Voilà son excuse !...

— Retourne chez toi et ne dis surtout pas à ton fils que tu m'as parlé !

— Je le jure, Votre Excellence ! Et s'il commence à préparer tout le matériel, s'il le cache chez nous ?

— Laisse-le faire.

— Nous n'aurons pas d'ennuis ?

— Non.

Le vieux Vassiouk se releva en grimaçant et en geignant :

— On ne devrait jamais avoir affaire avec des forçats ! Messieurs ou non, ce n'est pas pour rien qu'ils sont dans les chaînes !

Cette phrase toucha Léparsky à un point sensible. Incapable de prononcer un mot, il fit signe à Vassiouk de se retirer. Lorsqu'il vit le paysan à deux pas de la porte, il se ressaisit :

— Préviens-moi s'il y a du nouveau !

Resté seul, il mesura la complexité de la situation. Deux semaines déjà qu'il avait renvoyé le feldjaeger à Saint-Pétersbourg avec une lettre sollicitant l'autorisation d'ôter les chaînes à tous les décembristes ! S'il demandait maintenant l'annulation de cette faveur, le gouvernement serait en droit de supposer qu'un événement grave l'avait fait changer d'avis. Or, cette menace d'évasion n'était peut-être fondée que sur des racontars ! Tous les prisonniers, dans toutes les prisons du monde, rêvaient, plus ou moins, de s'enfuir. Il y avait loin de ces projets à la réalité. Devait-il, lui, le commandant du bagne de Tchita, tirer prétexte de quelques dénonciations incontrôlables pour priver ces hommes d'élite d'un bienfait que l'empereur était prêt à leur consentir ? Son sens de l'honneur lui interdisait une pareille manœuvre. Mais, d'un autre côté, il était pénétré d'épouvante en songeant à ce qui se passerait si, à peine déchaînés par ses soins, les forçats prenaient la fuite. L'enquête ne manquerait pas de révéler qu'il avait été averti de leurs intentions. Comment expliquerait-il à Benkendorff que, malgré ses soupçons, il leur avait retiré les fers ? Ne l'accuserait-on pas d'avoir voulu faciliter leur départ ? Cinquante ans de loyaux services pour en arriver là !... La vénération de Léparsky pour le tsar était un mélange d'admiration et de terreur. Bien que Polonais d'origine et catholique de confession, il avait acquis, sous l'uniforme russe, la notion quasi religieuse du pouvoir absolu. Déplaire au souverain, c'était tomber dans un abîme de froid, d'obscurité et de désespoir. Et les décembristes supportaient de vivre loin de ce soleil !... Tout en les estimant, tout en considérant que leur châtiment était trop sévère, Léparsky ne les suivait pas sur le terrain politique. Leur révolte contre l'ordre établi dépassait son entendement. « Des fous ! Des gamins ! » Il fut saisi, à leur égard, d'un véritable dépit amoureux. Il leur en voulait de la confiance qu'il leur avait indûment accordée. « Ils m'ont charmé, berné !... Je ne savais qu'inventer pour leur être agréable, à eux et à leurs épouses, et, pendant ce temps-là, ils se préparaient à me fausser compagnie ! Y en a-t-il un seul parmi eux qui se soit demandé ce qu'il adviendrait de moi après leur escapade, si je ne serais pas traduit en justice, dégradé, enfermé dans une forteresse ? Non, bien sûr ! Ils ne pensent qu'à eux dans cette affaire ! J'aurais bien tort de me gêner ! » La tête enflammée, il tailla sa plume, prépara une grande feuille de papier et chercha la première phrase d'une lettre à Benkendorff. En quelques mots, il pouvait se mettre à l'abri des reproches. A son âge, on avait droit au repos dans la dignité.

« J'ai l'honneur de porter à votre connaissance, qu'en raison de certains faits survenus après l'expédition de mon dernier rapport, il me paraît préférable de laisser les criminels d'Etat enchaînés jusqu'à nouvel ordre... »

Il relut sa lettre, la trouva maladroite et la déchira. En écrire une autre ? A quoi bon ? Il savait déjà qu'il n'aurait pas la force de dénoncer ces hommes, qui, peut-être, s'apprêtaient à lui jouer le plus méchant tour de sa carrière. Etait-ce la vieillesse qui le rendait à ce point exorable ? Il était pris dans un enchaînement de circonstances, qui le contraignaient à aller là où il ne voulait pas. Ses tempes étaient serrées, sa langue sèche. Il agita la sonnette et se fit apporter une carafe d'eau et un verre, par le planton. La première gorgée, au lieu de le rafraîchir, accrut son malaise. « Cette histoire m'a donné la fièvre, pensa-t-il. Je n'ai plus les moyens physiques de m'énerver ainsi. Et je ne sais toujours pas ce que je vais faire ! » Il retira sa perruque qui lui tenait chaud, s'éventa avec elle, la remit, ouvrit la fenêtre.

Dans le jardin, deux anciens condamnés de droit commun balayaient l'allée centrale. Subitement, Léparsky se sentit soulagé. En déchaînant les prisonniers, ne leur ôterait-il pas le désir de s'enfuir ? Cette idée lui parut d'abord saugrenue, puis l'enchanta. L'annonce de la première faveur impériale devait logiquement inciter les détenus à rester sur place dans l'espoir d'une prochaine libération... Oui, oui ! Garder le secret sur toute cette affaire. Attendre la réponse de Benkendorff. Renforcer la surveillance...

Heureux de sa décision, il se dirigea vers la porte pour donner des ordres. Mais une ligne noire se leva devant lui, comme s'il eût marché sur les dents d'un râteau. Le plancher ondulait, basculait, tout se brouillait dans son cerveau, l'empereur, les décembristes, les chaînes, les épaulettes. Il s'effondra dans un fauteuil, inclina la tête sur la poitrine et devint étranger au mouvement de la vie.

★

Quand il reprit connaissance, il était couché dans son lit et deux infirmières moustachues, penchées sur lui, l'éventaient de leur haleine vineuse : Joseph et Rosenberg. Quelle punition !

— Ce n'est rien, mon oncle, chuchota Joseph. Un malaise...

— Nous avons prévenu le Dr Joutchkoff, précisa Rosenberg. Il ne va pas tarder.

Léparsky rassembla ses forces, émergea des nuages et dit :

— Je ne veux pas de votre Joutchkoff. C'est un âne !

— Préférez-vous que j'envoie chercher un médecin à Irkoutsk ?

— Huit cent soixante-dix-sept verstes pour l'aller, autant pour le retour. Quand il arrivera, je serai guéri ou enterré ! Non ! Appelez Wolff ! Tout de suite !

Epuisé par cet effort de paroles, il referma les paupières et coula à pic dans les ténèbres. Des siècles passèrent sur lui. Puis un cliquetis désagréable frappa son oreille. Encore un cauchemar. Ce bruit de chaînes le poursuivrait donc partout ! Il rouvrit les yeux et vit, à son chevet, un homme sec, aux prunelles sombres et attentives, aux favoris bruns ébouriffés : le Dr Wolff. Un soupir de joie souleva la poitrine de Léparsky.

— Ah ! vous voilà, balbutia-t-il. Merci d'être venu.

— C'est moi qui vous remercie de m'avoir honoré de votre confiance, dit le Dr Wolff. Cependant, il me sera impossible de vous soigner.

— Pourquoi ?

— Le règlement...

— Vous soignez bien vos camarades !

— Ils sont, aux yeux du pouvoir central, des personnages moins importants que vous. S'il vous arrive malheur, je serai poursuivi pour exercice illégal de la médecine !

Léparsky, d'abord consterné, se ragaillardit tout à coup et murmura :

— Il y a un moyen... Supposez que le Dr Joutchkoff contresigne vos ordonnances...

— Dans ce cas, évidemment !... dit le Dr Wolff. Mais il ne voudra jamais !

— Et moi, je vous parie que si ! Rosenberg, vite... allez lui expliquer...

Rosenberg se précipita dehors et revint bientôt en apportant l'accord du médecin administratif. Alors, le Dr Wolff commença son examen. Il avait des gestes lents, un air réfléchi, une voix grave et douce. Oubliant que l'homme dont les mains couraient sur sa peau nue était un forçat, Léparsky n'avait honte ni de son gros ventre, ni de ses bras grêles, ni de ses jambes aux veines bleues, boursouflées par endroits. « Est-ce que lui aussi a décidé de fuir ? pensa-t-il avec tristesse. Peut-il vouloir sincèrement me guérir, tout en méditant une évasion qui aurait pour moi les plus fâcheuses conséquences ? N'ai-je pas un seul ami parmi tous ces gens ? » Absorbé par ses réflexions, il perdit de vue qu'il était malade. Le Dr Wolff le rappela à la réalité en lui parlant de son cœur. Un cœur mou et capricieux, sujet à des spasmes, à des arrêts imprévisibles, comme celui qui l'avait terrassé ce matin. Mais il n'y avait pas lieu de s'alarmer outre mesure. Dix jours de repos absolu. Des gouttes calmantes, au réveil et à chaque repas. Un régime strict, aucun excitant, pas d'alcool. Et, à l'avenir, une vie régulière, exempte de soucis.

— C'est impossible ! Impossible ! répétait Léparsky. Dans ma situation !... Avec tout ce que j'ai à faire !..

— Eh bien ! dit le Dr Wolff avec bonhomie, efforcez-vous de croire justement qu'on n'a pas besoin de vous, que les prisonniers sont assez grands pour se surveiller eux-mêmes...

Léparsky lui lança un regard en vrille. N'y avait-il pas quelque machiavélisme dans ces propos apaisants ? « Endormons la méfiance du vieux pour prendre le large !... »

Jusqu'à la fin de la visite, Léparsky demeura sur le qui-vive, partagé entre la sympathie et l'inquiétude.

Les jours suivants, tout changea et il accueillit son médecin comme un ami impatiemment attendu. Leurs conversations le subjuguaient. Nourri de lectures scientifiques et philosophiques, le Dr Wolff affectait un scepticisme dédaigneux, mais, tout en prétendant que la vie n'avait pas de sens et que l'homme était incapable d'une action désintéressée, il se dévouait sans compter, tombait en rêverie devant une fleur, un insecte, et ne pouvait parler de liberté, d'égalité, de justice, qu'avec un tremblement passionné dans la voix. Sous son autorité, le général se révéla un patient exemplaire. Il avalait ses médicaments, gardait sagement le lit et se réjouissait du retour progressif de son appétit et de sa vigueur. Ce qui l'aida également à se rétablir, ce fut d'apprendre que, chaque matin, les épouses des prisonniers venaient prendre de ses nouvelles. Il était si ému de leur sollicitude, qu'il en oubliait, parfois, le projet d'évasion.

Le jour où le Dr Wolff l'autorisa à se lever, il consacra beaucoup de soins à sa toilette, revêtit son plus bel uniforme et sortit de sa chambre, pâle, faible et radieux, accompagné de Joseph et de Rosenberg, qui marchaient derrière lui, les bras étendus, comme les adorateurs d'une divinité chancelante. Dans le vestibule, où se tenait d'habitude le planton, il eut la surprise de rencontrer Sophie Ozareff.

— J'attendais le capitaine Rosenberg pour lui confier quelques lettres, dit-elle.

— Eh bien ! c'est moi qui aurai l'honneur de les recevoir de vos mains ! dit-il avantageusement.

— N'est-ce pas un peu trop tôt pour reprendre votre travail, mon oncle ? demanda Joseph.

Léparsky haussa les épaules sans répondre, ouvrit la porte de son bureau et invita Sophie à y pénétrer.

— Je ne voudrais pas vous déranger, dit-elle en s'asseyant dans le fauteuil qu'il lui désignait.

En réalité, elle était ravie d'avoir eu l'occasion d'approcher le général. Depuis des semaines, une idée la poursuivait : tant que l'évasion n'aurait pas eu lieu, il lui resterait une chance de faire venir Nikita. Les événements la poussaient au pied du mur. C'était maintenant ou jamais qu'elle devait tenter une démarche. Jouer le tout pour le tout, afin de sauver Nicolas et se sauver elle-même. Elle était persuadée que Nikita pourrait arriver à temps pour fuir avec eux. Tandis que ce plan audacieux se déroulait dans sa tête, elle interrogeait Léparsky sur sa maladie, lui vantait les mérites du Dr Wolff, le priait de se ménager à l'avenir. Les yeux mi-clos, il était un matou buvant du lait. « Comme il est seul ! » pensa-t-elle. Et, soudain, elle murmura :

— Oserai-je vous demander un service, Excellence ?

Sa propre témérité l'effraya. Jamais elle n'avait eu conscience d'engager une mise si forte sur une si faible carte.

— Mais volontiers, dit-il. S'il est en mon pouvoir de vous aider...

— Il s'agit d'un serf qui m'a accompagnée dans mon voyage et que j'ai dû laisser à Irkoutsk, l'année dernière, parce que le gouverneur Zeidler lui refusait son visa. Je suis sans nouvelles de lui, depuis ce temps. Et j'aurais grand besoin de ses services à Tchita...

Elle s'arrêta, le cœur désordonné, comme si ces paroles, prononcées d'une voix égale, eussent révélé le fond de son tourment. Un sourire de commande restait épinglé sur son visage, cependant qu'en elle la honte, l'espoir, la crainte se combattaient.

— Eh bien ! mais ce cas me semble tout simple ! dit Léparsky. Je suis en excellents termes avec Zeidler. Si votre gaillard n'a rien à se reprocher, j'obtiendrai qu'il soit envoyé ici.

La joie frappa Sophie et se répandit dans son corps comme une coulée de chaleur. Elle n'en laissa rien paraître et dit d'un ton détaché .

— Vous croyez vraiment que ce sera possible ?

— J'en suis sûr !

— Je vous remercie, Excellence.

Sur ce mot, la respiration lui manqua.

— Je vais vous donner quelques renseignements sur lui, reprit-elle. Il se nomme Nikita, il a vingt-cinq ans...

Elle rayonnait. Léparsky notait toutes les indications nécessaires sous sa dictée. Subitement, il demanda :

— Pourquoi diable ne m'avez-vous pas parlé plus tôt de cette affaire ?

— Je n'y avais pas pensé, dit-elle évasivement.

Et elle poursuivit :

— Cheveux blonds, yeux bleus, religion orthodoxe...

5

Comme chaque soir, à la fin du repas, les partisans et les adversaires de l'évasion s'affrontaient dans un vacarme de chaînes, de vaisselle et de voix éraillées. Couvrant difficilement le tumulte, Odoïevsky vociférait en français :

— Messieurs, Messieurs, je voudrais vous dire.. Il faut que vous sachiez... Nous avons déjà pris des mesures pour assurer le succès de notre entreprise... Grâce à la collaboration de quelques paysans de la région, nous allons pouvoir constituer des réserves de vivres et de matériel...

— Avec quoi les paierez-vous ? cria Narychkine.

— Avec l'argent de l'*artel.*

— Cet argent appartient à la communauté !

— La communauté nous déléguera, par un vote, l'autorisation d'en disposer ! dit Nicolas.

— Vous n'aurez pas la majorité, rétorqua Nikita Mouravieff.

— Si !

— Non !

A ce moment, Avramoff, l'homme de jour, qui faisait le guet à la porte, siffla dans ses doigts. Tous se turent instantanément, comme une nichée d'oiseaux chamailleurs abasourdis par un coup de feu. Au milieu du silence, Avramoff chuchota :

— Une inspection !... Le vieux en personne !...

Les hommes échangèrent des regards inquiets. C'était la première fois que Léparsky leur rendait visite à une heure si tardive. Deux minutes plus tard, le lieutenant Prokazoff pénétra, tel un forcené, dans la salle, et aboya :

— A vos rangs, fixe !

Les prisonniers avaient décidé de ne jamais obéir à cet ordre, mais simplement de se lever, par déférence.

— Serrez-vous ! reprit Prokazoff. Rassemblement général ! Il faut que tout le monde tienne là-dedans !

En effet, les camarades de « Moscou », de « Vologda », de « Pskov » accoururent bientôt et se répandirent avec un cliquetis confus dans la chambrée. On se bousculait le long de la table et entre les lits, en marmonnant :

— Qu'est-ce qui se passe ?

— Il paraît qu'un feldjaeger est arrivé à six heures de Saint-Pétersbourg...

— Sûrement, il vient chercher quelqu'un...

— Ne serait-ce pas plutôt une perquisition ?...

— De toute façon, ça sent le brûlé, mes amis !...

— Silence ! rugit Prokazoff.

Et il se raidit, foudroyé de respect, l'œil rond, la respiration avalée. Le général Léparsky entra, suivi de son neveu et de Rosenberg. Il était en grand uniforme, avec toutes ses décorations. Un cordon lui barrait la poitrine, l'écharpe de parade lui ceignait le ventre. Son visage flasque avait une expression de tendresse et de solennité. Il tendit son chapeau à Joseph, toussota et dit :

— Je vous ai réunis ici pour vous annoncer une importante nouvelle. Un courrier ministériel vient d'arriver de Saint-Pétersbourg porteur d'un ordre du tsar. Prenant en considération le rapport que je lui ai adressé le mois dernier, Sa Majesté m'autorise à vous retirer, à tous, — je dis bien à tous ! — les chaînes qui vous lient. Cette grâce impériale sera bientôt suivie, n'en doutez pas, d'autres mesures plus appréciables encore. Je vous félicite, Messieurs !

Un silence accueillit ces paroles. Il fallut une seconde à Nicolas pour éprouver, dans tout son être, le jaillissement impétueux de la joie. Autour de lui, ses camarades se regardaient, bouleversés, stupéfaits, immobiles. Léparsky, lui aussi, dominait mal son émotion. On eût dit qu'il était le principal bénéficiaire de cette faveur. Ses joues tremblaient, ses yeux s'emplissaient de larmes. Il fit un signe de la main. Trois sous-officiers se rangèrent devant lui, au garde-à-vous.

— Enlevez immédiatement les chaînes, dit-il. Comptez-les et remettez-les, contre reçu, au bureau du matériel.

Youri Almazoff poussa Nicolas du coude :

— Pince-moi ! Je rêve !...

— Il faudrait remercier le général ! dit Annenkoff.

— Pourquoi ? répliqua Nicolas. On ne nous fait pas un cadeau. On nous rend justice, c'est tout !

Mais il avait une folle envie de serrer la main de Léparsky. Déjà, les sous-officiers, armés de clefs, passaient d'un prisonnier à l'autre. Les chaînes tombaient dans un léger tintement. Nicolas ramassa les siennes, les soupesa, les examina avec une attention amicale, comme si elles eussent été une partie de lui même. Puis il bougea ses pieds, se balança sur ses jambes et s'étonna de l'aisance de ses mouvements. Le besoin de courir, de sauter, de danser, tiraillait ses muscles. Il tourna la tête vers la fenêtre. Son regard se heurta aux barreaux. Quand tous les hommes furent déchaînés, des voix discordantes hurlèrent :

— Merci, Votre Excellence !... Merci, Stanislas Romanovitch !... Merci !... Hourra !...

Bousculé, congratulé, embrassé, Léparsky se défendait en riant dans la cohue. Sa tête sautait comme un bouchon sur les flots. Nicolas, qui se tenait à l'écart du mouvement, entendait par bribes, les recommandations du général :

— Messieurs, je compte sur vous à l'avenir.. La caution morale que j'ai donnée pour vous aux autorités... C'est en continuant à vous montrer dignes de la confiance impériale que vous obtiendrez...

Lorsqu'il fut parti, les hommes enlevèrent la vaisselle, démontèrent la table et s'allongèrent sur leurs lits. Une même pensée obsédait tout le monde. Nicolas croisait ses chevilles l'une sur l'autre et s'amusait de leur nudité. A l'endroit des anneaux, sa chair était rose, grenue. Une petite douleur subsistait dans la profondeur de l'os. Bientôt, ce souvenir même s'effacerait. Des minutes passèrent, chargées d'une inexplicable mélancolie. Les oreilles de Nicolas, formées au tintement des chaînes, souffraient de ce silence inhabituel. Naguère, il fallait crier pour être entendu de son voisin de lit. Cette fois-ci, quand Youri Almazoff et Rosen se mirent à chuchoter, en rapprochant leurs têtes, Nicolas eut l'impression qu'ils parlaient trop fort.

— Bien sûr, je suis content de n'avoir plus d'entraves aux pieds, disait le géant Rosen, mais ne soyons pas ingrats : elles sonnaient bien, nos chaînes, quand nous marchions, quand nous chantions en mesure !...

— Tu les regrettes donc ? demanda Youri Almazoff.

— Un peu... Au fond, j'en étais assez fier !... Maintenant, nous sommes libres sans l'être !...

Ils se turent. De nouveau, le silence pesa douloureusement.

— Je vais me faire rendre mes chaînes et j'en forgerai des anneaux-souvenirs, dit Nicolas Bestoujeff. Avis aux amateurs !

— Bravo ! J'en retiens un ! glapit Odoïevsky.

D'autres voix reprirent :

— Et moi ! Et moi !

La chambrée s'animait. Nikita Mouravieff coupa court aux bavardages en disant :

— Il y a, Messieurs, des décisions plus sérieuses à prendre. Je ne sais ce que vous pensez de la faveur dont nous venons d'être l'objet. Mais, pour ma part, j'estime qu'il serait absurde, désormais, de chercher à fuir.

— Pourquoi ? s'écria Nicolas. Au contraire ! Tout devient plus facile !...

— A quoi bon risquer d'être rattrapés et tués, alors que le tsar s'apprête à nous offrir bientôt la liberté ?

— Qu'en savez-vous ?

— Léparsky nous a laissé entendre qu'en nous ôtant nos chaînes, Nicolas Ier entrait dans la voie de l'indulgence.

— Si vous croyez ce que dit Léparsky !...

— C'est un honnête homme ! remarqua Annenkoff.

— C'est le commandant du bagne, répliqua Nicolas. D'aileurs, même si le tsar nous fait cadeau de deux ou trois ans, la note à payer restera longue !

— Elle est plus longue pour moi que pour vous, dit Narychkine, et, cependant, vous voyez, je fais confiance à l'empereur !

D'autres prisonniers se mêlèrent à la discussion. Parmi ceux qui, une heure plus tôt, soutenaient le projet d'évasion, beaucoup semblaient maintenant disposés à attendre le bon vouloir du monarque. Nicolas devinait le mollissement des caractères aux intonations amorties, aux regards qui se détournaient. La conversation mourait par saccades, comme un feu mal entretenu. Espérant masquer leur revirement, les plus faibles disaient d'une voix forte :

— En tout cas, l'affaire apparaît moins urgente... Sans renoncer au projet, il faut le reconsidérer... le mettre en veilleuse.. On verra plus tard...

Même Iakoubovitch, Odoïevsky, Youri Almazoff paraissaient ébranlés.

— Je constate, Messieurs, dit Nicolas, que la magnanimité impériale nous entrave les jambes plus sûrement que des fers de dix livres. C'est à présent que nous sommes enchaînés !

Nul ne releva l'amertume de ce propos. Nicolas eut conscience qu'il gâchait le plaisir de ses camarades. Il se coucha, les mains sous la nuque, les yeux au plafond. La nuit venait, une nuit de septembre, bleue et fraîche, avec son parfum de fumée. L'absence de bruit, dans la chambrée, était effrayante. Une chouette ululait au loin. Pour retrouver sa joie, Nicolas pensa à la surprise de Sophie, lorsqu'elle le verrait, demain, sans ses chaînes.

★

La nouvelle s'était répandue, comme une traînée de poudre, dans le village. Le soir même, Catherine Troubetzkoï avait réuni toutes les dames chez elle pour fêter l'événement. On avait allumé six chandelles et ouvert deux bouteilles poussiéreuses de vin de Madère. Il ne faisait plus de doute pour personne que le projet d'évasion serait enterré. Sophie en éprouvait un soulagement sans mesure. Elle pensait à Nicolas délivré de ses chaînes, à Nikita qui allait venir, et son cœur se fondait dans un remerciement universel. Car Nikita viendrait sûrement, bien que

Léparsky n'eût toujours pas reçu la réponse de Zeidler. Qu'était-ce qu'un mois, un mois et demi de délai, pour qui connaissait les usages de l'administration russe ? Dans ce pays immense et invertébré, la lenteur était une des formes de la puissance. Maintenant, quoi qu'il advînt, Sophie était persuadée que Léparsky ne l'abandonnerait pas. Elle proposa de boire à sa santé. Toutes les femmes acceptèrent avec enthousiasme. Elles étaient légèrement grises. Assises sur des malles, sur des caisses, sur le lit, dans la chambre de Catherine, elles parlaient, l'une couvrant l'autre, avec des voix surexcitées :

— Ah ! nous l'avons échappé belle avec cette histoire de fuite collective !

— Les hommes sont des enfants ! Vous nous voyez partant en caravane à travers la Sibérie ?

— En tout cas, moi, j'aurais refusé !

— Et moi donc !

— Ma chère, je revis ! Pour un peu, je trouverais de l'agrément à Tchita !

La flamme des chandelles avivait l'éclat des yeux. Çà et là, luisait le ruisseau blanc d'une manche, l'arborescence givrée d'une dentelle, le vert et le bleu sourds d'une écharpe écossaise. La maîtresse de maison pria Pauline Annenkoff de chanter quelques couplets en français. Pauline réfléchit, dressa le cou et lança d'une voix acide, mais agréable :

Soyez pauvre comme saint Roch,
Ou riche d'héritage,
Soyez aussi sec qu'un vieux coq,
Ou dodu comme un mage ;
Si vous avez la gaieté,
Par nous vous s'rez choyé, fêté,
Gâté !
Oh, oh, oh, oh ! Ah, ah, ah, ah !
Là ! là !

Cette chansonnette, débitée avec des œillades coquines et des effets de hanches, amusa follement l'assistance.

— On se croirait à Paris ! soupira Catherine Troubetzkoï.

Nathalie Fonvizine réclama quelque chose de plus tendre, « une mélodie qui pince le cœur ». Alors, Elisabeth Narychkine prit sa guitare et chanta une vieille romance russe, que Sophie ne connaissait pas et où il était question des adieux d'un condamné à sa fiancée. Le gars de la chanson était beau et fort, avec des yeux « bleus comme des bleuets », des cheveux « blonds comme les blés » et des dents « blanches comme des perles ». Sophie revit Nikita ébouriffé par un coup de vent, dans la steppe... Autour d'elle, les paupières se mouillaient, les têtes s'inclinaient, toutes les pensées allaient vers les maris prisonniers. Pour dissiper cette tristesse, il fallut que Pauline Annenkoff chantât de nouveau un air gai. Puis Alexandrine Mouravieff récita un poème de Pouchkine. Les bouteilles étaient vides, mais l'eau bouillait dans le samovar. Catherine servit du thé, des biscuits, de la confiture. Sophie ressentit une flambée d'amitié pour ces femmes de cœur que le hasard avait rassemblées en Sibérie. Elle fut l'une des dernières à partir. Dehors, le clair de lune coulait sur les toits et transformait le hameau en un décor de fantasmagorie géométrique. Un vent froid descendait des montagnes, où la neige était tombée la veille. Rentrée dans sa chambre, Sophie se mit au lit, grelottante, et resta longtemps, les yeux ouverts dans l'ombre, trop lasse pour raisonner, trop exaltée pour dormir.

★

Léparsky se dressa sur son séant, battit le briquet, souffla sur l'amadou et regarda sa montre : cinq heures du matin. C'était la quatrième fois qu'il s'éveillait en sursaut, croyant entendre sonner le tocsin. Des coups de feu, un appel de trompettes, une galopade de bottes dans la rue. Il tendit l'oreille. Non, la nuit était silencieuse sur Tchita. Ce calme ne suffisait pourtant pas à réduire son inquiétude. Certes, hier soir, il avait senti qu'en déchaînant les prisonniers il leur ôtait l'envie de fuir. Mais que s'était-il passé après son départ ? Des meneurs avaient pu, entre-temps, reprendre les forçats en main. En cet instant même, ils se préparaient, peut-être, à attaquer le poste de garde ! Une sueur froide perla aux tempes de Léparsky. Son cœur s'affola. Il but, dans un peu d'eau, les gouttes que le Dr Wolff lui avait prescrites en cas de malaise. Mais l'angoisse persistait. Il se leva, s'habilla, chaussa ses bottes avec peine, ajusta sa perruque et sortit.

Son ordonnance dormait, sur un tapis, en travers de sa porte. Léparsky l'enjamba sans que l'autre ouvrît un œil. « On pourrait m'égorger que cet imbécile ne s'éveillerait pas ! » pensa-t-il. Et il imagina la ruée des émeutiers dans sa maison. On le saisissait, on le ligotait, on brûlait ses archives ! Ces mêmes hommes qu'il avait vus, tout à l'heure, transportés de gratitude, se révélaient des bandits aux visages grimaçants. Un Troubetzkoï, un Volkonsky, un Odoïevsky, un Ozareff... Pourquoi pas ? La soif de liberté pousse souvent au crime les âmes les plus nobles. En tout cas, Léparsky se félicitait d'avoir mis ses adjoints au courant du prétendu complot et d'avoir fait doubler partout les piquets de garde. « Cela suffira-t-il ? Je n'en sais rien ! Ah ! Dieu, quelle imprudence est la mienne ! Quand cesserai-je de trembler ? »

Il passa devant la guérite placée à la porte de sa

maison, sans attirer l'attention de la sentinelle, qui somnolait, appuyée sur son fusil, le shako de travers, les lèvres plissées dans une moue d'enfant qui tête. Furieux, Léparsky lui donna un coup de pied dans les tibias, l'injuria en polonais, en russe, et continua son chemin. Ouvrant péniblement ses paupières gluantes, l'homme vit un général, qui marchait seul, l'uniforme déboutonné, à l'aube, dans la rue, comprit que ce ne pouvait être qu'un rêve et se rendormit paisiblement.

Des alouettes chantèrent. Le jour se levait. Léparsky se hâtait vers le bagne à travers les draperies de brouillard, qui sentaient la fumée et l'herbe humide. A mesure qu'il approchait du but, sa crainte devenait plus lancinante. Enfin, il fut devant la haute palissade de pieux. Dieu soit loué, là aussi, tout paraissait en ordre ! A cette heure matinale, la prison avait un air délicat, irréel. Léparsky contempla amoureusement la boîte bien close, avec tous ses jouets dedans. Pas un ne manquait. « Je suis à eux et ils sont à moi », songea-t-il avec une satisfaction jalouse. Devant le portail, les sentinelles le saluèrent. Rassuré par leur bonne mine, Léparsky regagna sa maison, se déshabilla, se recoucha et dormit, sans accroc, jusqu'à la sonnerie joyeuse de la diane.

6

Quand Nicolas entra dans la chambre, le premier regard de Sophie fut pour ses pieds débarrassés de chaînes. Il se pavanait devant elle, la tête droite, les bras écartés du corps, comme un enfant qui se montre dans un costume neuf. Cet air endimanché la bouleversa.

— Oh ! Nicolas ! que c'est bon de te voir ainsi ! murmura-t-elle.

— Tu ne m'entendras plus jamais venir de loin ! dit-il en souriant. Je pourrai te surprendre !

Derrière lui, se tenaient deux soldats : la liberté avait des limites. Il leur fit signe de s'installer dans le vestibule et ferma la porte.

Un bras fort, un peu brutal, entoura les épaules de Sophie.

— Eh bien ! qui avait raison ? chuchota-t-elle. Tout s'arrange ! Que disent tes amis ?

— Ils ne veulent plus fuir.

— Et toi ?

— Je ne sais pas... Du moment que, toi aussi, tu es contre ce projet... Au fond, c'est agaçant : j'ai toujours besoin de ton approbation pour agir... Autrement, je ne suis sûr de rien !.. Je patauge !... Tu es heureuse ?

— Très heureuse.

— Tu m'aimes ?

— Oh ! oui ! dit-elle avec élan.

Et elle écouta, surprise, ce cri qui semblait jaillir de son passé. Nicolas la souleva de terre, tourna lentement avec elle et s'approcha du lit. Aucun cliquetis de chaîne n'accompagnait plus ses mouvements. Elle savoura ce silence inaccoutumé. Le trouble qui grandissait en elle annonçait un plaisir sans mélange. Elle s'abandonna avec le sentiment de remporter une victoire sur elle-même.

Plus tard, en contemplant Nicolas, renversé près d'elle, avec un visage fier et tendre, elle se demanda pourquoi elle ne lui avait pas encore annoncé que Léparsky allait faire venir Nikita. D'abord, elle avait préféré garder le secret sur ses démarches. Et maintenant, elle ne savait comment justifier son mutisme. A force de retarder, sans raison précise, la conversation qu'elle aurait dû avoir avec son mari, elle l'avait rendue impossible. C'était absurde ! Pourtant, il eût été content, elle en était sûre, d'apprendre que Nikita les rejoindrait bientôt. Un jour ou l'autre, elle le lui dirait. Il fallait attendre l'occasion. Elle lui caressa le cou, l'épaule, d'une main amoureuse. Les yeux fermés, elle jouait à le reconstruire dans sa tête. Puis sa pensée s'envola dans une autre direction.

Le lendemain, elle demanda timidement à Léparsky s'il ne pourrait pas récrire à Zeidler. Il refusa en riant et lui reprocha son impatience.

Aux pluies nerveuses d'automne succédèrent les premières neiges. Plus question d'employer les forçats à des travaux de terrassement du côté de la Tombe du Diable. A présent, pour les occuper, on les conduisait dans une grande baraque où se trouvaient les meules à bras. Chacun devait moudre deux pouds de seigle par jour. Ceux que cette besogne ennuyait demandaient à des camarades amateurs d'exercices physiques de les remplacer. Parfois, quelques soldats acceptaient de relayer les prisonniers, moyennant un petit pourboire. L'officier de garde recrutait également des hommes pour démonter les cabanes de pêcheurs au bord de la rivière, tailler la glace ou déblayer les chemins enneigés. Nicolas, qui éprouvait le besoin de dépenser son énergie, se portait toujours volontaire pour les corvées en plein air.

Quand le froid était trop vif, la chiourme restait dans la prison, où les poêles, chauffés à blanc, dégageaient une fumée nauséabonde. Derrière les portes closes, l'esprit reprenait ses droits. La bibliothèque, continuellement grossie par les envois des parents et des connaissances, comptait déjà plus de trois mille volumes. Les lectures importantes étaient discutées en public. Des professeurs improvisés enseignaient le français, l'anglais, l'allemand, l'espagnol, le latin, le grec à leurs camarades. De temps à autre, on organisait une conférence. Il n'était pas rare que Léparsky ou l'un de ses adjoints y assistât. Les auditeurs s'asseyaient sur les bancs, sur les lits, par terre, et l'orateur grimpait sur une table. Nikita Mouravieff lisait des cours de stratégie et de tactique, Zavalichine des cours de mathématiques supérieures et d'astronomie, le Dr Wolff des cours de chimie et de physiologie, Moukhanoff des cours d'histoire, Odoïevsky des cours de littérature russe. Poussé par ce dernier, Nicolas fit trois causeries sur la littérature française de Corneille à Voltaire, qui eurent un succès moyen, car la plupart des prisonniers en savaient autant que lui sur le sujet.

Plus tard, Léparsky autorisa les mélomanes à introduire des instruments de musique dans le pénitencier. Un piano-forte, commandé par l'*artel,* arriva d'Irkoutsk, cahin-caha, tout désaccordé, sur un chariot. D'autres acquisitions suivirent. Une cabane, au fond de l'enclos, fut mise à la disposition des amateurs. Ils s'y exerçaient pendant leurs loisirs. Youchnevsky jouait très bien du piano, Vadkovsky du violon, Krioukoff et Svistounoff du violoncelle. Des mélodies de Gluck s'envolaient de ce coin du bagne et tous ceux qui les écoutaient, interrompant leur travail, partaient dans la rêverie. Parfois aussi, les prisonniers se réunissaient dans la cour pour chanter en chœur sous la direction de Vadkovsky. Alors, les paysans de Tchita se massaient le long de la palissade, avec des visages graves, comme à l'église.

Ces occupations artistiques n'empêchaient pas les décembristes d'arranger avec soin les conditions matérielles de leur existence. Chaque homme de jour, chargé de balayer la chambrée, de laver la vaisselle et de chauffer le samovar, fut désormais aidé dans sa tâche par un gamin « de l'extérieur ». Toutes les dépenses étaient supportées par la caisse de l'*artel,* où les riches versaient de l'argent pour les pauvres. Grâce aux colis, de plus en plus nombreux, qui arrivaient de Russie, un bon tiers de forçats était maintenant habillé de façon décente. Les maris changeaient même de costume, selon qu'ils avaient à travailler ou à sortir. Ceux qui possédaient une garde-robe bien garnie donnaient leurs vêtement usagés à des camarades dans le besoin. Pour réduire les frais de la communauté, quelques détenus avaient appris des métiers manuels. Les tailleurs et ravaudeurs les plus habiles étaient Arbouzoff et le prince Obolensky. Ivan Poushine n'avait pas son pareil pour raccommoder les chaussettes, Pierre Falenberg pour coudre des bonnets, Nicolas Bestoujeff pour ressemeler des chaussures. Il savait également réparer les montres, sculpter des statuettes de bois, marteler le fer. Toutes les dames eurent bientôt des anneaux et des bracelets forgés dans les chaînes de leurs maris.

A partir du 1er janvier 1829, Léparsky autorisa les célibataires à sortir, eux aussi, de temps à autre, accompagnés de gardiens, pour se rendre en visite dans des maisons amies. Bien entendu, ils devaient être rentrés avant l'heure du couvre-feu. Nicolas profita de cette permission pour demander à Bestoujeff de faire le portrait de Sophie. Il la représenta de trois quarts, à sa fenêtre, les épaules couvertes d'un châle, le cou long et blanc, la coiffure haute, les yeux tristes. Cette peinture sévère déplut à Nicolas, mais Sophie la trouva tout à fait à son goût.

Le début du mois de mars fut marqué par de violentes tempêtes de neige. Un soir, comme Léparsky s'apprêtait à se mettre au lit, son ordonnance vint l'avertir qu'une dame voulait lui parler d'urgence. Il se rhabilla en bougonnant, passa dans l'antichambre et aperçut Sophie. Dans l'ouverture ovale du capuchon, le visage de la jeune femme était celui d'une enfant. Mais il y avait une flamme inquiète dans ses yeux. Elle murmura :

— Excusez cette visite tardive, Excellence. Je vous supplie de faire sortir le Dr Wolff de prison, immédiatement ! On a besoin de lui !...

— Quelqu'un de malade ? demanda le général en boutonnant son col.

— Oui, Mme Annenkoff et Mme Mouravieff.

— Est-ce grave ?

Sophie se troubla :

— Cela pourrait le devenir... Elles sont... elles sont en train d'accoucher...

Léparsky reçut cette révélation comme un coup de bûche sur la nuque. Ses yeux saillirent, sa bouche se décrocha sous sa lourde moustache d'hospodar.

— Comment se fait-il qu'on ne m'ait pas prévenu ? balbutia-t-il.

— Cela se voyait assez, Excellence ! Nous pensions que vous vous en étiez aperçu, comme tout le monde !

— Je n'ai rien remarqué ! dit-il avec humeur. Je suis un vieux célibataire. Vous auriez dû...

Et, brusquement, la colère l'empoigna. Il rougit, gonfla les joues et se frappa la poitrine.

— Elles n'ont pas le droit ! cria-t-il.

— Comment cela, elles n'ont pas le droit ? dit Sophie. Je crois me rappeler que, dans l'engagement que nous avons toutes signé avant de partir pour le bagne, il est question du sort des enfants qui pourraient naître en Sibérie...

— Il s'agit des enfants qui pourraient naître après la libération des prisonniers et leur envoi en résidence surveillée !

— Ce n'est pas précisé dans le document.

Léparsky haussa les épaules :

— Cela va de soi ! Le règlement n'autorise les entrevues entre époux qu'en présence d'un gardien. Or, si Mmes Annenkoff et Mouravieff se trouvent maintenant dans cette... dans cette situation, c'est que le gardien n'était pas présent à toutes leurs rencontres !...

— Vous oubliez que vous nous avez permis de recevoir nos maris, la sentinelle restant à la porte !

— Oui... Oui... J'ai eu cette faiblesse... Je ne pouvais pas me douter...

Il s'embarrassait dans les mots et, plus sa confusion augmentait, plus il était furieux contre cette Française qui l'observait avec ironie.

— Parfaitement, Madame ! gronda-t-il. J'avais l'esprit ailleurs qu'à ces billevesées. Cela peut arriver, à mon âge... et dans ma position... Que vais-je dire à Saint-Pétersbourg pour justifier ces naissances illicites ? Vous n'y avez pas pensé ! Tout retombera sur moi ! Je serai peut-être destitué, déplacé ! Quel malheur !... Mais comment se fait-il qu'elles accouchent en même temps ?

— Une fâcheuse coïncidence.

— Très fâcheuse... Evidemment, on ne peut rien contre les caprices de la nature !... Est-ce que... enfin... est-ce que tout marche comme il faut pour elles ?...

— Non. L'une et l'autre sont en danger. Mme Mouravieff est très faible et Mme Annenkoff a pris froid, il y a quelques jours. Elle a la fièvre. La matrone du village est complètement idiote. Si le Dr Wolff ne vient pas, on pourra craindre le pire. Vite ! Vite, Excellence !...

L'indignation de Léparsky tomba instantanément.

— Oui, allons chercher Wolff, marmonna-t-il.

L'ordonnance lui apporta son manteau, son chapeau, son épée. Il repoussa l'épée et dit :

— Réveille Onoufri et fais atteler le traîneau. Qu'il vienne nous prendre à la prison !

Dehors, le vent les frappa avec une force telle que Sophie se cramponna au bras de Léparsky pour ne pas perdre l'équilibre. La neige, soulevée du sol, leur volait à la figure. Ils avançaient en titubant à travers une bourrasque d'aigrettes blanches. L'ordonnance les rattrapa, portant une lanterne. Face aux ténèbres déchaînées, la petite flamme tremblait derrière les carreaux. Quand les pieux de la palissade surgirent dans la nuit, Sophie en fut surprise, comme par la brusque apparition d'un navire. Le mur de bois se dressait devant elle, énorme, écrasant. Une sentinelle hurla à la garde. Le portail entrouvert lâcha en plein ouragan quelques soldats aux jambes obliques et un sous-officier affolé, qui ne parvenait pas à agrafer son ceinturon. Sur l'ordre du général, il envoya chercher le Dr Wolff et fit entrer les visiteurs dans la petite salle du poste, où un poêle exaltait l'odeur robuste des bottes. Au bout d'un moment, Sophie se sentit écœurée. Le médecin se présenta, fort grave, cravate souple au cou, calotte noire sur la tête et trousse à la main. Presque en même temps, retentirent les clochettes du traîneau que Léparsky avait commandé. On se serra pour tenir à trois dans la caisse.

— D'abord, chez Mme Annenkoff ! dit Sophie.

Le cocher fit tourner l'attelage.

— Annenkoff et Mouravieff auraient bien voulu venir, dit le Dr Wolff. Ne pourriez-vous les autoriser à sortir, étant donné les circonstances ?

— Ces circonstances n'existent que par leur faute ! grogna Léparsky. Je ne vais pas les remercier d'avoir mis leurs femmes enceintes en leur permettant d'assister à l'accouchement ! En route, Onoufri !

Le cocher fouetta les deux chevaux, qui s'élancèrent. Chemin faisant, le Dr Wolff posa à Sophie des questions dont Léparsky ne comprit pas tout à fait le sens, mais qui lui parurent inconvenantes. Il s'agissait de spasmes, de douleurs, de perte des eaux...

Soudain, on fut au cœur du drame. L'isba où logeait Pauline Annenkoff était sens dessus dessous. Dans la grande salle, des paysannes faisaient chauffer de l'eau en évoquant leurs maternités anciennes. Le maître de maison et ses deux fils, de quatorze et seize ans, se tenaient dans un coin, près du poêle, inutiles, stupides, exclus du mystère. En apercevant le général, ils lui firent de profonds saluts et lui offrirent un tabouret couvert d'un coussin de toile de sac. Il s'assit et déboutonna son manteau. Derrière la cloison, des gémissements s'élevèrent, faibles d'abord, puis précipités, haletants, inhumains. Le Dr Wolff et Sophie passèrent dans la chambre.

Resté seul parmi les moujiks, Léparsky se jugea ridicule. C'était la première fois, à soixante-quinze ans, qu'il se trouvait mêlé à cette sanglante besogne féminine. Il écoutait les râles de Pauline Annenkoff, tentait d'imaginer ses souffrances et se demandait ce qu'il était venu faire là, en uniforme, au milieu de la nuit. Pourtant, il ne pouvait se décider à rentrer chez lui avant d'être rassuré sur le compte des deux jeunes femmes. Tout en pestant contre elles et leurs maris, il gardait au fond de lui une curiosité angoissée et tendre pour la suite des événements. Comme si, du fait que ces enfants de prisonniers allaient voir le jour à proximité du bagne, il eût envers eux un droit de regard et un devoir de protection. Plus il se raisonnait, plus l'impression s'affirmait en lui qu'il était pour quelque chose dans ces naissances sibériennes. C'était sa famille qui s'agrandissait. Lorsque le Dr Wolff et Sophie ressortirent de la chambre, il demanda avec une anxiété de père :

— Alors ?

— Tout va bien, mais c'est encore trop tôt ! dit le Dr Wolff. Nous allons chez Alexandrine Mouravieff.

— Je vous accompagne, dit Léparsky.

Le traîneau retraversa le village, à vive allure, tintant de toutes ses clochettes, sans égard pour les dormeurs. Quelques têtes se montrèrent aux fenêtres. La vue de cet équipage fantôme, emportant un général, renfonça les plus braves sous leurs couvertures.

Dans la deuxième maison, Léparsky retrouva les mêmes matrones bavardes, les mêmes paysans ahuris, la même eau chauffant sur le feu, le même désordre de linges et le même tabouret pour s'asseoir. Mais les cris qu'il entendait ici lui parurent plus atroces que ceux qu'il avait entendus là-bas. Il avait mal lui-même en songeant à ces faibles corps féminins qui se déchiraient pour donner la vie. Lorsqu'il apprit par le Dr Wolff qu'Alexandrine Mouravieff en aurait encore pour quatre heures à se torturer et Pauline Annenkoff pour sept ou huit heures, il s'épouvanta. Elles ne supporteraient, ni l'une ni l'autre, un pareil effort, elles mourraient...

— On ne peut les laisser ainsi ! répétait-il.

Son affolement agaçait le médecin qui, finalement, lui conseilla d'aller se coucher. Il refusa avec indignation, comme si on lui eût proposé de déserter en plein combat.

Laissant sur place une sage-femme cacochyme, le Dr Wolff, Sophie et le général repartirent au son des clochettes. Bientôt, d'autres épouses de prisonniers accoururent pour soutenir leurs amies dans ces heures de souffrance et d'espoir. Trois fois dans la nuit, le traîneau fit la navette entre les deux maisons. A mesure que le temps passait, la figure de Léparsky accusait davantage la fatigue. Ses joues molles et blafardes se hérissaient de poils gris. Il tenait difficilement les paupières ouvertes. A l'aube, des vagissements retentirent dans la chambre d'Alexandrine Mouravieff. Peu après, à travers un brouillard d'insomnie, le général vit paraître Sophie, portant dans ses bras un petit monstre rougeaud, grimaçant et hurleur. Toutes les femmes se récrièrent et se signèrent.

— C'est une fille, dit Sophie. N'est-ce pas qu'elle est belle ?

Le général en convint, pour ne pas se singulariser. Cette brusque arrivée d'un être neuf sur la terre le comblait d'un respect craintif. Il ne regrettait plus d'être resté jusqu'au bout. Une fois le bébé couché dans son berceau, on l'oublia pour courir au suivant. La journée était déjà avancée, lorsque Pauline Annenkoff, à son tour, mit au monde une fille.

Léparsky, exténué mais content, rentra chez lui pour se raser.

Le soir, en allant prendre des nouvelles des deux accouchées, il retrouva la plupart des dames réunies au chevet d'Alexandrine Mouravieff. Elle était pâle, exsangue, radieuse. Après l'avoir félicitée, le général crut devoir rappeler aux personnes présentes combien il lui serait difficile de faire admettre ces naissances par les autorités. Au lieu de comprendre son embarras, Marie Volkonsky prétendit qu'il s'alarmait pour peu de chose :

— Vous n'avez qu'à ne pas mentionner ces heureux événements dans vos rapports !

— Croyez-vous que le gouvernement n'a pas d'autres moyens d'informations ? répliqua-t-il d'un ton bourru. Tout se sait, à Saint-Pétersbourg ! Ne serait-ce que par vos lettres ! Si encore vous me promettiez de ne pas écrire à ce sujet...

— Vous voudriez que nous laissions ignorer ces naissances à nos familles ? murmura Alexandrine Mouravieff. Mais ce serait tout à fait inhumain, Excellence !...

Il porta les deux mains à son front, comme pour l'empêcher d'éclater :

— Alors, quoi ?... Que faire ?...

— Mais rien, dit Sophie. Attendre. Vous verrez que tout se passera très bien. A propos, je suis chargée par Pauline Annenkoff de vous demander si vous accepteriez, ayant été parrain à son mariage, d'être aussi le parrain de son enfant.

— J'allais vous faire la même proposition pour mon propre compte, dit Alexandrine Mouravieff.

Léparsky se sentit déséquilibré dans son élan, comme si, courant sur un sol dur, il eût tout à coup rencontré une zone de sable. La preuve d'estime qu'il venait de recevoir le désarmait, l'affaiblissait. Il marmonna :

— Je vous remercie, je suis très honoré...

Puis, flairant un piège, il reprit d'une voix affermie :

— Ne revenons pas sur le passé. Ce qui est fait est fait. Mais je voudrais, Mesdames, que vous me promettiez, à l'avenir...

En parlant, il observait avec inquiétude ces visages féminins pétris de malice. Autour de lui gravitait une vie délicate et frondeuse. Il était à la fois l'épouvantail et la cible.

— Enfin, je compte sur vous pour que cela ne se reproduise plus ! conclut-il.

Ce mot à double sens fit sourire. Léparsky s'empourpra. Une idée se leva en lui : n'y avait-il pas des femmes enceintes parmi celles qui l'écoutaient ? Il les parcourut d'un regard soupçonneux, évaluant leurs tailles sous les robes serrées. Comment se fier à elles, quand un corset, une guimpe, un casaquin suffisaient à dissimuler leurs rondeurs ? Toutes des menteuses ! Il pressentit des lendemains difficiles et grommela :

— Ne m'obligez pas, Mesdames, à vous interdire de recevoir vos maris !

Cette fois, tous les visages redevinrent sérieux.

— Est-il possible, Excellence, que vous méditiez une mesure si cruelle ? soupira Catherine Troubetzkoï.

Il n'était pas mécontent de les effrayer après les avoir diverties. Néanmoins, il promit de laisser « les heureux pères » rendre visite à leurs épouses, le lendemain.

★

Aucune remontrance officielle n'étant venue de Saint-Pétersbourg au bout d'un mois, Léparsky se tranquillisa et le double baptême eut lieu. En rentrant chez elle après la cérémonie, Sophie luttait contre la tristesse. Ces deux fillettes nées au bagne, quel avenir espérer pour elles ? Avec horreur, elle se rappela les termes du document qu'elle avait signé, comme toutes les femmes, avant son départ pour Tchita :

« Les épouses des criminels politiques qui suivront leurs maris en Sibérie ne seront plus regardées que comme des femmes de forçats... leurs enfants, nés en Sibérie, feront partie des serfs de la Couronne... »

Elle ne pouvait croire que cette prescription serait appliquée à la lettre. Mais même si le gouvernement se montrait moins sévère dans la pratique, ne fallait-il pas craindre que les enfants des décembristes fussent condamnés à l'exil jusqu'à la fin de leurs jours ? Seul le Dr Wolff paraissait conscient du danger. Il avait dit dernièrement à Sophie, avec ce regard sombre et profond, qui accentuait son charme : « N'est-ce pas étrange, Madame ? La nature, qui fait bien les choses, n'a pas voulu que les épouses de forçats donnent des fils à un pays qui a emprisonné les pères. »

Pour l'heure, toutes les dames s'extasiaient devant les deux poupons, se disputaient l'honneur de les bercer et rêvaient d'en avoir un bien à elles. Cette disposition d'esprit n'eût pas été surprenante si parmi les plus exaltées il n'y avait eu Marie Volkonsky, Nathalie Fonvizine, Alexandrine Davydoff, qui, toutes, à l'exemple d'Alexandrine Mouravieff, avaient abandonné leurs propres enfants en Russie. Sachant déjà qu'elle n'aurait jamais la chance d'être mère, Sophie se défendait de les suivre dans leur engouement. Son seul regret, à cet égard, était que Serge fût élevé loin d'elle et qu'elle n'eût de ses nouvelles que par les lettres de Michel Borissovitch.

★

A mesure que Pâques approchait, une véritable impatience mystique se manifestait chez certains décembristes. Le grand carême était la seule période de l'année où il leur fût permis de fréquenter l'église. La plupart jeûnèrent scrupuleusement pendant la semaine sainte. Des rameaux bénits décoraient les icônes, dans les chambrées ; le travail était interdit ; chaque jour, des soldats conduisaient la chiourme à l'office ; une place était réservée aux forçats, près de la porte. Nicolas écoutait avec joie la voix caverneuse du diacre, le murmure inspiré du pope, et regardait, là-bas, dans le groupe des femmes, le profil perdu de Sophie, près d'un bouquet de cierges allumés. Au moment de l'offertoire, il lui semblait que les yeux du Christ se posaient sur ce minuscule point de la terre qui se nommait Tchita. Alors, il se prosternait, il se signait avec l'ardeur de l'enfance et appelait la justice de Dieu dans son cœur. Son souhait, comme celui de tous ses camarades, était d'assister à la messe solennelle de minuit, le samedi saint. Mais cette faveur leur fut refusée, en raison des exigences du couvre-feu. Léparsky fit remettre à chacun, de la part de l'administration, un œuf colorié et une tranche de brioche rituelle. La nuit de Pâques, ils entendirent sonner au loin la petite cloche fêlée de l'église et s'embrassèrent, les larmes aux yeux, entre amis. Le lendemain, Léparsky vint les féliciter dans la prison. Bien qu'il fût catholique, il se conformait à l'usage orthodoxe et s'écriait, au seuil de chaque chambrée :

— Christ est ressuscité !

Eût-il annoncé l'amnistie qu'il n'eût pas mis plus de gaieté dans son exclamation.

— En vérité, il est ressuscité ! répondaient les décembristes avec ensemble.

Ces simples mots, répétés chaque année depuis

des siècles, avaient sur Nicolas un pouvoir apaisant. Il en était allégé, réconforté, comme si, après une longue marche à travers la forêt, il eût débouché dans une clairière.

Les fêtes passées, Sophie rappela au général sa promesse d'intervenir plus énergiquement dans l'affaire de Nikita. Cette fois, Léparsky n'invoqua aucune excuse et jura qu'il écrirait à Zeidler, le lendemain. Sophie reprit espoir. L'arrivée des beaux jours inclinait tout le monde à l'optimisme. De nouvelles maisons se construisaient dans le village. Quelques commerçants vinrent s'y établir, flairant qu'on pouvait gagner gros avec toutes ces dames qui recevaient de l'argent de Russie. Des habitants de Tchita ouvrirent, à leur tour, des boutiques. On vit apparaître des étalages d'étoffes, d'ustensiles de ménage et d'articles de coutellerie. La population grandissait, s'enrichissait et bénissait « messieurs les forçats », qui étaient à l'origine de cette prospérité inattendue.

Au mois de juin, la chaleur fut si forte, que Léparsky autorisa les prisonniers à se baigner dans la rivière. Les travaux de terrassement de la Tombe du Diable ne furent plus pour eux que des exercices de mise en train avant le plongeon dans l'eau fraîche. Ensuite, ils se séchaient sur la berge en devisant paresseusement des affaires du monde. La guerre contre les Turcs retenait leur attention. Après des débuts difficiles, les Russes s'étaient ressaisis et, sous les ordres du général Diebitch surnommé « Samovar-Pacha » couraient de victoire en victoire. A cette allure-là, ils camperaient bientôt devant Constantinople. Quand l'ennemi serait définitivement écrasé, le tsar, pour fêter son triomphe, publierait sans doute un manifeste de grâce dont les décembristes seraient les premiers bénéficiaires. Léparsky le leur avait laissé entendre et ils en étaient tous persuadés. Ce fut avec une joie exubérante qu'ils apprirent, vers la mi-septembre, la signature du traité d'Andrinople, qui ouvrait aux Russes les Dardanelles et le Bosphore, leur cédait les bouches du Danube et reconnaissait l'indépendance de la Grèce. Mais si, ayant remporté ce succès diplomatique sur la France et l'Angleterre, le tsar libérait les prisonniers turcs, pachas et bimpachas en tête, il semblait avoir oublié que des prisonniers russes, au fond de la Sibérie, espéraient encore sa clémence. Les jours passaient et, à Tchita, ceux qui s'étaient réjouis le plus perdaient leurs dernières illusions. En revenant de corvée, Nicolas se promenait souvent tout seul dans la cour, s'arrêtait devant un trou dans la palissade et regardait la route qui ne menait nulle part. L'allégresse qu'il avait connue à Pâques n'était plus qu'un vague souvenir. L'inquiétude, l'ennui, s'étalaient en face de lui, à perte de vue. Il se sentait à mille lieues de la vie réelle. Coupé de tout. Transplanté dans une autre planète. Entouré d'un vide comparable à celui des espaces sidéraux. Etait-il possible qu'avec son nom, son passé, sa fortune, ses relations, sa force, sa prestance, il dût, jusqu'à la fin de ses jours, se contenter de la solitude sibérienne ? Parfois, il regrettait d'avoir renoncé à fuir, et seule la présence de Sophie l'aidait à surmonter son abattement.

Un matin d'octobre, comme elle aidait Pulchérie à nettoyer la chambre, un planton vint la chercher de la part du général. Elle ne douta pas que ce fût pour lui annoncer l'arrivée prochaine de Nikita et se précipita dehors, le cœur bondissant de gratitude.

Léparsky la reçut avec un visage funèbre. Elle eut peur, s'assit, les jambes molles, dans un fauteuil, et attendit le coup.

— J'ai de tristes nouvelles à vous apprendre, venant de France, dit Léparsky.

Aussitôt, elle pensa à ses parents, dont elle ne savait rien depuis plus de deux ans.

— Ma mère ? murmura-t-elle.

— Oui, dit Léparsky. Elle est décédée au début de l'année, des suites d'une longue maladie. Votre père ne lui a survécu que quelques mois. Il est mort le 12 juillet dernier. Le général Benkendorff, ayant été avisé officiellement de ces événements par l'ambassadeur de France à Saint-Pétersbourg, m'a chargé de vous en avertir et de vous adresser ses condoléances les plus sincères.

Muette, l'esprit béant, Sophie se laissait emplir d'une affliction raisonnable. Ses parents avaient depuis si longtemps disparu de son existence, qu'elle avait pris l'habitude de songer à eux non comme à des êtres vivants, mais comme à des souvenirs qu'elle animait ou remisait selon son caprice. Leur mort, loin de la surprendre, la confirmait dans cette impression d'absence inéluctable qu'elle avait toujours ressentie devant eux. Elle ne pouvait souffrir d'une réalité qui se mettait au pas de son rêve. Rien n'avait changé pour elle, en apparence. Ni plus seule ni moins aimée. Tout juste éprouvait-elle de l'amertume à évoquer les heures de son enfance, dont les derniers témoins venaient de s'évanouir. Sa gorge se serra. Son sang battit plus vite. Une petite fille cria en elle, pleura en elle, au milieu d'un jardin, près d'une balançoire...

— Je conçois votre immense douleur, Madame, lui dit Léparsky. Rien ne remplace des parents bien-aimés. Puisse la conscience de l'amitié qui vous entoure alléger un peu votre malheur !

Elle fut gênée de ces pompeuses condoléances et détourna les yeux.

— Bien entendu, la situation où vous êtes, à Tchita, vous interdit de vous occuper personnellement de la succession, reprit Léparsky. Mais vos intérêts seront préservés. Le notaire de vos parents a été habilité par eux à décider toutes les mesures conservatoires. Il administrera donc pour le mieux les biens meubles et immeubles composant votre héritage. Vous en toucherez les revenus si, une fois libérée, vous pouvez retourner en France...

— Retourner en France !... balbutia-t-elle avec un sourire mélancolique. Est-il possible que vous pensiez vraiment ce que vous dites ?

— Mais oui, grommela Léparsky. Il faut l'espérer. La miséricorde de Dieu est infinie !...

— Pas celle du tsar.

Il ouvrit les bras dans un mouvement d'oiseau impotent. Sophie se leva pour prendre congé, avec, sur le cœur, ce chagrin embarrassant comme un mensonge. Son deuil lui défendait toute curiosité pour le reste du monde. Mais elle ne put se contenir et, subitement, demanda :

— N'avez-vous toujours rien du général Zeidler ?

Il parut surpris qu'elle s'inquiétât d'une simple affaire de domestique.

— Si, dit-il. J'hésitais à vous en parler. J'ai reçu, ce matin, une lettre m'annonçant que votre serf était parti.

Elle tressaillit, comme parcourue par une décharge électrique.

— Parti ? marmonna-t-elle. Pour où ?

— On ne sait pas. Il a quitté son travail et s'est enfui de la ville.

— Quand ?

— Zeidler ne le précise pas dans sa lettre. Il dit simplement qu'il a donné l'ordre d'entreprendre des recherches. Je compte lui écrire que, s'il retrouve votre gaillard, il veuille bien nous l'envoyer ici, après lui avoir tiré les oreilles.

— Je vous remercie, dit-elle en rougissant.

Elle était confuse du bonheur que trahissait son

visage. Sans doute n'y avait-il pas longtemps que Nikita s'était mis en route pour la rejoindre. Même s'il était rattrapé par les cosaques, on le lui amènerait. Elle devinait la part de folie qu'il y avait dans sa conviction, mais n'en était pas moins fortifiée.

Léparsky l'observait en silence, avec son petit œil de dénicheur de merles. Elle n'en pouvait plus. Vite, elle s'échappa, traversa le village, se retenant de courir, et se cacha dans sa chambre avec sa tristesse et son espoir.

7

Pour Noël, les prisonniers ne furent pas autorisés à se rendre à l'église, mais reçurent la visite du prêtre à la prison. Un autel — simple table, couverte d'un linge blanc et surmontée d'une icône — avait été dressé dans la plus grande des salles. Le pope passa son étole, prononça les prières devant les décembristes agenouillés, et aspergea les lits et les murs d'eau bénite. Après son départ, pendant une heure environ, le parfum de l'encens flotta dans le pénitencier. Puis les odeurs du bagne recouvrirent tout. Et la vie reprit, comme par le passé.

Le 29 décembre, Marie Volkonsky rassembla des amis chez elle, à l'occasion de son anniversaire. Léparsky accorda la permission de dix heures aux détenus qu'elle avait invités, mais, par discrétion, ne vint pas lui-même. Les dames avaient préparé des gâteaux ; quelques hommes, des compliments en vers. Le prince Odoïevsky lut un poème de sa composition, qui comparait les épouses des condamnés politiques à des « anges » descendus du ciel pour soulager la misère des martyrs de la liberté. C'était le premier hommage rendu publiquement aux compagnes des décembristes. Elles l'écoutèrent avec des visages gracieux. Leurs maris se tenaient en retrait, modestes et fiers, tels des princes consorts. Tous les célibataires enviaient ces couples admirables. Nicolas serra fortement la main de Sophie. Il la remerciait en silence. Leurs yeux se rencontrèrent avec une extraordinaire douceur. Touchée par la musique des vers, elle en oubliait son souci le plus intime, le moins glorieux, pour se mettre à l'unisson des autres femmes. Elle leur était reconnaissante de l'aider à être précisément ce qu'elle voulait être : simple, généreuse, courageuse... Des applaudissements éclatèrent à la fin du poème. Quelques dames pleuraient. Les messieurs toussotaient pour masquer leur émotion. Odoïevsky transcrivit ses vers dans l'album de Marie Volkonsky et promit une copie à chacun des « anges » dont le dévouement l'avait inspiré. A dix heures, des soldats vinrent chercher les invités pour les ramener en prison. Subitement, il n'y eut plus un seul homme dans la chambre. On eût dit qu'une lumière s'était retirée avec eux. La fatigue marqua le visage des femmes, et les robes se défraîchirent. Les héroïnes de la fête se retrouvèrent entre elles, toutes penaudes, parmi les verres vides, les assiettes sales, l'odeur du tabac et les chandelles dont la mèche fumait.

★

A quelque temps de là, Léparsky écrivit à Saint-Pétersbourg pour demander que le Dr Wolff fût officiellement autorisé à soigner les prisonniers, leurs épouses et « toute personne qui exprimerait le désir d'être secourue par lui ». Magnanime, l'empereur répondit que, dorénavant, le médecin pourrait exercer son art à l'extérieur comme à l'intérieur du pénitencier. Ainsi rassuré sur l'avenir sanitaire de sa petite colonie, le général partit en traîneau, avec son neveu Joseph et une nombreuse escorte, pour un mystérieux voyage d'inspection. Pendant son absence, le commandement fut assumé par Rosenberg. Sophie craignait que l'appui de Léparsky ne lui manquât juste au moment où Nikita en aurait eu le plus besoin. Mais les semaines passaient, Nikita restait invisible et Zeidler ne semblait pas pressé de mettre la main sur le fugitif.

Léparsky revint le 11 mars et, dès le lendemain, fit rassembler tous les prisonniers dans la cour. Un soleil jaune chauffait la neige. La figure compassée du général annonçait qu'il était porteur d'une grande nouvelle. L'amnistie peut-être? On n'osait le croire.

— Messieurs, dit-il, j'arrive de Pétrovsk, où se construit à votre intention, un nouveau pénitencier, plus vaste et mieux aménagé que celui-ci. Les travaux ordonnés par l'empereur, il y a plus de deux ans, sont presque terminés. Je pense que nous pourrons nous installer là-bas dans le courant de l'été prochain.

Une telle consternation se dessina sur tous les visages, qu'il jugea nécessaire d'ajouter :

— Vous avez tort, Messieurs, de ne pas vous réjouir d'une disposition, qui certainement rendra votre vie plus agréable.

Nicolas se pencha vers Youri Almazoff et chuchota :

— Au lieu de nous libérer, l'empereur nous change de bagne ! Que penses-tu de cela ?

— Je ne suis pas surpris ! grogna Youri Almazoff. Notre tsar a de qui tenir ! Coléreux comme son frère Alexandre et rancunier comme son père Paul !

— A Pétrovsk, chacun de vous aura sa chambre, dit Léparsky d'un ton engageant. En outre, le tsar a autorisé les hommes mariés à loger avec leurs femmes.

— Où ? Dans le village ? demanda quelqu'un.

— Non, en prison.

Des rires sarcastiques fusèrent dans l'assistance.

— Je ne vois pas ce qui vous amuse ! dit Léparsky. Un quartier du bagne sera réservé aux ménages, voilà tout !

— Le paradis ! siffla Lorer.

Il y eut un remous dans la masse des prisonniers. Les célibataires continuaient à rire avec effronterie, mais les hommes mariés, peu à peu, se détachaient de leurs camarades et envisageaient la situation d'un point de vue personnel. A l'idée de reprendre la vie en commun avec Sophie, Nicolas ne se connaissait plus de bonheur. Passer la nuit auprès d'elle ! Cela ne lui était pas arrivé depuis près de cinq ans ! Toute la nuit ! Toutes les nuits ! Et les journées, les claires journées à deux, où l'amour se renouvelle par la présence, la chaleur, le parfum de la femme, occupée à mille travaux insignifiants. Incapable de se dominer, il dit :

— Ce serait une excellente solution !

Il n'eut pas plus tôt prononcé cette phrase, qu'il la regretta. Etait-il du côté de l'administration pour aider Léparsky dans sa plaidoirie ? Heureusement, d'autres maris intervinrent :

— Oui, oui !... Pourquoi pas ?...

Leurs timides approbations se heurtèrent au clan nombreux et résolu des hommes sans femmes. Tous les célibataires étaient contre le nouveau bagne. Une grosse rumeur de refus déferla aux pieds du général.

— Nous étions bien, à Tchita, Votre Excellence ! cria Odoïevsky. Chacun y avait pris ses habitudes. Le climat nous convenait. Les habitants nous connaissaient et nous aimaient. Pourquoi vouloir, à tout prix, nous envoyer ailleurs ?

Visiblement, l'attitude réfractaire des prisonniers exaspérait Léparsky. Il avait froid et se balançait d'un pied sur l'autre. Pressé de rentrer chez lui, il plissa son visage mafflu dans une grimace de dogue.

— Il ne nous appartient pas de discuter les ordres du tsar ! dit-il. Je vous salue, Messieurs.

Et il s'éloigna, au milieu d'un silence hostile.

Le jour suivant, comme il s'y attendait, les dames vinrent le trouver en délégation. Il les fit asseoir en demi-cercle devant lui et se retrancha selon sa coutume, derrière la bastion de son bureau. Qui les avait renseignées en si peu de temps ? Sûrement, elles avaient soudoyé les cosaques de son escorte. En tout cas, les caractéristiques de la nouvelle prison n'avaient pas de secrets pour elles. D'abord, elles critiquèrent l'emplacement, le climat. Le fait est que, par suite d'un défaut de coordination entre les services administratifs, le pénitencier avait été construit sur un terrain bas et marécageux, non loin de l'usine de Pétrovsk. Comme Léparsky ne pouvait donner tort à l'autorité supérieure, il affirma que les craintes des dames étaient très exagérées, que le sol était sain, l'air sec et le pays fertile, bien qu'il y eût, dans le voisinage, « quelques petits étangs »... Elles avaient également entendu parler du manque de fenêtres. Là encore, elles avaient raison, mais il les tranquillisa :

— Il n'y a pas de fenêtres, c'est exact, mais la lumière entrera à flots, dans chaque cellule, par le haut de la porte qui sera vitré. Enfin, Mesdames, je m'étonne de vos réticences, alors que la bienveillance impériale vous permettra, comme vous le souhaitez toutes, de cohabiter avec vos maris !

— Peut-être ! s'écria Pauline Annenkoff. Mais je ne vois pas très bien comment je pourrai élever mes enfants dans un cachot !

— Vos enfants ? murmura Léparsky avec ironie. Pourquoi ce pluriel ?

— J'en attends un autre, Excellence !

Léparsky fronça les sourcils : elles allaient vite en besogne, ces jeunes femmes amoureuses. Depuis la double naissance de l'année dernière, Marie Volkonsky et Alexandrine Davydoff avaient accouché à leur tour. Si on les laissait faire, il faudrait bientôt adjoindre au bagne une crèche !

— Pour quand l'attendez-vous ? grommela-t-il.

Pauline Annenkoff eut un sourire radieux et chuchota, comme si elle se fût confiée à sa meilleure amie :

— Pour le mois de mai !

— Je vous félicite ! Est-ce tout ? Pas d'autres naissances en vue ?

Le général s'était levé pour poser cette question avec toute la force nécessaire. Il promena un regard sévère sur ces incorrigibles pondeuses.

— Moi aussi, je vais être mère, Excellence, balbutia Catherine Troubetzkoï en baissant la tête.

Le général, accablé, se rassit. Au bout d'un moment, il émergea d'un océan de pensées noires et déclara rudement :

— Mesdames, j'ai déjà étudié le problème sous toutes ses formes. Il est certain que la discipline pénitentiaire s'oppose à la présence d'enfants en bas âge à l'intérieur des cachots. On ne peut concevoir, par exemple, que des mères rallument une lampe après l'extinction des feux parce qu'elles ont à soigner leur bébé, ni qu'elles veuillent aller à la cuisine, en pleine nuit, pour faire chauffer de l'eau... ou Dieu sait quoi ?... ni qu'elles réclament un médecin... ou une nourrice, alors que les verrous sont poussés et que les sentinelles ont ordre de ne laisser passer personne !... Là-dessus, vous me connaissez, je ne transigerai pas ! Les épouses qui décideront de loger avec leurs maris devront se séparer de leurs enfants !

— Vous voulez que nous les noyions, comme de petits chiens ? dit Marie Volkonsky avec acrimonie.

Léparsky soupira d'agacement et poursuivit :

— Voici ce que j'ai envisagé : les mères de famille n'auront qu'à se faire bâtir des maisonnettes à proximité du pénitencier. Dans ces maisonnettes, elles installeront leurs enfants avec quelques domestiques de confiance. Elles-mêmes, bien que passant le plus clair de leur temps auprès de leurs maris, dans la prison, pourront, aussi souvent qu'elles le voudront, traverser la rue, surveiller leur petit monde, donner des instructions à leur personnel...

— Bref, dit Marie Volkonsky, nous serons toujours en train de courir entre le bagne et la chambre d'enfants ! C'est absurde !

— Et puis, dit Alexandrine Mouravieff, où prendrons-nous l'argent pour construire ?

— Est-ce l'Etat qui nous l'avancera ? renchérit Pauline Annenkoff.

— Il le faudrait ! s'exclama Catherine Troubetzkoï. Après tout, ce n'est pas nous qui avons demandé à être transférées à Pétrovsk !

Léparsky étendit sa vieille main tavelée dans un geste de pacification :

— La construction ne vous coûtera presque rien. Les entrepreneurs qui ont bâti la prison m'ont affirmé qu'ils étaient disposés à vous consentir des prix très bas si vous leur confiez le travail. Ils ont sur place tous les ouvriers et tous les matériaux nécessaires. J'estime, Mesdames, qu'en agissant ainsi vous vous préparerez un avenir agréable et utiliserez judicieusement vos ressources...

Tandis qu'il parlait, Sophie se demanda si elle ne devrait pas, elle aussi, construire une petite maison. Certes, la plupart du temps, elle habiterait dans le pénitencier avec Nicolas, mais parfois, si Léparsky le permettait, il viendrait la rejoindre, loin de ces murs affreux, dans la chambre qu'elle aurait aménagée pour le recevoir et où rien ne lui rappellerait qu'il était un proscrit. Là, elle était sûre qu'ils seraient heureux comme au début de leur mariage. Une hâte de bâtisseuse de nids l'incitait à créer le décor de leurs rencontres, avec quatre bouts de bois, un lambeau d'étoffe, une poignée de duvet, trois fleurs dans un vase. D'ailleurs, il fallait prévoir l'arrivée de Nikita. On l'installerait dans le grenier. Il garderait le logis en l'absence de ses maîtres. Tout s'arrangeait avec une aisance surnaturelle, comme dans les rêves où le dormeur déplace d'un doigt des montagnes. Un bruit de sièges repoussés interrompit les réflexions de Sophie et la ramena dans le bureau du général. D'un coup d'œil, elle s'assura que les femmes n'étaient pas aussi mécontentes qu'elles voulaient bien le paraître. Si une règle d'honneur ne les avait obligées à toujours se plaindre des autorités, peut-être même auraient-elles convenu que la proposition de Léparsky les comblait de joie. Il les raccompagna jusqu'à la porte et s'inclina devant elles en disant :

— Tenez-moi au courant de vos décisions, Mesdames. Il ne faut pas perdre de temps si vous avez l'intention de faire construire.

Sophie sortit avec les autres. Dans le vestibule, un soldat la rattrapa :

— Vous êtes bien Mme Ozareff ?

— Oui.

— Son Excellence vous demande de revenir.

— Maintenant ?

— Oui.

Elle s'étonna, s'excusa auprès de ses compagnes et rentra dans la grande pièce, où la vue de tous les fauteuils vides, rangés en demi-cercle, lui donna l'impression d'arriver après la fin d'un spectacle. Léparsky la fit asseoir, resta lui-même debout et dit, d'une manière embarrassée :

— Pardonnez-moi de vous avoir rappelée. Ces histoires de déménagement m'ont mis la tête à l'envers ! J'allais presque oublier que j'avais des nouvelles pour vous. Oui, au cours de mon voyage, je suis passé par Irkoutsk, j'ai vu Zeidler. L'enquête sur la disparition de votre serf est terminée. Elle a abouti à une conclusion assez triste...

Il marqua un temps, regarda Sophie droit dans les yeux et ajouta :

— Tout semble confirmer qu'il est mort, Madame.

Un vide se creusa dans le cerveau de Sophie. Ses idées blanchirent. Elle murmura :

— Mort ? Ce n'est pas vrai !...

— Hélas ! Si... Il y a les plus fortes chances pour que...

Elle lui coupa la parole avec indignation :

— Comment, les plus fortes chances ? On n'avance pas une chose pareille sans en être sûr ! L'avez-vous vu ? Quelqu'un l'a-t-il vu ? Quelqu'un peut-il dire ?...

— Son décès remonte à plus de deux ans.

Elle perdait pied, puis revint à la charge avec une incrédulité agressive :

— S'il était mort depuis si longtemps, j'en aurais été avertie ! Je ne manque pas de relations à Irkoutsk !

— Il n'est pas mort à Irkoutsk, mais à Verkhné-Oudinsk. Ce qui a retardé l'enquête, c'est qu'il n'avait pas de papiers sur lui et qu'il s'est toujours refusé à livrer son nom. Il avait tué un gendarme. Flagrant délit. Dans ce cas, la justice, chez nous, est expéditive. On l'a interrogé rapidement, on l'a sommé de dire qui il était, d'où il venait, et, comme il s'obstinait dans le silence...

Il n'acheva pas sa phrase, jeta un coup d'œil oblique à Sophie et expliqua en changeant de ton, comme pour la distraire d'une image pénible :

— Le dossier était déjà classé, les autorités s'étaient résignées à ne pas identifier l'assassin, quand les lettres que j'ai écrites sur vos instances ont réveillé l'intérêt de Zeidler pour cette histoire. Aussitôt, il a fait le rapprochement entre votre jeune serf, qui avait quitté sa place, à Irkoutsk, et l'inconnu arrêté sur la route, près de Verkhné-Oudinsk.

Elle tourna légèrement la tête, pendant qu'il parlait, comme si elle eût écouté quelqu'un d'autre en même temps. Soudain, elle demanda :

— Et cet homme... celui qui a été arrêté près de Verkhné-Oudinsk, comment est-il mort ?

— Il a été exécuté !

— Vous voulez dire qu'on l'a fusillé ?

— Non, Madame. C'était un moujik. Il avait tué un gendarme. On lui a appliqué la peine du knout.

Elle frémit, horrifiée, et dit du bout des lèvres :

— La peine du knout ?... Il a succombé sous les coups ?... C'est ça ?...

— Oui, Madame.

Alors, dans un élan, elle refusa tout ce qu'on lui racontait. La vie de Nikita dépendait, lui semblait-il, de la conviction qu'elle mettrait à nier qu'il fût mort. Pour le préserver, pour le sauver, il n'y avait qu'à tenir tête aux porteurs de mauvaises nouvelles, il n'y avait qu'à crier : non !

— Comment pouvez-vous certifier que c'était lui, dit-elle, puisqu'il n'a pas révélé son nom, puisqu'il n'avait pas de passeport ?

— Les gendarmes ont reconstitué, étape par étape, son voyage. Ils ont interrogé des témoins. Les dates, le signalement, tout concorde...

— Et cela vous suffit ? dit-elle avec un éclat insensé. Eh bien ! pas à moi, Excellence ! Il me faut d'autres preuves !

Elle écarta les bras et les laissa retomber dans un geste populacier qui n'était pas à elle. Le général ne la quittait pas des yeux. Sans doute était-il surpris qu'elle manifestât un tel trouble devant la mort d'un domestique. Elle s'en rendait compte, mais ce qu'il pouvait penser d'elle ne l'intéressait pas. Tout lui était égal, hormis le malheur dont elle devinait la menace, comme un battement d'ailes feutrées autour de sa tête.

— Sur le chemin du retour, je me suis arrêté à Verkhné-Oudinsk, dit Léparsky. Le colonel Prokhoroff, qui avait instruit l'affaire, m'a aimablement confié quelques pièces à conviction...

Il ouvrit un tiroir et déposa sur la table un étrange collier fait d'une cordelette, avec trois petits os jaunâtres en guise de pendeloques.

— Ce sont des dents de loup, dit-il. Les gens d'ici en confectionnent des amulettes.

Une joie tumultueuse déferla sur Sophie. Elle avait envie de rire pour se libérer de la peur.

— Ce n'est pas à lui ! dit-elle.

— En êtes-vous sûre ?

— Tout à fait, Excellence !

Léparsky enfonça la main plus profondément dans le tiroir et déplaça des papiers, des plumes, en grommelant :

— J'avais autre chose... Où diable l'ai-je rangé ?... Ah ! voilà !...

Un éclair brilla dans son poing.

— L'arme du crime, dit-il.

Subitement, tout changea. Une angoisse de trébuchement, de chute sans fin, comprima le ventre de Sophie. Elle avait reconnu le poignard que Nikita portait à la ceinture, pendant le voyage. Il s'en servait (elle le voyait encore !) pour trancher ses aliments, pour réparer un essieu, pour couper une corde. Machinalement, elle tendit la main et prit cet objet tout imprégné de vie. Il ne pesait pas lourd. Dans le manche de bois, poli et noirci par l'usage, étaient gravées la lettre « N », une croix, une date... Elle discernait ces détails, elle entrait en contact avec Nikita, et ses forces diminuaient ; le désespoir, l'épouvante, emplissaient son âme. Elle posa le couteau sur la table. Léparsky continuait de la scruter froidement, à la façon d'un juge. Maintenant, il ne doutait plus de l'avoir convaincue. Le silence, en se prolongeant, augmentait le désarroi de Sophie. La figure du général se déformait devant elle, comme rapprochée, puis éloignée, par une vague. Il fallait partir. Rassemblant son énergie, elle se mit debout. Ses jambes la soutenaient à peine. Elle arriva, sans savoir comment, jusqu'à la porte.

— Je suis désolé, Madame, dit Léparsky en s'inclinant pour lui baiser la main.

Cette moustache rêche sur sa peau — elle eut un mouvement de recul. Il se redressa, surpris, et la regarda.

Ayant fait dix pas dans la rue, elle aperçut, au loin, Marie Volkonsky et Catherine Troubetzkoï qui sortaient de l'échoppe du savetier. Elle n'eut pas le courage de les affronter, se précipita entre deux maisons, franchit une courette encombrée de caisses et de tonneaux et déboucha en rase campagne. Seule dans le froid, entre la terre blanche et le ciel blanc, elle se sentit mieux. La neige crissait sous ses pieds, son haleine s'échappait en vapeur de sa bouche, elle marchait vite, comme si quelqu'un l'eût attendue au bout du chemin. Nikita mort, ces deux mots ne s'accordaient pas. Il représentait la force, l'innocence, la beauté, l'enthousiasme, la vie. C'était pour la rejoindre qu'il avait quitté Irkoutsk, deux ans et demi plus tôt, sans passeport. Elle avait toujours eu peur qu'il ne commît cette folie. Prosper Raboudin n'avait pas dû pouvoir le retenir et avait jugé prudent de ne pas répondre aux questions qu'elle posait dans ses lettres. Si seulement elle était restée là-bas, en attendant que Nikita eût reçu ses papiers ! Quelques jours de patience et ils fussent partis ensemble, avec un sauf-conduit en règle. Mais elle n'avait pas voulu s'attarder sur la route qui la conduisait vers Nicolas. Tout était de sa faute ! Pendant qu'elle croyait Nikita tranquillement occupé à servir les clients de l'auberge, il fuyait la ville. Espérait-il vraiment triompher seul de la distance, de la fatigue, de la police, des mille hasards du voyage ? Une fois pris — elle en était sûre ! — il avait perdu la tête, il s'était défendu, il avait frappé. Elle le savait capable de violence. A Irkoutsk déjà, quand les soldats avaient voulu fouiller sa chambre... Elle le revit, couché sur le plancher, à demi nu, l'épaule démise, le visage crispé, ruisselant de sueur, son regard bleu-violet sous une mèche de cheveux blonds... Cette douleur n'était rien auprès de celle qu'il avait subie sous le knout. Elle n'avait jamais assisté à ce genre de supplice, mais les paysans de Kachtanovka lui avaient raconté autrefois en quoi il consistait. Elle imagina Nikita ligoté, immobilisé, fustigé, jusqu'à ce que mort s'ensuive. Une colère bouillonnante la suffoquait. Elle détesta la Russie. C'était sa réaction, chaque fois qu'elle découvrait une nouvelle injustice. En aucun autre pays une pareille exécution n'eût été possible. Qu'avait-il aperçu avant de mourir ? Des faces de brutes, des uniformes... La violence, la haine, la bêtise... Sans doute avait-il pensé à elle ? Sans doute l'avait-il appelée ? Et elle n'avait rien entendu, rien deviné ! Tandis qu'il s'effondrait sous les coups du bourreau, elle poursuivait paisiblement son voyage en pensant à Nicolas. A Nicolas qui n'avait pas besoin d'elle, derrière sa palissade de pieux !... Et pendant deux ans et demi elle s'était nourrie de cette illusion. Pendant deux ans et demi, associant Nikita à tout ce qui la charmait dans le monde, elle avait attendu sa venue comme celle d'un ami, alors qu'il pourrissait dans la terre. Tout à l'heure encore, elle rêvait de construire une maisonnette et de l'y installer comme gardien ! Cette remarque acheva de la désespérer. Un flot de larmes lui coupa la respiration. L'ampleur de sa détresse l'effrayait. Il n'y avait aucun rapport entre la tendre estime qu'elle vouait à Nikita de son vivant et le délire qui s'emparait d'elle à présent qu'elle le savait mort. C'était comme si, sous la violence du choc, un couvercle avait sauté dans sa tête, libérant les idées les plus secrètes, les plus incroyables, les plus folles : « Est-il possible qu'il ait pris une telle place dans ma vie sans que rien ne se soit passé entre nous ? » Elle essaya de se figurer l'avenir et recula, épouvantée, devant le vide. Naguère, elle avançait dans l'espoir d'une rencontre. Maintenant, elle ne savait plus vers quoi elle marchait, pourquoi elle existait encore. Plus rien n'avait d'importance, parmi cet univers décoloré, désenchanté et amer. « Je vais me calmer ! Cela passera ! » se disait-elle. Mais le tumulte, en elle, allait grandissant et elle ne se débattait plus, elle se laissait envahir par des souvenirs d'une vénéneuse douceur, par des projets anciens devenus impossibles, qui la déchiraient. Une envie brutale la saisit de revoir Nikita, tel qu'il était, torse nu, dans la chambre d'auberge, à Irkoutsk, de respirer son odeur. Elle osa s'imaginer dans les bras de cet homme qui n'était qu'un paysan. Un bonheur fulgurant la traversa, suivi d'un tel dépit qu'elle se mordit les lèvres pour ne pas crier. Ces mains dont elle rêvait, cette poitrine aux muscles saillants, ce pur visage, qu'en restait-il au fond du trou noir où on l'avait jeté ?

Le ciel s'obscurcissait. Elle avait depuis longtemps

dépassé le hameau, qui n'était plus qu'un ramassis de toits sur un mamelon neigeux, avec une auréole brune tout autour : la marge de crasse que les hommes déposent en vivant. Les larmes gelaient dans ses yeux. Elle entendit, au loin, des voix viriles qui chantaient :

Au fond des mines sibériennes...

C'étaient les prisonniers qui s'en retournaient après avoir fait leur temps de travail au moulin. Ils allaient déboucher au tournant de la route. Tous bien vivants, avec des pieds lourds, des voix fortes, des visages cuits par le grand air. Parmi eux, Nicolas. Sophie s'affola, comme si elle eût craint d'être surprise avec un homme, et, ramassant le bas de sa robe, courut se dissimuler derrière un boqueteau. Quand la troupe se fut éloignée, elle ressortit de sa cachette. Tout était calme. Elle rentra chez elle sans rencontrer personne.

8

— C'est affreux ! murmura Nicolas. Pauvre garçon ! Mais pourquoi ne m'as-tu pas dit que tu avais demandé à Léparsky de le faire venir à Irkoutsk ?

— Je ne sais plus ! répondit Sophie. J'avais l'impression que... que cela ne t'intéressait pas...

— Cela m'intéressait au moins autant que toi ! De toute façon, c'était à moi de faire les démarches !

Elle baissa la tête. Elle avait dû prendre sur elle pour raconter les faits. Maintenant, assise sur le lit près de Nicolas, elle se sentait affaiblie comme par une perte de sang. Un lourd silence plana dans la chambre aux murs nus. Derrière la porte, le soldat de garde allait, venait.

— De quoi ai-je l'air, aux yeux du général ? reprit Nicolas avec humeur.

Elle haussa les épaules :

— Quelle importance ? Tout est fini, n'est-ce pas ? N'en parlons plus !

— Tout est fini pour Nikita, mais pas pour nous, peut-être...

— Que veux-tu dire ?

— J'espère que cette histoire ne va pas nous retomber sur le dos !

— Ce n'est pas nous qui avons tué !

— Non, mais c'est notre serf. Il est regrettable que l'enquête de Zeidler l'ait révélé. Avoir pour domestique l'assassin d'un gendarme n'est pas une très bonne note pour un criminel d'Etat. N'oublie pas que tous les prétextes sont bons à l'administration pour nous chicaner sur une remise de peine !

Elle eut un sursaut d'indignation : comment pouvait-il, dans le malheur, se livrer à des pensées si mesquines ?

— C'est absurde ! dit-elle. Léparsky est on ne peut mieux disposé à notre égard !

— Oui, mais ses supérieurs ?... C'est à Saint-Pétersbourg que se décide notre sort !... Je t'admire d'être si optimiste !...

Il fronça les sourcils, s'enferma dans la réflexion et, au bout d'un moment, ajouta, comme se parlant à lui-même :

— N'est-il pas surprenant que Nikita soit parti sans attendre ses papiers ?

— Sans doute était-il pressé de nous revoir, dit-elle inconsidérément.

Une rougeur lui monta aux joues. Elle craignit que Nicolas ne remarquât son trouble. Mais il regardait ailleurs.

— Il devait bien savoir, pourtant, qu'il risquait au moins la prison s'il se faisait prendre ! dit-il.

— Evidemment !

— Curieux garçon ! En tout cas, ce qui est significatif c'est qu'il a refusé de dire son nom quand on l'a arrêté !

— Il avait peur, en parlant, de nous attirer des ennuis.

— Tu vois, triompha Nicolas, tu le reconnais toi-même !
— Quoi ?
— Eh bien ! que nous pouvons être inquiétés à cause de cette affaire ! Je t'assure que c'est sérieux !...
Il revenait à la charge. Elle ne put le tolérer.
— Je finirai par croire que tu as la manie de la persécution ! dit-elle.
— J'en aurais le droit, il me semble, après trois ans de bagne !
Elle fut sur le point de lui crier qu'il n'était pas tellement à plaindre, mais se retint, consciente de son injustice. Lui-même se radoucit et marmonna :
— Comprends-moi, Sophie... Je m'emporte, mais ce serait trop bête si, par suite de cette histoire, quelque difficulté surgissait au moment de notre transfert à Pétrovsk !
— Oh ! Pétrovsk ! dit-elle. Nous ne savons pas ce que nous allons y trouver.
— J'ai l'impression que nous serons bien là-bas. Rien que la perspective de vivre ensemble...
Il lui entoura les épaules de son bras. Elle subit, sans protester, cette chaleur enveloppante.
— Troubetzkoï, Annenkoff, Mouravieff, Volkonsky ne parlent que de petites maisons qu'ils vont se construire à Pétrovsk, reprit-il. Si nous faisions comme eux ?
— Pourquoi ? dit-elle. Nous n'avons pas d'enfants !...
— Même sans enfants ! N'aimerais-tu pas avoir un intérieur où tu me recevrais ?
Sophie ne répondit pas. Ce projet, qui l'avait charmée naguère, n'avait plus le même attrait pour elle. Etait-il possible qu'en si peu de temps tout eût changé ?

— Non, dit-elle enfin. Ce serait... ce serait trop compliqué !... On ne peut rien décider encore... Nous verrons sur place...

Et elle imagina avec ennui une longue suite de jours grisâtres, dans un pays inconnu, parmi des gens qu'elle n'aimait pas. Cependant, Nicolas se penchait vers elle, avec, sur le visage, un air à la fois brutal et tendre. Il la suppliait du regard. L'idée qu'il pût vouloir la prendre maintenant la désempara. Elle y vit une profanation de la mort. Que ne s'en allait-il, au lieu de rester là, solide, à réclamer son dû ? La santé, la vigueur, le désir qui rayonnaient de lui étaient insupportables. Il portait la vie sur sa figure, avec l'ostentation d'un parvenu. Elle évita son baiser en se levant d'un mouvement rapide. Surpris, il se mit debout, à son tour, et la considéra fixement :

— Qu'y a-t-il, Sophie ?

— Mais... rien, dit-elle.

— Viens dans mes bras !

— Non. Je t'en prie, Nicolas. Je suis fatiguée...

Aussitôt, il s'inquiéta :

— C'est vrai ! Je ne t'ai jamais vue ainsi. Est-ce la mort de Nikita qui t'a frappée à ce point ?

Elle domina le tremblement qui s'emparait d'elle et chuchota :

— Peut-être.

— Il ne faut pas, ma chérie. Ce garçon était évidemment très gentil, très capable... Nous l'aimions bien... Mais après tout, ce n'était qu'un serf...

« Qu'il se taise ! songeait-elle. Qu'il se taise, ou je ne me contiens plus ! »

— Quand tu as appris la mort de tes parents, tu as été très courageuse, reprit-il. Plus courageuse qu'aujourd'hui !

Elle fut souffletée par la soudaineté de cette remarque. Il avait raison : la mort de ses parents l'avait simplement affligée, alors que la mort de Nikita lui ôtait tout désir de vivre.

— Il y a des choses que tu ne peux pas comprendre ! balbutia-t-elle.

Sans se démonter, il répliqua :

— Toi-même, les comprends-tu ?

Plus elle craignait d'être devinée, plus elle éprouvait le besoin de tout brouiller par un accès de colère. Son cœur battait à grands coups furieux, sa respiration s'étouffait, un bourdonnement de fièvre montait dans ses oreilles.

— Où veux-tu en venir ? demanda-t-elle brièvement.

— Et toi ? dit-il avec un sourire mélancolique. Ah ! Sophie, tout cela est ridicule !... Une phrase entraîne l'autre !... Nous n'allons pas nous quereller pour si peu !...

« Pour si peu ! pensa-t-elle. Il a de ces mots ! » Nicolas demeurait devant elle, les bras mous, le regard implorant. Des minutes passèrent. Sophie s'apaisa dans le silence. Puis une gêne physique lui vint d'être là, debout, entre un homme de chair et un fantôme Elle était accablée de pitié, pour Nicolas, pour Nikita, pour elle-même.

— Va-t'en, dit-elle avec douceur.

Il tressaillit et ses prunelles s'agrandirent :

— Mais, Sophie, il n'est pas encore l'heure !

— Je voudrais rester seule.

— Pourquoi ?

— Je te l'ai dit : je ne me sens pas bien...

— Je ne peux tout de même pas te quitter alors que tu es dans cet état !...

— Si, Nicolas... Je t'en supplie... Va-t'en !... Va-t'en, vite !...

Décontenancé, il hésita, enveloppa sa femme d'un

regard circonspect et comprit qu'il valait mieux, en effet, la laisser seule.

— Soit, dit-il. Je m'en vais. Repose-toi. Tu es si nerveuse ! Je reviendrai après-demain...

Il baisa une morte sur le front. Elle lui sourit faiblement au moment où il ouvrait la porte.

9

Un printemps précoce libéra le pays de l'immobilité et de la blancheur. Sous la neige fondue surgirent des tapis de fleurs éclatantes, conservées dans les glacières de l'hiver. Autour des rivières, couleur de ciel et de sable, les roseaux balancèrent au vent leurs plumets roses. Des vols triangulaires d'oiseaux migrateurs rayèrent l'horizon avec des cris aigres. Les arbres se voilèrent d'une brume végétale naissante. Le vert des prairies grimpa à l'assaut des montagnes. Pour la première fois, Sophie était indifférente à cette explosion de sève. Quand Nicolas venait la voir, il la trouvait sur le qui-vive, raidie dans la crainte d'une parole désagréable, d'un attouchement maladroit. Après s'être alarmé, il semblait avoir pris son parti de cette réserve. Sans doute espérait-il, par sa patience, par sa douceur, dénouer les nerfs de Sophie, la guérir de son malaise, en faire de nouveau sa femme. Elle ne remarquait même pas l'effort qu'il s'imposait pour lui plaire. Si elle avait pu goûter quelque joie, jadis, aux petites tâches quotidiennes, elle n'en voyait plus ni le charme ni l'utilité. Pour les travaux du ménage, elle s'en remettait à

Pulchérie et à Zakharytch. Alors qu'autrefois elle était heureuse de rendre service aux prisonniers en écrivant pour eux à leurs proches, elle s'occupait maintenant de leur courrier avec ennui. Mariages, naissances, succès dans les études, anniversaires, maladies, guérisons, il montait de tout cela un fumet de vie trop abondant, trop riche, qui l'écœurait. Ses lettres devenaient de plus en plus banales, de plus en plus brèves. Constatant sa négligence, plusieurs décembristes avaient déjà changé de secrétaire. C'est ainsi qu'Ivacheff, dont elle assurait naguère la correspondance, était maintenant passé à Marie Volkonsky. Cette dernière en était ravie. Ecrire était sa passion. Elle s'était déjà liée d'amitié, à distance, avec la sœur d'Ivacheff. On racontait qu'il y avait un projet de fiançailles entre lui et la jeune gouvernante française de Moscou, Camille Le Dantu. Elle était tombée amoureuse d'Ivacheff à une époque où la différence de leurs conditions sociales rendait le mariage impossible, mais revenait à la charge avec plus d'espoir, à présent qu'il était un criminel d'Etat dont aucune honnête femme n'eût voulu pour époux. La famille du jeune homme était enchantée de l'aubaine et multipliait les démarches auprès des autorités. Peut-être, un jour, verrait-on la fiancée débarquer à Tchita ? Cependant le principal intéressé hésitait à dire oui. Tenait-il tant à rester célibataire ? Les dames ne comprenaient pas son attitude. Cette histoire les excitait grandement. Leur curiosité fureteuse, leur goût immodéré du bavardage agaçaient Sophie. Elles avaient tenté de l'entreprendre sur la mort de Nikita, dont elles avaient entendu parler par l'entourage de Léparsky. Dieu sait quels ragots le neveu du général avait rapportés d'Irkoutsk ! En quelques mots secs, Sophie avait découragé les glaneuses de renseignements. Depuis, il n'avait plus jamais été question devant elle de Nikita.

Aux premiers jours de chaleur, les dames décidèrent d'organiser une excursion en voiture. Il n'y avait qu'une calèche à Tchita, celle de Léparsky. Galamment, il la mit à leur disposition pour un après-midi. Sophie accepta, par désœuvrement, de se joindre au groupe. Mais ni Pauline Annenkoff, qui avait accouché pour la seconde fois (encore une fille !) ni Catherine Troubetzkoï, qui supportait mal sa grossesse, ne purent venir. En revanche, Marie Volkonsky, également enceinte, se rallia au mouvement. Léparsky livra la calèche lui-même et exigea de connaître l'itinéraire choisi. Les environs de Tchita n'étaient pas sûrs, car, à la belle saison, beaucoup de condamnés de droit commun, tentés par le soleil et l'horizon large, prenaient la fuite. Les « vagabondages printaniers » ne duraient guère plus de deux ou trois mois. Pendant que les *varnaks* ou *thaldony*, comme on appelait ces bagnards errants, goûtaient l'ivresse de courir les bois et les champs, de tirer le gibier à la fronde et de dormir à la belle étoile, des Bouriates les pourchassaient sans méchanceté : dix roubles de récompense pour tout *varnak* ramené vivant, cinq pour tout cadavre de *varnak*, à condition qu'il fût identifiable. S'ils n'étaient pas capturés, ils revenaient d'eux-mêmes au bagne, dès les premiers froids. Le tarif était fixé d'avance : tant de coups de knout, tant de jours de cellule. Ils acceptaient le châtiment sans rechigner et rêvaient, le dos endolori, aux « vacances » de l'année prochaine. D'ailleurs, toute la population de la région subvenait aux besoins des *varnaks* pendant leurs escapades. Par précaution, Léparsky avait détaché deux cosaques auprès des dames. Il y avait quelque chose de cocasse, pour Sophie, dans ces épouses de forçats craignant de rencontrer d'autres forçats sur la route. Elle le dit au général qui répondit sévèrement :

— A vivre parmi des bagnards intellectuels, vous

oubliez qu'il en existe d'autres, pour qui le meurtre et le viol sont monnaie courante.

Un frisson agita le rang des dames. Aucune n'osa plus plaisanter. Elles montèrent à cinq dans la calèche. Léparsky donna ses recommandations au cocher. Et on partit, au trot, le visage protégé par des ombrelles. La route suivait le bord de la rivière. De loin en loin se dressaient de grandes meules de bûches superposées, pour la fabrication du charbon de bois. Le sommet de ces pyramides fumait doucement. Tout autour de Tchita, l'air était imprégné d'un parfum de souches calcinées, de cendres chaudes. Un paysage de prairies fleuries, de jeunes forêts, de montagnes vaporeuses charmait les regards et inclinait à la paresse. Après quelques exclamations de plaisir, on en revint à parler de Camille Le Dantu. Marie Volkonsky, en tant que correspondante de la famille Ivacheff, vanta l'abnégation de la petite gouvernante, qui, par amour pour un condamné politique, acceptait de s'exiler en Sibérie.

— Oui, observa furtivement Alexandrine Mouravieff, mais, compte tenu des inconvénients de l'exil, elle fera tout de même un très beau mariage, un mariage qu'elle n'aurait jamais rêvé en temps normal !

— Elle ne peut être sincèrement amoureuse d'Ivacheff puisqu'elle l'a à peine connu en Russie ! renchérit Mme Davydoff.

— Vous ne croyez pas au coup de foudre ? demanda Marie Volkonsky.

— Celui-ci serait à retardement ! dit Mme Fonvizine.

Mme Davydoff se pelotonna, prit un visage de mystère et baissa la voix pour dire :

— On raconte... Je ne sais pas si c'est vrai !... On raconte que la mère d'Ivacheff — soucieuse à l'idée que son grand fils était tout seul... privé de femmes... enfin vous me comprenez ! — lui a acheté une fiancée, en la personne de Mlle Le Dantu, pour cinquante mille roubles !

Les dames s'indignèrent en chœur contre une pareille assertion, tout en paraissant ravies qu'elle eût été faite.

— D'ailleurs, Ivacheff ne sait pas lui-même ce qu'il veut ! dit Marie Volkonsky. Il se préparerait à fuir !...

— Etrange obsession pour un homme amoureux !

— Le vagabondage printanier, ma chère !

— Cette histoire ne vous rappelle-t-elle pas celle de Pauline Annenkoff ? Elle aussi a décroché son mariage d'une singulière façon !

— Ne soyez pas mauvaise langue ! On ne peut pas comparer !...

Sophie se tenait à l'écart de ce babillage, où, lui semblait-il, se libérait un besoin féminin de fouiller dans le linge sale, de cuisiner de petites méchancetés sans lendemain, d'échanger des attaques vives et inefficaces comme des reflets de miroir à miroir. Ce jeu qu'elle exécrait, combien de fois en avait-elle été le prétexte ? A entendre ce qu'on disait des autres, elle pouvait imaginer ce qu'on avait dit d'elle !

— En tout cas, si Camille Le Dantu réussit son coup, il y aura bientôt trois Françaises à Tchita ! dit Mme Davydoff.

— Plus Catherine Troubetzkoï, qui l'est à demi ! répliqua Sophie en souriant.

— Comment expliquez-vous cela ? demanda Marie Volkonsky. Vos compatriotes auraient-elles une vocation amoureuse exceptionnelle ?

— Vous oubliez que c'est vous et Catherine Troubetzkoï qui nous avez donné l'exemple ! dit Sophie.

Comme si elle ne l'eût pas entendue, Marie Volkonsky poursuivit :

— Je crois que les Françaises sont, dans l'ensemble, des femmes de tête qui vont jusqu'au bout de leurs désirs, sans tenir compte des réactions de l'opinion publique. La différence de condition sociale ne les gêne, en amour, ni dans un sens ni dans l'autre.

Sophie devina que ce jugement, prononcé sur le ton de la plus franche gentillesse, concernait moins le brillant Basile Ivacheff et sa petite gouvernante qu'elle-même et Nikita. Quatre paires d'yeux se fixèrent sur elle pour voir si elle ne tressaillait pas sous la piqûre. Ainsi observée, elle n'eut aucune peine à garder un visage serein.

— Sans doute est-ce un héritage de la révolution ? dit encore Marie Volkonsky.

Elle était belle dans la malveillance, avec son chaud visage de créole, à l'œil noir, à la bouche pulpeuse. Cahotées à chaque tour de roues, les femmes s'entre-heurtaient mollement dans un froufrou d'étoffes, dans un mélange de parfums. Leurs ombrelles dansaient au-dessus de leurs têtes. Serrée contre Marie Volkonsky comme contre sa plus chère amie, Sophie dit, sans changer de note :

— Le véritable héritage de la révolution, il ne faut pas le chercher dans le cœur des femmes françaises, mais dans celui des hommes russes. Demandez plutôt à vos maris ce qu'ils en pensent, Mesdames !

Cette riposte plut à tout le monde. Ici, comme dans une salle d'armes, on appréciait les coups bien portés. Même Marie Volkonsky parut heureuse d'avoir été si sèchement remise à sa place. La conversation reprit dans une atmosphère détendue : on parla des maisonnettes de Pétrovsk. Alexandrine Mouravieff avait déjà passé sa commande à un entrepreneur. Sophie laissa ses compagnes s'ébattre dans l'architecture. De chaque côté de la calèche trottait un cosaque, le fusil en bandoulière. Les chevaux, nourris de fourrage humide, pétaradaient, de temps à autre, avec violence. Les dames feignaient de ne pas le remarquer, mais s'éventaient avec leurs mouchoirs.

Un peu plus loin, il fallut franchir la rivière à gué. Le cocher, ayant mesuré la profondeur avec une branche, craignit que l'eau ne débordât le marchepied et ne mouillât les chaussures des voyageuses. Justement, le pope du village avait détaché une barque et ramait vers l'autre rive. En apercevant les dames, il revint en arrière et leur proposa de monter dans le bateau. Quand elles se furent installées sur les bancs, il n'y eut plus de place pour lui.

— Ça ne fait rien, dit-il. Je traverserai à pied, je vous pousserai...

Il se nommait Vissarion et avait quatre enfants. C'était lui qui avait célébré le mariage de Pauline Annenkoff. Son visage de jeune moujik, au nez retroussé et aux prunelles de myosotis, se terminait par une barbiche blonde et bifide. Sans prendre garde aux protestations gênées des dames, il se déchaussa, pendit ses bottes, par une ficelle, autour de son cou et, d'un geste viril, releva sa soutane sur ses reins. Elles n'eurent que le temps de se détourner pour ne pas voir ses cuisses. De petits rires fusèrent sous les ombrelles. Le prêtre entra dans la rivière jusqu'au ventre et se mit à pousser la barque devant lui. Le bas du corps enfoncé dans l'eau, les hanches entourées d'un flottement de draperies noires, il ne présentait plus le même danger pour les regards de ses paroissiennes. Elles osèrent enfin reporter les yeux sur lui. Il rayonnait d'une simplicité biblique. Marie Volkonsky lui demanda où il se rendait ainsi.

— Le vieil Antoine, dit-il, — vous savez bien, le bûcheron qui habite dans la forêt ! — il est en train de mourir... Son fils m'a appelé...

Les cosaques lancèrent leurs chevaux dans le courant. La calèche descendit à son tour et s'immergea jusqu'aux garde-crotte, avec des balancements incertains, comme si, roulant encore, elle eût été sur le point de flotter. On arriva au milieu de la rivière. L'eau gagna la poitrine du prêtre.

— N'est-ce pas imprudent, mon père ? demanda Mme Fonvizine.

— Non, dit-il. Vous voyez, ça descend déjà. Ici, il y a un banc de sable.

En effet, peu à peu, l'eau baissait autour de lui. Inquiètes d'en découvrir trop, les dames se cachèrent de nouveau sous leurs ombrelles. Parvenues sur l'autre rive, elles remercièrent leur passeur, qui avait rabattu sa soutane trempée sur ses jambes maigres. Alexandrine Mouravieff lui dit qu'elle le reverrait demain, afin de lui commander une messe pour le repos de l'âme de sa mère, morte l'année précédente.

— Venez... Venez... C'est une action sainte et nécessaire, dit le prêtre. Que Dieu vous garde !

Il les bénit toutes d'un signe de croix. A l'instant, Sophie éprouva un choc intérieur et son esprit s'éveilla, s'emballa : Nikita était mort sans les secours de la religion. Lui si croyant, comme il avait dû en souffrir ! Peut-être (que savait-on de l'audelà ?) en souffrait-il encore d'une certaine façon ? Si une part de lui subsistait après l'évanouissement de sa forme visible, si tout ce qu'il représentait n'était pas fini avec la destruction de son corps, alors elle ne pouvait lui causer de plus grande joie qu'en faisant dire une messe à son intention.

Elle remonta en voiture avec cette idée qui la dépaysait. Imaginer qu'elle pût encore être utile à Nikita était un réconfort qu'elle n'espérait plus. Elle décida que, demain, elle irait trouver le père Vissarion.

La calèche s'ébranla, luisante d'eau, avec des herbes aquatiques emmêlées dans les rayons des roues.

La robe humide des chevaux fumait au soleil. Au sommet d'une colline, on atteignit le « point de vue ». C'était le but de la promenade. Les dames s'extasièrent. Marie Volkonsky prit des croquis sur un carnet. Au retour, elle les montrerait à Nicolas Bestoujeff. Sophie ne vit rien du paysage. Elle était avec Nikita dans une église.

Pour revenir à Tchita, on choisit un autre chemin, qui passait par la Tombe du Diable. Il fallait se presser, si on voulait trouver les maris sur place. L'arrivée des dames fut saluée par des exclamations d'enthousiasme. Une foule de terrassiers, jetant pelles et pioches, se rua sur elles pour leur baiser la main. Les sentinelles, débordées, laissaient faire. Bientôt, chaque femme eut autour d'elle une petite cour de travailleurs enamourés. Elles avaient apporté des biscuits et des bouteilles de sirop de framboises. Sophie nota que toutes, même les plus sérieuses, manquaient de naturel parmi ce public masculin trop nombreux. Elles étaient en représentation, elles coquetaient, elles régnaient... Nicolas prit Sophie par la main et l'emmena loin du groupe. D'abord, il l'interrogea sur sa promenade, puis sur ce qu'elle avait fait la veille, enfin sur elle-même, insidieusement. Il avait un visage d'enfant puni.

— Sophie, je suis très malheureux ! murmura-t-il soudain. Tu as tellement changé !...

— Mais non...

— Si, si !... Je sais bien ce qui se passe... Tu es trop sensible. Tu as été révoltée par le supplice de Nikita... En tant que Française, il est normal que tu ne puisses supporter certaines de nos habitudes... Déjà, à Kachtanovka, tu prenais à cœur des choses qui, moi, me touchaient beaucoup moins... Au fond, tu en veux à toute la Russie de ce qui est arrivé... et à moi-même par contrecoup !... Mais réfléchis : je n'y suis pour rien, moi, ma chérie...

Elle lui mit la main sur la bouche. Il lui tordit le poignet et baisa le fond chaud et plissé de sa paume avec une sorte de gloutonnerie. Surprise par la rapidité de ce mouvement, elle resta un instant l'esprit perdu. Un cheval aux douces lèvres noires mangeait dans le creux de sa main. Puis elle se ressaisit et cette caresse fourmillante lui fut désagréable. Elle le repoussa. Il eut un regard haineux et misérable, baissa le front et partit. En se retournant, elle vit que les autres femmes observaient la scène de loin.

★

Il pleuvait. Le lieutenant Vatrouchkine décommanda les travaux prévus à la Tombe du Diable et autorisa les détenus à disposer de leur temps. Certains restèrent vautrés sur leurs lits, à écrire, à lire, à jouer aux échecs ou à rêver en fumant la pipe. D'autres se rassemblèrent dans la salle de Moscou pour écouter la douzième conférence d'Odoïevsky sur la littérature russe. L'orateur, debout sur une table, parlait sans consulter ses notes et citait même de mémoire des textes assez longs. Après un rappel des pièces de Soumarokoff, il évoqua avec émotion l'œuvre du poète et auteur dramatique Griboïédoff, assassiné, l'année précédente, à Téhéran, par des musulmans insurgés. Griboïédoff était lié jadis avec de nombreux décembristes. Sa comédie, *Le malheur d'avoir trop d'esprit,* avait été interdite par la censure, mais tout homme cultivé en connaissait quelques vers par cœur.

— Il a été l'un des premiers, avec Pouchkine, à rejeter le style déclamatoire des écrivains du siècle précédent et à peindre la vie dans sa vérité quotidienne, dit Odoïevsky. Grâce à ces deux génies, la littérature russe a cessé d'être une mascarade, le dictionnaire russe n'est plus divisé en deux parts : d'un côté les mots nobles dont on se sert pour écrire, de l'autre les mots vils dont on se sert pour parler...

Nicolas, qui, d'habitude, ne perdait pas une phrase des conférences d'Odoïevsky, avait de la peine, cette fois-ci, à suivre le courant. A tout propos, son attention se décrochait. Il essayait de justifier le repliement de Sophie par les chocs successifs qu'elle avait éprouvés en apprenant la mort de ses parents, puis celle de Nikita. Il se disait qu'il devait l'aimer à travers sa réalité et non à travers l'image qu'il s'en était faite, que les caractères évoluaient avec le temps, que l'être le plus équilibré pouvait subitement être frappé de malaise, d'aberration, de folie ! A ce moment, il remarqua que Bestoujeff, assis non loin de lui, son carnet de croquis sur les genoux, était en train de le dessiner. Cela lui déplut. Il était trop triste pour avoir envie de poser. De la main, il fit signe à son camarade de chercher un autre modèle. Mais Bestoujeff continua imperturbablement à le lorgner d'un œil voleur ; son crayon dansait sur le papier.

Nicolas, agacé, se leva et sortit sur la pointe des pieds, pour ne déranger personne. Que faire ? Où aller ? La pluie tambourinait sur le toit. Nicolas rentra dans sa chambrée, où régnait un calme studieux, et se faufila vers son lit. Youri Almazoff et Lorer étaient assis dessus. Le dos à la porte, ils discutaient à voix basse. En se rapprochant d'eux, Nicolas entendit prononcer le nom de Nikita. Il y eut en lui un flamboiement de honte et de colère. Etait-il devenu la fable de tout le bagne, à cause de ce petit serf dont sa femme pleurait la mort ? Comment la nouvelle s'était-elle répandue parmi ses camarades ? Léparsky, son neveu, des sous-officiers de la suite, Sophie elle-même — qui avait parlé ? Il se domina pour ne pas tomber à coups de poing sur les deux hommes, qui, déjà, se retournaient.

— Je t'ai pris ta place, dit Lorer en se levant. La conférence d'Odoïevsky est finie ?

— Non, répondit Nicolas d'une voix tremblante. Mais j'avais à faire par ici.

— Moi aussi, j'ai à faire. Une leçon d'espagnol à apprendre pour Zavalichine. Il est terrible comme professeur ! Cependant, que n'accepterait-on pour goûter Cervantes et Calderon dans le texte ?...

Quand il se fut éloigné, Youri Almazoff voulut partir, à son tour, mais Nicolas le retint en grommelant :

— Ah ! non ! Toi, du moins, tu vas rester... tu vas me dire !

Il avait saisi le poignet de son ami et le serrait avec tant de vigueur, que l'autre se dégagea d'un geste sec et siffla :

— Qu'est-ce qui te prend ?

— Je vous ai entendus, dit Nicolas.

— Et après ?

— Vous parliez de Nikita.

— C'est défendu ?

— Canaille ! proféra Nicolas entre ses dents. Tu te prétends mon frère, mais, derrière mon dos, tu me calomnies ! Répète ce que tu disais !

— Je disais que ce pauvre Nikita Mouravieff est idiot de faire bâtir à Pétrovsk une maison de deux étages, avec salle de billard, et que cette lubie de sa femme lui coûtera les yeux de la tête !

Désarçonné en plein élan, Nicolas se découvrit bête et mou, avec sa fureur qui fuyait, qui diminuait pour se perdre au loin. Il mesura avec inquiétude l'état d'obsession auquel il était parvenu. A force de tout ramener à son propre tourment, il finissait par croire qu'il n'y avait qu'un seul Nikita en Russie. En face de cette méfiance absurde, la sincérité de

Youri Almazoff était évidente. Il regardait droit, de ses gros yeux fixes et tendres, tapis sous d'épais sourcils noirs. Un sourire parut sur ses lèvres rasées.

— Je ne te reconnais pas, Nicolas, dit-il. Depuis quelque temps, tu es pour moi comme un étranger. Toi si actif, si courageux d'habitude !... Tu as des ennuis ?... Tu nous caches quelque chose ?...

Nicolas gardait le secret depuis si longtemps que, tout à coup, il ne put se contenir. Il débordait de chagrin, d'amertume, d'angoisse. L'amitié était devant lui comme une tentation.

— Ça ne va pas avec ma femme, chuchota-t-il.

— Je m'en doutais, dit Youri Almazoff. La vie n'est pas drôle ici pour les épouses de prisonniers. Il faut les comprendre...

— Au début, pourtant, elle paraissait heureuse ! soupira Nicolas. J'avais l'espoir qu'elle s'habituerait...

Ils s'étaient assis sur le lit, côte à côte, les coudes aux genoux, les jambes rassemblées, comme à l'époque où ils portaient encore des chaînes. Un silence passa sur eux. Puis Nicolas se frappa le front des deux poings, si violemment qu'une marque rose apparut sur sa peau de blond, entre les sourcils.

— C'est un mauvais moment ! dit Youri Almazoff.

— Un moment qui dure... qui dure...

— Depuis quand exactement ?

Nicolas lui jeta un regard soupçonneux, hésita, haussa les épaules et dit :

— Depuis que Léparsky est revenu d'Irkoutsk.

— Tu sais, Nicolas, dit Youri Almazoff, tu peux me parler franchement... Nous sommes tous au courant, ici...

— Au courant ?... Au courant de quoi ?...

— Eh bien ! mais... de... de ce que tu reproches à ta femme...

Nicolas blémit :

— Je ne lui reproche rien !

Craignant d'en avoir trop dit, Youri Almazoff voulut se rattraper et bredouilla :

— Tu as bien raison ! S'il fallait croire ce que racontent les mauvaises langues d'Irkoutsk et de Tchita... Qu'est-ce que ça prouve qu'elle ait voyagé seule avec ce garçon, qu'elle l'ait soigné quand il était malade, qu'elle ait commandé une messe à son intention ?...

La stupeur s'empara de Nicolas.

— Elle a commandé une messe à son intention ? balbutia-t-il.

— Il paraît.

— Quand ?

— Ce n'est peut-être pas vrai !...

— Quand ? répéta Nicolas en secouant Youri Almazoff par les épaules comme un mannequin.

Soudain, il le lâcha, se précipita dehors, courut jusqu'au poste de garde et pria le lieutenant Vatrouchkine de l'autoriser à se rendre auprès du père Vissarion, qui l'attendait pour une confession. Vatrouchkine s'étonna, réfléchit, puis bon prince, désigna deux soldats afin d'accompagner le prisonnier au presbytère.

Assis dans la grande salle de l'isba, le prêtre écossait des petits pois en famille. Il renvoya sa femme et ses deux filles, et invita le visiteur à s'asseoir.

— Je voudrais vous commander une messe pour le repos de l'âme de mon serviteur Nikita, dit Nicolas en restant debout.

— Vous arrivez trop tard, dit le prêtre avec un bon sourire. Votre femme vous a devancé dans ce pieux souci.

— Ah ! murmura Nicolas.

Et sa vue se troubla, il s'appuya d'une main au

bord de la table. Une montagne de petits pois verts s'élevait devant lui.

— C'était hier, reprit le prêtre. J'ai également prié pour ses parents.

— Je vous remercie, mon père, dit Nicolas.

Les soldats le ramenèrent à la prison sous la pluie.

10

— Je me moque de l'opinion des autres ! cria Sophie. Les gens, ici, n'ont rien à faire qu'à espionner et qu'à médire ! Devais-je renoncer à mon idée, à cause d'eux ?

— Pas à cause d'eux, à cause de moi ! dit Nicolas en s'arrêtant de marcher de long en large dans la chambre. Ce que tu as fait, Sophie, est tout simplement scandaleux ! Qui était-il, ce Nikita, pour que tu commandes une messe à son intention ? ton mari, ton frère, ton fils ?...

— Il était un compagnon de voyage dévoué !

— Un serf !

— Oui, un serf, qui est mort dans des conditions atroces !

— Parce qu'il a essayé de te rejoindre !

— Justement ! Nous avons, toi et moi, une dette de reconnaissance envers lui !

— Toi peut-être, répliqua-t-il dans un ricanement, mais pas moi !

Elle eut une bouffée de rage :

— Si, Nicolas ! Dis-toi bien que, sans lui, je ne serais pas arrivée jusqu'à toi. Il m'a aidée ! Il m'a défendue ! Il a été... il a été admirable !...

Parler de Nikita remuait en elle une douceur et une tristesse qui la préparaient aux larmes. Elle eut peur de cette faiblesse à un moment où elle aurait eu besoin de toute son énergie. Nicolas avait croisé les bras sur sa poitrine et la considérait attentivement, sans avoir l'air d'entendre ce qu'elle disait. Enfin, il grommela :

— Dire que, pendant des mois, j'ai vécu dans l'ignorance, dans l'insouciance ! Et il a suffi d'un voyage de Léparsky à Irkoutsk pour que les sales petites histoires de là-bas me reviennent aux oreilles !

— Quelles sales petites histoires ?

— Tu le sais bien !

Il hésita devant l'énormité de l'accusation, puis prononça avec force, avec dégoût :

— Ton intimité avec... avec ce paysan !

— Tu penses vraiment ce que tu dis ? demanda-t-elle en le regardant froidement dans les yeux.

Pendant une seconde, leurs volontés s'affrontèrent en silence. Le premier, il détourna la tête. Elle devina qu'il eût donné n'importe quoi pour être rassuré. Eludant la question abrupte qu'elle lui avait posée, il murmura d'un ton radouci :

— Je voudrais tellement te croire, Sophie ! Mais ton attitude même te condamne ! Si tu n'avais réellement rien à te reprocher, tu m'aurais averti de tes démarches pour faire venir Nikita ! Tu n'aurais pas agi en cachette !... Je sais, tu prétends que tu ne m'en as pas parlé par négligence... Comment pourrais-je me contenter de cette excuse ?...

Peu à peu, son accent redevenait acerbe, comme si, à récapituler ses griefs contre Sophie, il se fût mieux convaincu de son bon droit. Maintenant, chaque mot qu'il lançait l'entraînait plus loin dans la violence.

— Il y a autre chose, reprit-il. Autre chose de plus grave !... Ta froideur à mon égard !... En arrivant ici, tu étais déjà bizarre, passive, comme une femme dont l'esprit est occupé ailleurs. Mais, depuis la mort de Nikita, c'est bien simple, tu me fuis comme si je portais la peste ! Quand je m'approche de toi, je lis dans tes yeux de la répulsion !

— Ce n'est pas vrai, dit Sophie.

— Comment, ce n'est pas vrai ?

Il lui saisit les poignets. Elle se débattit, le repoussa et recula de deux pas, décoiffée, haletante.

— Tu vois ! marmonna-t-il. Tu vois que j'ai raison !

Il paraissait à la fois humilié et triomphant. Elle le contempla avec mépris et haussa les épaules. Ce mouvement qu'il surprit l'exaspéra. Ses traits se roidirent, son œil vert brilla de fureur à l'ombre de ses sourcils noués.

— Allons ! Avoue ! dit-il soudain. Ce sera plus simple !... Avoue que tu as couché avec lui !

Elle reçut cet affront comme un crachat au visage. Son sang bondit. Mais elle ne broncha pas. Alors, il se mit à vociférer :

— Quand je pense que je me suis attendri sur la grandeur d'âme de ma femme, qui avait tout abandonné pour me suivre en Sibérie ! Ce n'est pas pour me rejoindre que tu as quitté Saint-Pétersbourg, mais pour filer le parfait amour avec ton domestique, en voyage d'abord, puis à Tchita ! Moi sous les verrous et lui dans ton lit, ça t'arrangeait, hein ?

Il tendait vers elle sa face convulsée. Pourtant, elle n'avait pas peur de lui. Elle était même soulagée qu'il fût si brutal et si stupide avec elle. En l'accusant à tort, il l'aidait à se détacher de lui et à se réfugier dans un amour immatériel, que nul ne pouvait comprendre.

— Tu es grotesque ! dit-elle du bout des lèvres.

— Et toi, tu es immonde ! hurla-t-il. Je ne peux

plus te regarder sans te voir souillée par des mains de moujik !

— Alors, que fais-tu ici ?

— Quoi ? Quoi ? bégaya-t-il en arrondissant les yeux. Tu oses ?... Qu'est-ce que tu te figures ?...

Il leva la main sur elle. « Que va-t-il se passer s'il me frappe ? » pensa-t-elle rapidement, avec une grande lucidité. Leurs regards se rencontrèrent. Elle mit dans le sien la dureté de l'acier. Ses cils ne vibraient pas. Ses lèvres étaient scellées. Au milieu de son corps immobile vivait un cœur énorme aux battements réguliers et profonds. Après deux ou trois secondes, qui lui parurent interminables, elle vit le menton de Nicolas qui bougeait, comme s'il eût avalé à vide. Ses prunelles vertes s'éteignirent. Un petit muscle sauta au coin de sa bouche. Il laissa retomber son bras le long de son corps, s'assit sur le lit et cacha sa figure dans ses mains.

— Mon Dieu ! Mon Dieu ! Est-ce possible ? dit-il.

Elle n'éprouvait aucune pitié pour lui. Cependant, elle ne songeait pas à le mettre dehors. Un étrange oubli s'était emparé d'elle. Son corps flottait, impondérable. Son esprit s'intéressait à des détails infimes : un bouton manquait à la veste de Nicolas, des fourmis descendaient en procession de la fenêtre — il faudrait le signaler à Pulchérie... La trêve se prolongeait, comme entre deux bêtes fatiguées qui restent sur les lieux du combat et lèchent leurs blessures sans savoir si elles auront assez d'ardeur pour recommencer. Tout à coup, il releva le front. Son visage apparut, décomposé, hagard, barbouillé de larmes. Il gémit :

— Tu m'en veux ?

Elle s'attendait si peu à cette question, qu'elle demeura interloquée.

— Il faut me comprendre, Sophie ! reprit-il. Je deviens fou à l'idée que tu aies pu m'être infidèle !

Dis-moi que ce que j'imagine est faux ! Dis-le moi et je te croirai, je te le jure !...

Comme elle continuait à se taire, il poursuivit, plus humblement encore :

— Au fond, si tu es tellement distante avec moi, c'est parce que tu m'en veux encore de t'avoir trompée autrefois, bêtement... Tu es si fière !... Cela t'a marquée !... Tout est de ma faute !...

Elle avait complètement oublié cette aventure ancienne de Nicolas et s'étonnait qu'il y fît allusion pour expliquer un malentendu dont la cause était ailleurs. En se reconnaissant coupable d'avoir ébranlé la solidité de leur ménage, sans doute espérait-il écarter un danger plus grave. Si l'un des deux devait être fautif, il préférait que ce fût lui. Cette tactique pitoyable la fit sourire intérieurement. Comme elle était loin de la jeune épouse qui, jadis, vouait à son mari une jalousie saine et brutale, une hargne de femelle amoureuse. Aujourd'hui, les prières qu'il lui prodiguait ne la touchaient pas davantage que ses injures.

— Sophie, ma chérie ! Oublie ce que je t'ai dit !... Je suis un imbécile !... Recommençons !...

Il s'était levé et marchait sur elle, les mains tendues, pour la saisir. Elle devina ce qui allait suivre. Le fuir ? L'arrêter ? Comment ? Une idée l'éblouit au moment où elle se croyait perdue. D'un geste vif, elle allongea le bras vers la poignée de la porte et ouvrit le battant. Dans l'encadrement du chambranle, apparut un soldat éberlué, l'oreille collée au vide. Il y eut un silence de stupéfaction. Nicolas s'était immobilisé, le souffle court, la lippe mauvaise.

— Tu es un monstre, Sophie, dit-il. Un monstre de tranquillité, de dureté !

Et il se précipita dehors.

*

Durant deux jours, Sophie évita toutes les occasions de revoir Nicolas. L'explication qu'elle avait eue avec lui l'avait si bien guérie de ses scrupules, qu'elle avait l'impression de respirer mieux. Mais le dimanche suivant, quand approcha l'heure de la visite, elle redevint nerveuse. Assise près de la fenêtre, elle essayait de lire un roman de Walter Scott et tressaillait au moindre bruit : encore une scène en perspective, avec des larmes, des injures... Cependant, personne ne se montrait. Longtemps, elle resta sur ses gardes. Lorsqu'elle comprit enfin qu'il ne viendrait pas, elle ressentit un grand bien-être. Elle lui savait gré d'avoir renoncé à leur entrevue. Le livre qu'elle tenait sur ses genoux s'anima. Elle s'intéressa, sans réserve, aux aventures de Rob Roy. Tard dans l'après-midi, on frappa à sa porte. Lui ? Elle ouvrit avec un serrement de cœur. Ce n'était que Pauline Annenkoff. Elle arrivait, pomponnée, trémoussante. La gaieté lui sortait par tous les pores de la peau.

— Votre mari vous a dit la nouvelle ? s'écria-t-elle en entrant.

— Je n'ai pas vu mon mari aujourd'hui, annonça Sophie.

— Ah ! mon Dieu ! Serait-il malade ?

— Non.

Tout en parlant, Sophie songeait que les épouses de prisonniers étaient sans doute plus ou moins au courant de ses difficultés avec Nicolas. Elles avaient délégué l'une d'elles pour la surprendre. Cette curiosité la laissait indifférente. Son chagrin l'isolait et la protégeait. Elle n'éprouvait même plus la nécessité de feindre le bonheur conjugal devant ces femelles assoiffées d'indiscrétions.

— Mon mari se porte très bien, dit-elle. Il n'est pas venu parce que nous avons décidé, d'un commun accord, de renoncer à nos entrevues.

— Ah ! vraiment ? balbutia Pauline Annenkoff en ravalant sa salive. Je suis désolée... Je ne savais pas... Je vous prie de m'excuser...

— Il n'y a pas de quoi ! dit Sophie. Je crois que vous vouliez m'apprendre une nouvelle...

— Moi ?

Abasourdie par ce qu'elle avait entendu, Pauline Annenkoff mit une seconde à reprendre ses esprits.

— Ah ! en effet, c'est au sujet de Camille Le Dantu ! dit-elle enfin avec exubérance. Vous savez qu'hier Léparsky avait convoqué Ivacheff pour lui montrer une lettre de sa mère et une autre de la mère de Camille, expédiées toutes deux avec la haute approbation de Benkendorff ! Des épîtres déchirantes de noblesse, paraît-il ! Ce cher garçon en a été remué jusqu'aux larmes ! Léparsky lui a accordé vingt-quatre heures de réflexion. Il vient à l'instant de porter sa réponse au général : c'est oui !

Elle explosa d'allégresse devant une Sophie singulièrement absente et poursuivit :

— Camille va être si heureuse ! Je l'ai souvent rencontrée autrefois. Tout le monde se connaissait dans la petite colonie française de Moscou. Cela nous fera une compatriote de plus. Charmante, je puis le dire ! Exactement le genre de femme qu'il faut à Ivacheff ! Tenez, je vous parie qu'il ne pense plus du tout à s'enfuir !...

Elle bavardait sans relâche, avec un rien de vulgarité commerciale. On ne pouvait oublier qu'elle avait travaillé dans un magasin de mode :

— Evidemment, il faut compter le temps des démarches. Elle ne pourra pas se mettre en route avant quelques mois. Je suppose que le mariage aura lieu à Pétrovsk. Savez-vous, par hasard, quelle date est prévue pour notre départ ?

— Non, dit Sophie.

— Qu'il est donc agaçant de ne rien pouvoir décider par soi-même, d'être toujours dans l'attente d'un ordre ! Mon mari me répète que j'ai l'indiscipline dans le sang parce que je suis française ! Le vôtre a dû vous faire la même réflexion !

Elle s'arrêta et porta une main mollette devant sa bouche, comme pour s'excuser d'un propos indélicat. Mais, sans doute, la maladresse était-elle voulue. Soudain, elle se leva :

— Il faut que je parte.

— J'allais vous proposer de prendre une tasse de thé avec moi.

— Non ! Non ! s'écria la visiteuse, comme si elle eût craint de se faire ébouillanter.

Et elle passa la porte dans un brouillamini de paroles aimables.

Sophie tourna en rond dans la chambre, puis s'assit devant une glace pour rectifier sa coiffure. Ce soin prenait subitement pour elle une grande importance dans son esprit. Seule une femme pouvait comprendre ce désir d'être belle sans avoir personne à séduire. Belle pour elle-même. Ou pour un souvenir. Elle dénoua ses cheveux, qui tombèrent en rideau sombre sur son épaule, et se mit à les brosser lentement. Une rêverie s'empara d'elle, comme si elle se fût penchée sur une rivière.

★

Dès le saut du lit, Youri Almazoff et Pierre Svistounoff affichèrent un entrain et une élégance qui n'étaient pas dans leurs habitudes. Rasés de près, lavés à grande eau, les cheveux taillés court, ils attendaient impatiemment le départ pour la corvée. La veille, ils avaient lié connaissance, à la Tombe du Diable, avec deux paysannes peu farouches, qui avaient promis de revenir. Sûrement, aujourd'hui, on passerait des paroles aux actes. Youri avait déjà choisi un fourré, de l'autre côté de la rivière, où on serait très bien pour trousser les demoiselles. Il avait l'impression que cela ne lui était pas arrivé depuis un siècle. « Je ne sais même plus si c'est bon ! » répétait-il d'un air égaré. Près de lui, on riait à plein ventre, on s'appliquait des claques sur les cuisses, on réservait son tour, pour le cas où les deux filles amèneraient des compagnes. Les partisans des blondes bien en chair s'opposaient aux amateurs de petites brunes nerveuses. Mais il était clair que les uns et les autres, tiraillés par leur appétit, se fussent contentés de n'importe quoi. Le calme des hommes mariés contrastait avec l'effervescence des célibataires. Ivacheff, bien qu'à peine fiancé, était déjà du clan des gens rassis. Il en allait de même pour le ci-devant général Youchnevsky et pour le ci-devant capitaine Rosen, dont les femmes, après des années de démarches, venaient d'obtenir l'autorisation de se rendre en Sibérie. A observer ses camarades, Nicolas se sentait aussi loin de ceux qui affectaient la sagesse, que de ceux qui manifestaient une gaieté gaillarde. Depuis la terrible conversation qu'il avait eue avec Sophie, il vivait comme un être profondément blessé, dont le moindre faux mouvement réveille la douleur. Tout au long du jour, il ne cessait de penser à elle, avec des alternatives de fureur et de désespoir. Tantôt il se persuadait qu'elle l'avait réellement trompé avec Nikita et il l'accablait de sa haine, tantôt il se disait qu'elle lui était restée fidèle, mais que des circonstances mystérieuses, dont il était peut-être responsable, avaient tué leur amour. Alors, son chagrin se compliquait d'incertitude. Incapable de déceler la cause du mal, il en venait presque à regretter de n'avoir pas un rival en chair et en os. Comment combattre un mort, une ombre, une disposition de l'esprit ? Il voyait Sophie perdue, irrémédiablement, et ne concevait pas l'existence sans elle. La scène humiliante qu'il avait eue avec elle ne suffisait pas à le dégriser. Il remâchait sa honte et rêvait de serrer sa femme dans ses bras, de boire à sa bouche, de la forcer dans son âme et dans sa chair. Dimanche dernier, il avait dû lutter de toute son énergie contre la tentation de retourner chez elle. Ce qui aggravait son tourment, c'était la conscience que tout le monde en était avisé. Il ne pouvait plus supporter les regards compréhensifs de ses camarades. Heureusement, pour l'instant, ils le laissaient en paix. Couché tout habillé sur son lit, il voguait au fil de ses idées.

Le vacarme grandit, au moment où Lorer et Annenkoff arrivèrent avec un panier plein de tranches de pain noir et un sac de sucre concassé. Derrière eux marchaient, portant un énorme samovar, deux forçats de droit commun, récemment libérés, qu'on employait comme domestiques dans le bagne des messieurs. L'un d'eux, Alifanytch, avait la taille menue, le visage grêlé, et des cheveux roux piqués de blanc. L'autre, Filat, était un colosse au crâne plat et à la mâchoire détachée, tel un tiroir entrouvert. Tous deux avaient été marqués au fer rouge sur le front. C'était avec Filat qu'Ivacheff avait préparé son évasion.

— Ah ! barine, dit Filat en s'approchant de lui, vraiment tu ne regrettes rien ? Réfléchis ! Il est encore temps ! Qui se marie construit sa propre prison !

— Tu vas le laisser ? gronda le Dr Wolff. Pour une fois dans sa vie qu'il agit avec sagesse !...

— De toute façon, si tu pars, Basile, cria Svistounoff, dis-toi bien que ta fiancée trouvera preneur à Tchita ! Chez nous, il ne peut pas y avoir de femme seule !

Nicolas serra les mâchoires. Dans les propos les plus anodins, il devinait une allusion à son infortune. Quelqu'un lui passa un bol plein de thé bouillant et une tranche de pain. Il but, il mangea, comme un automate. Les conversations s'arrêtèrent, remplacées par des soupirs, des sifflements, des clappements de langues brûlées. Toute la chambrée lapait.

— Dépêchez-vous ! dit Youri Almazoff. Nos deux fillettes doivent nous attendre !...

Il finit son bol, délaya un restant de sucre dans de l'eau chaude et se lissa les cheveux, du plat de la main, avec ce sirop. Le sous-officier de garde entra, escorté de six soldats en armes :

— Messieurs, rassemblement !

D'habitude, cet ordre était accueilli par un grognement hostile. Cette fois-ci, des voix joyeuses répondirent :

— Enfin !... Ce n'est pas trop tôt !...

Les plus fringants furent les premiers à sortir dans la cour. Ceux qui n'attendaient rien de cette journée les suivirent paisiblement, des livres, des journaux, des échiquiers ou des baluchons sous le bras. Un ciel d'un bleu dur, tout vibrant de chaleur, pesait sur la terre assoiffée. Après l'appel, le lieutenant Vatrouchkine commanda : Repos ! Les forçats échangèrent des regards surpris : pourquoi ne donnait-on pas le signal du départ ? L'heure avançait, Youri Almazoff trépignait, Pierre Svistounoff se rongeait les ongles. Bientôt les protestations commencèrent :

— Qu'est-ce qu'on fait ici ?

— Ne nous laissez pas en plein soleil !

D'autres soldats arrivèrent en courant. Un roulement de tambour résonna du côté du poste de garde. Et Léparsky surgit, le teint cadavérique, sous un énorme chapeau à plumes.

— Messieurs, dit-il, j'ai une communication importante à vous faire. Nous quitterons Tchita pour Pétrovsk au début du mois d'août. La distance est de près de sept cents verstes. Il nous faudra bien six semaines pour couvrir ce trajet.

Un murmure d'étonnement parcourut l'assistance. Le prince Troubetzkoï demanda :

— Quel moyen de transport utiliserons-nous, Votre Excellence ?

— Nous irons à pied, dit le général.

— C'est de la folie ! s'exclama Mouravieff. Jamais nous ne résisterons à une pareille fatigue !

Léparsky secoua la tête avec ennui :

— Il n'est pas question de marche forcée. Je vous propose une succession de petites promenades. Nous cheminerons sans nous presser. Nous camperons dans des endroits enchanteurs. Nous oublierons les murs de la prison. N'est-ce pas là un programme séduisant ?

— Et nos femmes ? dit Annenkoff.

— Elles nous accompagneront en voiture.

Le géant Rosen sortit du rang et déclara :

— Mon camarade Youchnevsky et moi-même avons été officiellement avertis, la semaine dernière, que nos épouses avaient quitté la Russie pour se rendre à Tchita. Si nous partons dans les prochains jours, elles arriveront ici pour ne trouver personne. C'est absurde !...

— Des dispositions ont été prises à cet égard, répliqua Léparsky sans se démonter. Lorsque la baronne Rosen et Mme Youchnevsky parviendront à Irkoutsk, le général Zeidler leur annoncera leur changement de destination et les enverra droit à Pétrovsk. Sans doute y seront-elles avant nous.

— Combien de temps avons-nous pour nous préparer ?

— Une dizaine de jours.

— C'est court, Votre Excellence !

— Vous n'avez pas tellement de bagages à prendre, que je sache ! Allons, Messieurs, un peu d'entrain ! Vous verrez, ce sera très agréable !

Youri Almazoff poussa Nicolas du coude :

— C'est bien ma chance ! Pour une fois que j'avais trouvé une fille !...

— Quelqu'un a-t-il d'autres questions à poser ? demanda Léparsky.

Tous se taisaient. Même les hommes mariés, pour qui l'avenir à Pétrovsk était plein de promesses, paraissaient tristes à l'idée de quitter Tchita.

DEUXIÈME PARTIE

1

Le 7 août 1830, par une pluie drue, la première colonne de prisonniers sortit de Tchita sous les ordres du neveu de Léparsky. La seconde colonne, commandée par le général lui-même, se mit en route le surlendemain, à l'aube. Il ne pleuvait plus, mais la terre était trempée et un souffle fiévreux poussait des nuages au ras de l'horizon. Nicolas, qui faisait partie du deuxième contingent, marchait avec lenteur, la face frappée par le vent chaud, et une amère satisfaction lui venait de cette violence qui répondait si bien au tumulte de ses sentiments. Derrière la piétaille, pataugeante et grognante, se traînaient les chariots de vivres et de bagages, la voiture de l'état-major et les tarantass des dames. Sophie se trouvait avec Mme Fonvizine dans l'une de ces caisses bâchées, qui cahotaient parmi les ornières. A tout moment, Nicolas se retournait en espérant apercevoir le visage de sa femme entre les deux pans d'un rideau de cuir.

A trois verstes de là, il fallut traverser l'Ingoda en crue. Le convoi s'arrêta sur la berge boueuse. Une foule assiégeait l'appontement du bac. C'étaient les habitants de Tchita, venus nombreux pour souhaiter bon voyage à ceux qui avaient fait leur fortune. Quelques dames descendirent des tarantass pour dire adieu, une fois de plus, à leurs serviteurs, à leurs fournisseurs, à leurs voisins. Sophie baisa sur les deux joues sa logeuse Pulchérie, qui sanglotait, et serra la main du mari, Zakharytch. « Comme elle est bonne avec les autres ! » pensa Nicolas en l'observant de loin. Elle portait un manteau de voyage gris et un chapeau de paille avec une voilette. Il voulut s'approcher d'elle, puis se ravisa. « A quoi bon ? » Dans l'émotion grandissante, des réticules s'ouvrirent, il y eut une nouvelle distribution de pourboires et de nouvelles exclamations de gratitude :

— Notre bienfaitrice ! Que Dieu vous garde ! Qu'allons-nous devenir sans vous ?

De toutes les épouses de prisonniers, les mères de famille étaient les plus entourées. Elles portaient leurs bébés sur les bras et les présentaient avec orgueil à des adoratrices aux mains jointes. Mais, à la longue, les enfants se fatiguèrent de la cohue et se mirent à hurler. Léparsky accourut, les yeux hors de la tête :

— Quoi ? Que se passe-t-il ? Un accident ?

On le rassura. Il repartit, accablé par l'importance de sa tâche, criant des ordres aux cochers, aux soldats, invectivant les chevaux, menaçant la rivière. Après un bon quart d'heure de confusion, le transport s'organisa. Nicolas se trouvait sur le bac, quand, brusquement, il y eut un coup de tonnerre sec, suivi d'un éclair aveuglant. Le ciel cracha une pluie tiède, serrée, impalpable, puis les gouttes grossirent et le paysage grimaça sous leurs chocs répétés. Rayés de haut en bas avec rage, les arbres se déplumaient, les visages se ratatinaient, la route devenait couleur de rivière, la rivière couleur de route.

En prenant pied sur la berge opposée de l'Ingoda, Nicolas eut l'impression qu'il continuait de flotter au gré du courant. Le bac repartit, dansant sur des vagues jaunes. Là-bas, les chevaux s'affolaient, glissaient en s'engageant sur le ponton, et on voyait les dames tourbillonner dans leurs robes de couleur autour des voitures ruisselantes. Une douzaine de voyages furent nécessaires pour amener tout le monde d'une rive à l'autre. Comme il n'y avait pas d'abri, ceux qui étaient rendus au port attendaient stoïquement sous la cataracte. Lorsque le dernier soldat débarqua, la baïonnette hérissée de gouttes d'argent, une housse sur son shako — Léparsky se signa. Le lieutenant Vatrouchkine fit l'appel. On n'avait perdu personne. De l'autre côté, les paysans agitaient la main, criaient : « Adieu ! » s'en allaient, deux par deux, en se retournant.

Tout à coup, la pluie cessa. Une trouée d'azur apparut entre des éboulements vertigineux de nuages. A mesure que la déchirure s'étendait, le bleu du ciel devenait plus intense. La terre fumait, les feuillages brillaient, l'herbe se redressait, lustrée, tandis que le soleil poussait à travers les vapeurs en fuite un large éventail de rayons.

On se remit en marche, le dos mouillé, le pantalon collé aux cuisses, avec, à chaque pas, un clapotis entre la semelle et la plante du pied. Des soldats précédaient et suivaient le convoi. Sur les flancs de la colonne chevauchaient des cosaques, la lance au poing. Une cinquantaine de cavaliers bouriates, armés d'arcs et de javelots, tournoyaient en éclaireurs aux abords de la route. Le grincement des essieux était assourdissant. Quand il fermait les yeux, Nicolas croyait entendre des oiseaux, se chamaillant autour d'une charogne. Parfois, le général se montrait sur un cheval blanc. Il passait d'une voiture à l'autre pour demander aux dames si elles ne manquaient de rien, jetait aux prisonniers quelques mots d'encouragement paternel et remontait, le front en sueur, dans sa calèche.

Il y eut, vers midi, une courte halte sur le bord de la route, pour manger un morceau de viande froide et boire un bol de thé. Les dames en profitèrent pour se sécher au soleil devant les tarantass. Leurs cheveux humides, aux tresses intactes, brillaient comme des pains nattés à la sortie du four. Tous les hommes les regardaient avec convoitise. Sophie, cependant, resta invisible.

La seconde partie de l'étape fut fatigante. Le chemin montait. Les plus faibles parmi les décembristes soufflaient, tiraient la langue, versaient leur poids d'une jambe sur l'autre. Rosen, désigné par ses camarades comme fourrier de la deuxième colonne, était parti, la veille, avec quelques soldats, pour préparer le cantonnement. Vers trois heures de l'après-midi, une rangée de tentes coniques se dessina au loin, dans une dépression de terrain. Des cris de joie les saluèrent. On força l'allure.

A peine arrivés, les prisonniers se précipitèrent pour choisir leurs yourtes. Elles étaient toutes pareilles. Chacune pouvait contenir quatre ou cinq dormeurs.

— Tu restes avec moi, Nicolas, n'est-ce pas ? dit Youri Almazoff en posant une main sur l'épaule de son ami.

Nicolas acquiesça de la tête, avec une mollesse résignée. Depuis leur départ, Youri Almazoff s'occupait de lui comme d'un enfant. Cependant, les autres hommes mariés demandèrent à Léparsky quelles dispositions avaient été prises pour leur permettre de passer la nuit avec leurs compagnes. Celles-ci se tenaient à trois pas en retrait, pudiques mais intéressées. Le général s'emporta : il n'avait rien prévu, les ménages seraient séparés, comme d'habitude! On lui fit observer qu'il avait autorisé lui-même la cohabitation des époux dans le nouveau pénitencier. Il rétorqua que pour l'instant, on n'était pas dans un pénitencier mais sur la route. Une discussion juridique s'ensuivit, les prisonniers exigeant l'application du règlement de Pétrovsk, parce qu'ils avaient quitté Tchita, et le général invoquant contre eux le règlement de Tchita, parce qu'ils n'étaient pas encore arrivés à Pétrovsk. Les échos de cette conversation parvinrent aux oreilles de Nicolas. Une angoisse l'étreignit. Si ses camarades obtenaient gain de cause, il serait le seul homme marié à ne pas rejoindre sa femme. Cette situation mettrait son infortune en lumière. Aux yeux de tous, il apparaîtrait comme un pauvre hère trahi, bafoué, chassé de sa maison... Il n'eut pas à s'alarmer longtemps. Dans un violent accès de colère, Léparsky ordonna aux solliciteurs de ne plus l'importuner avec des questions oiseuses. Ils se dispersèrent en murmurant. Nicolas, soulagé, put penser à son installation personnelle.

Les dames se virent attribuer des tentes voisines du grand pavillon en coutil occupé par le général : sans doute voulait-il surveiller leur conduite. Les cuisiniers militaires allumèrent les feux. Le lieutenant Vatrouchkine disposa les sentinelles autour du camp. Une grande activité se manifesta chez les mères de famille. Il fallait changer, nourrir, coucher les enfants. Des berceaux d'osier furent placés sous les branches et recouverts d'un tulle contre les mouches. Pendant que les plus jeunes bébés gigotaient et vagissaient sous ces voiles de protection, ceux qui étaient en âge de marcher s'aventuraient à droite, à gauche, sur leurs jambes incertaines. On les rappelait, on les grondait : « Si tu continues, le général te mangera ! » Cette menace ne les effrayait nullement. Debout devant sa tente, Nicolas aperçut Sophie qui passait, tenant par la main la fille d'Alexandrine Mouravieff. L'heure du souper approchait. Une odeur de viande rôtie se mêla au parfum de l'herbe. Léparsky invita les couples à partager son repas. Nicolas redoutait cette épreuve, mais il lui était impossible de refuser.

Les convives s'assirent sur des coussins, des souches, des pierres, autour d'une table basse, dressée sur des tréteaux. Le général avait la princesse Troubetzkoï à sa droite, la princesse Volkonsky à sa gauche. Sophie se trouvait entre Mouravieff et Annenkoff. Nicolas ne la quittait pas des yeux. Il lui en voulait d'être si belle, si calme, si sûre d'elle-même, alors qu'il était crispé de honte dans son coin. Plusieurs fois, au cours de la conversation, elle lui adressa quelques mots, lui fit un sourire, sollicita son avis, comme si de rien n'était, et, pris au dépourvu, il ne sut que répondre. Il se demandait si les gens, autour d'eux, étaient dupes de cette comédie. Ces bras à demi nus, sous un fichu de soie bleue, lui rappelaient la femme qu'il aimait ; il espérait la ramener à lui. Mais, pour cela, il fallait d'abord la ramener à elle. Oui, comme une malade, qui vit sous l'empire d'une idée fixe : « Elle parle, elle agit en personne normale, mais son esprit est faussé. »

La fin du repas arriva sans qu'il y prît garde. Il avait bu beaucoup de vodka. Sa tête tournait. Le vent avait chassé les nuages. Aux approches de la nuit, l'herbe, les arbres, les pierres noircissaient, tandis que le ciel conservait une luminosité de lac. Les flammes des brasiers jetaient des reflets d'incendie au flanc des tentes pointues, sur les fusils réunis en faisceaux, sur les croupes soyeuses des chevaux à l'attache, sur le fouillis de visages et de mains, qui entourait chaque marmite. Des Bouriates et d'anciens forçats de droit commun faisaient le service de la table. Léparsky offrit aux messieurs de petits cigares. Puis, comme les dames se disaient fatiguées, on se sépara. Pour n'être pas en reste de politesse avec les autres maris, Nicolas raccompagna Sophie jusqu'à la tente qu'elle partageait avec Nathalie Fonvizine et Elisabeth Narychkine. Elle lui donna sa main à baiser. Toutes les apparences de la bonne entente.

Les cris monotones des sentinelles se répondaient au loin, comme des appels d'oiseaux nocturnes. Les premières étoiles parurent au ciel. Autour des foyers, erraient des ombres d'hommes désœuvrés, enchantés. Nicolas se heurta à Youri Almazoff et à Pierre Svistounoff qui rentraient dans leur yourte. Il les suivit, sans un mot. Longtemps, allongé sur sa paillasse, il écouta les ronflements de ses camarades, qui couvraient, par intervalles, la rumeur assourdie du bibouac. Puis, avec précaution, il se releva et sortit.

Cette fois-ci, le camp lui sembla plus vaste et plus calme. De maigres tisons brillaient entre les tentes. On eût dit une assemblée de cagoules éclairées par des torches. Des ombres en dents de scie se couchaient dans le brouillard fauve. Çà et là, des Bouriates, assis en cercle, à croupetons, dormaient, fumaient, ou se chuchotaient des histoires mongoles. Les cris des sentinelles s'espaçaient ; elles se parlaient en rêve, comme d'une île à l'autre. L'air était froid, presque glacé, avec un parfum de bois calciné et de thym. Marchant au hasard, les yeux perdus, Nicolas buta contre un corps étendu par terre. Il se pencha et reconnut Filat, l'ancien forçat de droit commun dont Ivacheff avait voulu faire son compagnon de fuite. Filat se dressa sur un coude et sa grosse tête se découpa dans la lueur d'un brasier.

— Quoi ? tu ne dors pas, barine ? grommela-t-il. Pourtant, la nuit est fraîche. Veux-tu jouer aux osselets avec moi ?

Nicolas se sentait si seul, qu'il fut sur le point d'accepter. Mais une force mystérieuse l'attirait vers le centre du camp.

— Non, dit-il, je préfère me promener.

— Ne va pas du côté des sentinelles. Elles sont dangereuses, la nuit. Au moindre froissement d'herbe, elles prennent peur et elles tirent !

Nicolas remercia du conseil et poursuivit son chemin. Les yourtes qu'il dépassait respiraient au ras du sol et se plaignaient avec des voix humaines. En arrivant dans une zone de silence, il comprit qu'il était chez les femmes. Mais il ne se rappelait plus sous quelle tente logeait Sophie. Pendant quelques minutes, il demeura debout au milieu de tous ces sommeils. Son imagination lui représentait le bonheur qu'il aurait pu connaître. Il serrait les poings. Le désespoir, la rancune l'oppressaient. Ensuite, il revint sur ses pas, traîna autour des foyers éteints et se retrouva, sans savoir comment, sur sa paillasse, entre deux hommes qui grognaient dans leur sommeil.

★

Le lendemain, à l'aube, une batterie de tambours secoua le camp assoupi. Les feux se rallumèrent sous les marmites. Très vite, tout le monde fut debout, habillé, brossé, restauré, réchauffé, prêt à partir. Assise dans son tarantass, avec Nathalie Fonvizine, Sophie prenait plaisir, malgré elle, à l'extraordinaire animation du convoi. Les vêtements des décembristes ayant été trempés, la veille, par la pluie, ils en avaient changé ce matin et ressemblaient, dans leurs accoutrements baroques, à une troupe de baladins ambulants. Le grave Zavalichine raidissait sa petite taille dans une redingote de quaker. Un chapeau à larges bords emboîtait son crâne jusqu'aux oreilles. Il tenait sa Bible sous le bras gauche et un grand bâton de pèlerin dans la main droite. Iakouchkine portait une sorte de soutanelle et un bonnet pointu, Volkonsky se pavanait dans un caraco de femme, Youri Almazoff était habillé en paysan, Fonvizine bombait le torse dans un uniforme sans épaulettes, Nicolas avait tout d'un Espagnol avec ses pantalons collants et sa veste trop courte. Sophie lui sourit et lut aussitôt un tel espoir dans ses yeux, qu'elle se remit sur ses gardes.

Les hommes dépassèrent les chariots, qui, selon l'ordre de marche, devaient venir en dernière position. Une longue théorie de dos ondula dans la poussière ocre de la route. Nicolas se perdit dans ce moutonnement de bétail. Sophie put penser à autre chose. Les collines vertes étaient semées de fleurs bizarres, parmi lesquelles dominait le rouge âpre des lis. Parfois, un oiseau de proie tournait dans le ciel. Les Bouriates lui lançaient des flèches. Un milan fut abattu ainsi, en plein vol, mais nul ne sut le retrouver dans les fourrés. Des chevaux paissaient dans un vallon, sous la garde d'une cavalière indigène à la figure de guenon et aux tresses noires ornées de médailles. A l'approche de la caravane, elle poussa un cri et entraîna le troupeau dans une galopade peureuse vers l'horizon. Longtemps après qu'elle eut disparu, le sol résonna du battement des sabots. Les moindres péripéties de la route rappelaient à Sophie le voyage qu'elle avait fait jadis, à travers la Sibérie, avec Nikita. Ce paysage ne semblait pas destiné aux regards humains. Des fruits, qui n'étaient à personne, mûrissaient, exhalaient leur parfum et tombaient, face au vide. Au milieu du jour, l'air brûlait le visage, le ciel était sec et blanc comme du plâtre, éblouissant, aveuglant. Avec un peu de folie, Sophie pouvait croire que, devant elle, là-bas, c'était Nikita qui marchait parmi les prisonniers. Une tendre allégresse la pénétrait jusqu'au cœur.

Tout le monde, d'ailleurs, paraissait se réjouir de la vie nomade. On cheminait six heures par jour et on s'arrêtait, au plus fort de la chaleur, près d'une rivière, dans une prairie ombragée où les yourtes avaient poussé comme une famille de champignons. A peine les prisonniers avaient-ils reconnu leur cantonnement, qu'ils couraient se baigner ; puis c'était le tour des dames, dont des couvertures, tendues entre des piquets, protégeaient les ébats contre les regards indiscrets. Après ces ablutions, par ordre du commandant, chacun rentrait sous sa tente. Les hommes de corvée apportaient le thé. On le buvait couché, en bavardant, en lisant, en jouant aux échecs. Ensuite, sieste obligatoire de deux heures. Quand le soleil déclinait, les prisonniers ressortaient des abris. Les uns allaient se baigner de nouveau, d'autres se promenaient dans la steppe, avec deux Bouriates sur leurs talons, d'autres encore herborisaient, dessinaient, capturaient des insectes. A la tombée de la nuit, le campement avec ses feux allumés, prenait un aspect de fête. Le souper se préparait en plein air et, longtemps à l'avance, les prisonniers rôdaient, le nez au vent, autour des marmites. Les Bouriates, eux, mangeaient à part un peu de viande séchée et buvaient du « thé de brique ». Un dimanche, ils offrirent aux prisonniers une soirée de réjouissances avec chants, danses, concours de tir à l'arc et acrobaties équestres. Léparsky présidait, parmi les dames. Le lendemain, ce furent les prisonniers qui organisèrent un festival de chant. Le chœur, qui comprenait tous les hommes du convoi, était dirigé par Vadkovsky. Au programme, uniquement des hymnes religieux. Ainsi l'avait exigé le général. Il ne voulait pas courir le risque d'applaudir quelque chanson subversive dont le sens lui eût échappé.

Lorsque ces voix rudes entonnèrent ensemble : « Je vois ton trône, mon Sauveur », une attention prodigieuse immobilisa Sophie. Elle regretta d'être près de Léparsky, avec toutes les femmes, et non seule, dans un endroit écarté, pour entendre ce cantique d'espoir. Deux brasiers, aux flammes voraces, éclairaient par en bas les hommes alignés. Un doux grondement s'échappait de leurs poitrines et montait vers les étoiles. Derrière eux, les dentelles vertes des feuillages superposés formaient un décor irréel, que traversait, de temps à autre, le vol fou d'une chauve-souris. Au premier rang du chœur, Nicolas chantait avec application. Ces visages rougis par le reflet des flammes, la pensée de la mort, les profondeurs entrevues dans la forêt, le ciel tranquille, tout cela se mélangeait dans la tête de Sophie et la conduisait au bord des larmes. « Vraiment, se dit-elle, il n'y a que la Russie pour offrir de pareilles surprises. Ici, l'âme affleure à tout moment, les sentiments se montrent au grand jour, nul n'a honte de son bonheur, de sa peine, de sa foi, de sa misère, de sa méchanceté, de sa force, de sa faiblesse. Et, de cette naïveté énorme, de cette impudeur évangélique, naissent parfois, comme ce soir, les plus beaux chants du monde. »

Après le dernier morceau, Léparsky félicita les exécutants. Les Bouriates jetèrent leurs chapeaux en l'air. Toutes les dames avaient les yeux humides. On se sépara, chacun emportant dans son cœur un écho de la fête.

Tard dans la nuit, Sophie, qui ne pouvait dormir, s'habilla sommairement et ressortit de la tente. Sa promenade l'amena au bord de la rivière, où elle s'était baignée l'après-midi. L'eau courait, brillait, entre des roseaux immobiles. Les feux du bivouac palpitaient au loin. Sophie s'adossa au tronc d'un arbre, surprise de ne plus sentir son corps et de n'être, de la tête aux pieds, qu'un lieu de passage pour les souvenirs. Singulièrement, ce soir-là, elle évoqua Nikita tel qu'elle l'avait connu, à l'âge de seize ans, petit moujik illettré et timide. Elle lui apprenait à lire, à écrire. Quand elle le complimentait, il la regardait avec une admiration bouleversante. Il avait tout pour lui, l'intelligence, la beauté, la jeunesse !... Sa passion des études !... Parti de rien, il s'était cultivé si rapidement et avec un tel enthousiasme !... Il était sorti de sa condition sans effort !... « Jusqu'où ne serait-il pas monté, guidé par moi ? » songea-t-elle avec une fierté mélancolique. Au milieu de sa méditation, elle entendit un froissement d'herbe et se retourna. Nicolas était devant elle. Cette rencontre n'était pas un hasard. Il l'avait guettée, il l'avait suivie... Que lui voulait-il ? Inquiète, elle écoutait son cœur battre jusque dans sa gorge.

— Quelle nuit magnifique ! dit Nicolas. J'étais sûr que tu ne pourrais pas dormir ! As-tu aimé nos chants ?

Il paraissait très calme et très doux.

— Ils étaient admirables, dit-elle.

— Lequel as-tu préféré ?

— Ce cantique pour le repos de l'âme...

— Oui... oui... Je suis content que cela t'ait plu... Je te regardais en chantant... Tu étais si belle !...

Elle se gonfla de compassion envers cet homme qu'elle torturait par sa seule présence.

— C'est dur de vivre sans toi ! reprit-il d'une voix sourde.

— Mais je suis là, à tes côtés, Nicolas, dit-elle. Tu as toute mon affection, toute ma confiance...

— Malheureusement pour moi, j'ai connu autre chose !

Elle détourna la tête. Tout à coup, il se retrouva seul, au milieu de son tourment, sans personne pour le comprendre. Combien de fois, la nuit, n'avait-il pas cherché l'occasion d'une telle entrevue ? Mais aucun des projets qu'il avait échafaudés alors ne résistait au regard paisible, au sourire distant de

Sophie ! Les femmes étaient-elles différentes des hommes devant les problèmes de la passion — moins matérielles, plus joueuses, plus imaginatives ? Si Sophie se complaisait dans un amour fictif, il ne pouvait, lui, se contenter de rêver à elle. Il la désirait deux fois plus depuis qu'il l'avait perdue. Nulle tendresse ne saurait le satisfaire au point d'exigence où il était parvenu, à plus forte raison, nulle pitié. D'ailleurs, il était impossible que Sophie ne ressentit pas, en cet instant même, l'envie qu'elle lui inspirait. Si elle se taisait, si elle demeurait immobile, c'était, assurément, pour mieux surveiller en elle la montée de ce trouble dont elle se croyait guérie. Il semblait à Nicolas que le silence, entre elle et lui, durait depuis des heures. La nuit allait finir et il n'aurait rien dit, rien fait de ce qu'il fallait dire et faire. Il cherchait des phrases intelligentes, persuasives. Mais le respect, la fatigue, l'espoir le rendaient fou. Elle fit un mouvement. Il crut qu'elle voulait partir et, brusquement, s'écria :

— Je t'aime, Sophie !... Je t'aime !... Tout ce que tu pourrais me dire m'est égal !... J'accepte tout, tu comprends ?... Sophie !... Sophie !... Je t'en prie !... J'ai besoin de toi !...

Elle recula, froide, les yeux grand ouverts, mais l'horreur qu'elle laissait paraître acheva de le stimuler. Il l'étreignit maladroitement, chercha ses lèvres et, comme elle se débattait, roula par terre avec elle.

— Laisse-moi, Nicolas ! chuchota-t-elle. Va-t'en !... Va-t'en, ou j'appelle !...

— Tu n'oserais pas ! dit-il en haletant.

Il l'écrasait de son poids et, plus elle se tordait sous lui, plus il s'excitait de la sentir si chaude dans la lutte. Même si elle avait été la maîtresse de Nikita et de vingt autres, il l'eût suppliée, en cette minute, de se donner à lui. Les corps n'ont pas de mémoire. Désirer une femme, c'est oublier son passé. Il parvint à déboutonner le corsage, à déchirer la chemise. Sa main toucha une chair ronde. Ce fut une explosion de bonheur dans sa tête.

— Sophie, mon amour, viens ! viens !... Sophie !...

Elle se redressa d'un mouvement de reins. Plus prompt qu'elle, il la plaqua de nouveau sur le sol, avec tant de violence qu'elle gémit. Il voulut cueillir cette plainte sur sa bouche, mais elle se détourna. Elle pensa, le temps d'un éclair : « Si Nikita avait essayé de me prendre, je me serais refusée à lui de la même façon. Peut-être parce qu'il n'était qu'un moujik. Et pourtant, je l'aimais, je l'aime !... » Leurs visages oscillaient, se heurtaient, se volaient l'un à l'autre le peu d'air qui les séparait encore. Les sentinelles s'interpellaient, au bout du monde, avec des voix étirées, un cheval hennissait, bottait dans un seau, le vent creusait des feuillages profonds.

— Sophie ! balbutia Nicolas. Comprends-moi !... Ça ne peut plus durer !... Il le faut !... Il le faut !...

Clouée dans l'herbe, les bras écartés, elle ne remuait plus que mollement. Un goût de sang montait dans sa bouche. Son oreille cuisait. « J'ai dû me faire mal en retombant ! » se dit-elle avec une présence d'esprit qui l'étonna. Elle était à bout de forces. Penché au-dessus d'elle, il eut l'impression d'être un assassin. Cette idée ne le retint pas. Pour la première fois, il comprenait l'homme qui assomme une femme et la prend à demi morte plutôt que de renoncer à la serrer dans ses bras. Il se coucha sur elle. Sophie tremblait de répulsion. Un bourdonnement filtrait entre ses lèvres closes. Comme si elle eût claqué des dents ou pleuré en rêve. Tout à coup, elle ne se défendit plus.

Quand il l'eut possédée, brièvement, en silence, il lui demanda pardon. Ecroulée par terre, elle se recroquevillait dans ses vêtements froissés.

— Tu me dégoûtes ! dit-elle d'une voix entrecoupée. Je ne veux plus te voir ! Jamais !... Jamais !... Va-t'en !...

Il y eut un long silence. Elle fixait sur lui un regard de haine.

— Sophie, murmura-t-il. Ecoute-moi...

— Va-t'en ! répéta-t-elle dans un cri.

Il s'éloigna, bras ballants, tête basse. Alors, elle jeta son visage dans ses mains et éclata en sanglots.

2

Le roulement des tambours passa comme un tombereau sur le corps de Sophie. Elle s'éveilla, rompue, entre Nathalie Fonvizine et Elisabeth Narychkine, qui continuaient à dormir sur leurs paillasses. L'air de la tente sentait le poil de chèvre. Une voix d'homme dit, derrière le panneau de l'entrée :

— Voici l'eau, barynia.

Chaque matin, un ancien forçat apportait un seau d'eau pour les ablutions des dames.

— Déjà ! soupira Elisabeth Narychkine en étirant ses bras potelés.

Nathalie Fonvizine ouvrit les yeux, fit un bâillement de chatte et se mit à raconter un rêve où il était question d'un inconnu qui la sauvait d'un naufrage, la hissait sur un radeau et lui arrachait sa chemise pour en faire une voile. Tandis qu'elle parlait avec une volubilité de jacasse, Sophie avait tiré le seau à l'intérieur et, en camisole et cotillon, se rafraîchissait les mains, le cou et le visage. Subitement, Nathalie Fonvizine s'arrêta, changea de figure et dit :

— Ah ! mon Dieu ! vous vous êtes blessée ? Là, près de l'oreille !...

Sophie passa le revers de sa main sur sa joue.

— Je sais ! murmura-t-elle. Je suis tombée, hier soir, en me promenant... Une simple égratignure...

— C'est plus qu'une égratignure ! dit Elisabeth Narychkine. Regardez !

Elle lui tendit une glace à main. Sophie entrevit, dans le cadre ovale, ses traits tirés, ses yeux rougis, l'ecchymose qui marquait sa joue droite. Un visage pitoyable et vulgaire de femme battue. D'un geste brusque, elle repoussa le miroir. Toute la scène de la veille lui revint. Une vague de honte l'éclaboussa. Cette fois, Nicolas s'était tellement abaissé, qu'elle ne pouvait plus le plaindre. Le détester, même, était au-dessus de ses forces. « Un étranger ! A-t-il jamais été autre chose pour moi ? Toute une vie construite sur une erreur ! Et ces gens, ces gens qui m'entourent, qui me jugent, que je hais, et devant qui je dois garder bon visage ! Cette caravane extravagante qui m'emmène Dieu sait où ! Cette escorte d'épouses dévouées !... Est-ce moi qui suis folle ou le monde entier qui perd la raison ? » Un voile de larmes s'interposa entre elle et les deux femmes aux museaux fureteurs.

— Vous devriez vous appliquer des tranches de concombre frais là-dessus, dit Nathalie Fonvizine. C'est souverain !...

Un frémissement nerveux parcourut Sophie. Elle dit, sans penser à rien d'autre qu'à éloigner les importuns :

— Oui, oui... Je sais ce que j'ai à faire !

— Dieu me pardonne ! Vous prenez la mouche parce que je vous veux du bien ! piaula Nathalie Fonvizine.

— Si vous me voulez du bien, laissez-moi tranquille !

— Est-ce votre promenade d'hier soir qui vous

a mise de si méchante humeur ? demanda Elisabeth Narychkine. Je vous ai entendu sortir...

— Et moi, je vous ai entendu rentrer ! dit Nathalie Fonvizine.

— En somme, vous vous relayez pour m'espionner ! s'exclama Sophie.

Elle allait partir dans la colère, quand Nathalie Fonvizine tourna les yeux vers l'ouverture de la tente, croisa ses deux mains sur son corsage dans un geste pudique et poussa un petit cri :

— Monsieur, on n'entre pas ! Nous sommes à notre toilette !

Le lieutenant Vatrouchkine se tenait sur le seuil.

— Mme Ozareff, dit-il, le général Léparsky vous prie de venir immédiatement.

— De quoi s'agit-il? lui demanda-t-elle, surprise de son air mystérieux.

— Je ne puis vous le dire. Mais c'est urgent. Si vous voulez me suivre...

Sophie releva ses cheveux sur sa tête, les fixa avec un peigne, s'enveloppa dans une pèlerine et sortit. Le camp s'éveillait dans la brume de l'aube. Les sous-officiers houspillaient les soldats engourdis de sommeil. Des Bouriates passaient en ombres chinoises, au trot de leurs petits chevaux. En pénétrant dans la tente du commandant, Sophie se heurta à Léparsky, habillé, botté, la face mafflue, le regard pesant comme du plomb.

— Madame, dit-il, votre mari s'est évadé cette nuit.

L'étonnement frappa Sophie et annula toute pensée dans son cerveau. Machinalement, elle balbutia :

— Ce n'est pas possible !...

— Si, Madame. Nous venons de découvrir sa disparition. Ses compagnons de tente, Svistounoff, Almazoff et Lorer, jurent qu'ils ne l'ont pas entendu partir. Sans doute allez-vous me dire, vous aussi, que vous n'étiez pas au courant de son projet !

— En effet, je ne savais rien.

— Quand lui avez-vous parlé pour la dernière fois ?

Elle voulut mentir, mais se ravisa en songeant que quelqu'un l'avait peut-être vue, la veille, avec Nicolas, et que Léparsky, le sachant, la mettait à l'épreuve. La tête haute, elle prononça nettement :

— Je l'ai rencontré hier soir, après le couvre-feu, au bord de la rivère.

Cet aveu lui coûtait beaucoup. Elle reprit sa respiration comme après un effort physique.

— Et il ne vous a rien dit qui ait pu vous laisser prévoir ?... grommela Léparsky.

— Rien.

Il fronça les sourcils :

— Vous mentez, Madame ! Votre mari n'a pas pu prendre cette décision sans vous en avertir ! Ou il vous a proposé de fuir avec lui et vous avez refusé, ou vous connaissez sa cachette et vous lui avez promis de le rejoindre plus tard !

— C'est absurde ! soupira Sophie.

— Mais non ! Mais non ! C'est parfaitement logique, au contraire ! Avouez, Madame !

Plus il élevait le ton, moins elle l'écoutait. De cette agitation, elle ne retenait qu'une chose : Nicolas s'était échappé. Sans doute parce qu'elle lui avait crié son dégoût ! Elle ne le regrettait pas. Il avait tari en elle toute indulgence. Froidement, elle souhaitait qu'il ne fût pas rattrapé et qu'elle n'entendît plus jamais parler de lui. Et s'il mourait en route ? Rien ne bougea en elle à cette pensée. Il avait fui, et c'était elle qui se sentait libre. Elle défia du regard le général qui grondait, les yeux saillants :

— J'aurais dû laisser les prisonniers dans leurs

fers ! A présent, comment vais-je me justifier devant l'empereur ? Un condamné politique envolé entre Tchita et Pétrovsk ! Quel déshonneur pour moi ! Au terme de ma carrière !... Mais nous le rattraperons !... J'ai donné des ordres !... Mort ou vif !... On me le ramènera mort ou vif, vous entendez ?...

Elle ne le reconnaissait pas. Etait-il possible que la crainte d'avoir commis une faute de service changeât cet homme intelligent et généreux en une brute administrative ? Décidément, en Russie, la peur du gouvernement était un poison qui rongeait les âmes les mieux trempées.

— C'est dans son intérêt que je vous demande des précisions ! reprit-il. Pour éviter le pire !...

— Calmez-vous, Excellence, dit-elle. Je vous affirme, une fois pour toutes, que mon mari ne m'a pas prévenue de son départ. Cela peut vous paraître étrange, mais...

— Alors ? De quoi avez-vous parlé, hier soir ? demanda-t-il rudement.

Elle hésita une seconde et dit :

— Nous avons eu une discussion pénible...

— Bien sûr ! Au sujet de son évasion ! s'exclama-t-il.

Elle ne répondit pas. Léparsky plissa ses paupières fanées. Son regard se fixa sur la joue de Sophie. Il observait le bleu et, sans doute, se remémorait ce qu'on lui avait raconté, à Irkoutsk, sur la jeune femme et Nikita. Son expression hargneuse fit place à une grimace de ruse.

— Oui, oui, marmonna-t-il d'un air entendu.

Sophie était au supplice. Le lieutenant Vatrouchkine rentra dans la tente et salua militairement. Il paraissait bouleversé.

— Votre Excellence, s'écria-t-il, l'ancien condamné de droit commun Filat s'est également évadé ! Il est probable que les deux hommes sont partis ensemble, vers une heure du matin ! Ils ont volé des vivres dans le fourgon de ravitaillement !

Du coup, Léparsky se renflamma. Un flot de colère lui sortait par les yeux.

— Renforcez les patrouilles ! hurla-t-il. Ordonnez le rassemblement général !

Vatrouchkine virevolta et disparut, comme chassé par une bourrasque. Léparsky, les mains nouées derrière le dos, le menton écrasé sur la poitrine, se mit à marcher de long en large, d'un pas lourd. Il lançait des regards en coin et soufflait sous sa moustache. Sur une table pliante était étalée une carte de la Sibérie, avec le trajet du convoi indiqué au crayon rouge. Dans le fond de la tente, un lit de camp, aux couvertures rejetées, et, accroché au piquet du milieu, un crucifix catholique. Sophie demanda :

— Puis-je me retirer ?

— Non ! cria Léparsky.

Elle avisa une chaise et s'assit. Il continua devant elle sa promenade silencieuse de lion. Dehors, des tambours roulaient, des ordres se croisaient. Vatrouchkine revint et annonça :

— Les hommes sont rassemblés, Votre Excellence.

— Je vais leur parler, dit Léparsky. Vous, Madame, vous resterez ici.

Il sortit, suivi du lieutenant, et s'arrêta sur le terre-plein. De la place où elle se trouvait, Sophie pouvait voir la scène par l'ouverture de la portière relevée. Les prisonniers étaient alignés au garde-à-vous. A leur droite, se tenait le petit groupe de leurs épouses, derrière, les anciens forçats employés comme serviteurs. Des soldats encadraient le tout.

— Messieurs, dit Léparsky d'une voix forte, un

des vôtres s'est évadé cette nuit. Il s'agit de Nicolas Mikhaïlovitch Ozareff. Le droit commun Filat l'a aidé dans sa folle entreprise...

Un murmure de stupéfaction accueillit ces paroles. Les hommes baissèrent la tête. Les femmes, en revanche, se redressèrent, s'agitèrent, dans un ressac de chignons, de collerettes et de manches bouffantes.

— Les recherches ont déjà commencé, poursuivit Léparsky. J'offre une récompense de cent roubles pour la capture des fugitifs et de vingt roubles pour tout renseignement susceptible de faire avancer l'enquête. Cette évasion portant atteinte à la vie de votre collectivité, le devoir de tous est de m'aider à mettre la main sur les coupables. Voici mes décisions : nous resterons ici, au repos, pendant deux jours, en attendant le résultat des premières battues. Si Ozareff et Filat ne sont pas retrouvés dans les quarante-huit heures, nous reprendrons la route, mais les Bouriates continueront à fouiller le pays sur nos arrières. Jusqu'à nouvel ordre, les entrevues entre maris et femmes seront interdites, ainsi que les baignades et les promenades hors du camp.

Des protestations s'élevèrent parmi les dames.

— Nos maris ne sont pour rien dans cette évasion ! s'écria Marie Volkonsky. Je ne vois pas pourquoi ils en subiraient les conséquences !

— D'ailleurs, ajouta Pauline Annenkoff, si quelqu'un peut dissuader un prisonnier de s'enfuir, c'est bien son épouse ! Il serait donc absurde de défendre à ces messieurs de nous rencontrer !

— Vous oubliez, Madame, que le fugitif est précisément un homme marié ! observa Léparsky.

— Si on peut dire ! siffla Elisabeth Narychkine.

— J'espère que vous savez faire la différence entre les ménages qui vous entourent ! renchérit Marie Volkonsky.

Sophie comprit que, cette fois-ci, elle était devenue la bête noire de la petite colonie. Cette guerre ouverte lui parut préférable à la sourde animosité qui l'environnait jusqu'à ce jour.

— Je n'admets aucun commentaire ! rugit Léparsky. Lieutenant Vatrouchkine, reconduisez les femmes des prisonniers chez elles et veillez à ce qu'elles ne sortent pas du périmètre qui leur est assigné.

Puis, pour couper court aux réclamations, il tourna les talons et rentra sous sa tente. En passant devant Sophie, il fit mine de l'ignorer. Il s'assit au bord de son lit et prit sa tête dans ses mains. Ses épaules ployaient de fatigue. Elle l'entendit murmurer :

— C'est affreux... affreux !...

Enfin, il leva sur elle un regard atone.

— Ah ! vous êtes là ! dit-il. Vous pouvez partir !...

Et il agita une sonnette. Sophie regagna son quartier entre deux soldats.

Rassemblées devant leurs yourtes, les femmes la regardaient venir de loin. Elle s'avançait vers un tribunal. Allait-on s'écarter pour lui laisser le passage ? Elle fit trois pas encore et se trouva encerclée. Rien que des visages hostiles. Marie Volkonsky, les yeux brillants d'un courroux princier, cambra sa haute taille et dit :

— Eh bien ! Etes-vous contente ? A cause de cette évasion, notre voyage, qui aurait pu être un enchantement, sera un désastre ! Peut-être même tout notre avenir, à Pétrovsk, en sera-t-il compromis !

— Je le regrette comme vous, dit Sophie. Mais n'est-il pas normal qu'un prisonnier cherche à s'évader ?

— Si, quand il le fait pour recouvrer sa liberté ou pour servir un idéal politique ! Malheureusement, ce n'est pas le cas !

— Qu'en savez-vous ?

— Vous vous êtes chargée de nous le faire comprendre !

— Moi ? Quand ? Comment ?

— Un peu chaque jour, par votre conduite.

Sophie se raidit sous l'insulte. Une petite chaleur lui vint aux joues, comme si elle eût croqué un piment.

— Vous ne savez à quoi occuper vos heures ! dit-elle. Vous vivez dans les ragots !

— Il est trop facile d'appeler ragot une vérité qui vous gêne ! dit Elisabeth Narychkine. Les faits sont là !

— Quels faits ? demanda Sophie. J'exige des précisions !

— Laissez, Elisabeth ! dit Alexandrine Davydoff. Il est des turpitudes qu'une honnête femme ne peut évoquer sans se salir la bouche !

— Je veux tout de même lui dire qu'elle a rendu son mari malheureux ! s'écria Nathalie Fonvizine. Ce pauvre Nicolas Mikhaïlovitch ! Un homme si distingué, si estimable !...

— Son évasion n'est pas un acte d'espoir, mais de désespoir ! soupira Catherine Troubetzkoï en touchant le coin de ses yeux avec un mouchoir de dentelle.

— Oui ! Oui ! renchérit Pauline Annenkoff, il s'est enfui comme il se serait tué ! Pour échapper au chagrin que vous lui causiez par votre indifférence !

Attaquée de tous côtés, Sophie pivota sur elle-même au milieu de la meute :

— Mes rapports avec mon mari ne regardent que moi !

— Si nous n'étions pas condamnées à vivre toutes

ensemble, croyez bien que je ne me mêlerais pas de vos vilaines histoires ! dit Marie Volkonsky avec dédain.

— Il est inadmissible que vos déboires sentimentaux aient une répercussion sur le sort de toute la communauté ! appuya Elisabeth Narychkine.

Etourdie par la colère, Sophie n'entendit pas très bien les propos acerbes qui suivirent. Elle considérait avec une attention meurtrière ces créatures que les décembristes adoraient comme des « anges ». Tout n'était pas pur, pensait-elle, dans leur abnégation. Les poèmes de Pouchkine et d'Odoïevsky leur avaient tourné la tête. Elles soignaient leur légende d'épouses exemplaires, de femmes russes admirables. Elles se dévouaient envers les pauvres bagnards, avec un clin d'œil à la postérité. Elles étaient des monstres à force de vouloir être des saintes.

— Vous posez aux parangons de vertu, murmura-t-elle. Mais vous n'avez aucun droit de me faire la leçon !

— Personne d'entre nous ne prétend être parfaite, répliqua Nathalie Fonvizine d'un ton pincé. Du moins sommes-nous sûres de notre honnêteté, de notre fidélité. Nous avons tout sacrifié à nos maris !

— Oui, tout ! cria Sophie d'une voix qui lui écorcha le gosier au passage. Tout ! Même vos enfants ! Vos enfants que vous avez abandonnés en Russie !

Elle ne savait d'où lui était venu cet argument affreux. Mais, l'ayant trouvé, elle insista, avec ivresse, avec frénésie, comme si elle eût trépigné dans une flaque :

— Vous les avez abandonnés là-bas, et vous en fabriquez d'autres ici ! D'un cœur léger ! D'un ventre facile ! N'est-ce pas, Mme Mouravieff, Mme Davydoff, Mme Fonvizine, princesse Volkonsky ?...

Alexandrine Mouravieff, qui était la seule à n'avoir pas accablé Sophie, inclina le front et ferma les paupières : son fils, qu'elle avait laissé en Russie, était mort, un an après son départ, ses deux filles, élevées par leur grand-mère, étaient malades, disait-on, de la savoir au loin. Elle en souffrait beaucoup, mais évitait de se plaindre. La naissance d'une troisième fille, à Tchita, ne l'avait pas consolée. Elle était la dernière femme à qui Sophie eût voulu causer de la peine.

— Vos insultes partent d'une âme si basse, que tout ce que je me refusais à croire sur votre compte se trouve confirmé ! dit Marie Volkonsky avec un frémissement du menton.

Tout en regrettant d'avoir passé la mesure dans son attaque, Sophie était assez satisfaite d'avoir créé l'irréparable. Pendant qu'elle bravait des yeux ces femmes démasquées et se délectait de leur haine, Alexandrine Mouravieff redressa la tête. L'expression douce et triste de son visage contrastait avec la physionomie agressive de ses compagnes.

— Quelle vilaine querelle ! dit-elle avec lenteur. Dans notre désarroi, nous avons toutes prononcé des paroles violentes qui dénaturaient notre pensée. Sophie est la plus à plaindre de nous, puisque son mari s'est enfui. Nous ne devons pas la juger, mais l'aider...

— Vous êtes trop bonne ! lança Sophie.

Elle rentra sous la tente comme une forcenée, tourna en rond, enjambant les paillasses avec l'envie de se battre contre l'univers entier, puis, pour maîtriser sa colère, déballa toutes les affaires de son sac de voyage et les rangea différemment. Ses doigts tremblaient, son regard se voilait. Elle détestait de plus en plus ces épouses fidèles, ces mères aux flancs féconds. En général, toutes les femmes lui faisaient horreur : monstres pleins de mensonges, de vanité, de lâcheté, de méchanceté, de sottise ! Avec leurs visages d'anges et leurs entrailles compliquées, elles étaient la partie faible de la création. « Au fond, je regrette d'être des leurs ! » se dit-elle. Peu à peu, les battements de son cœur se calmaient, le feu se retirait de sa figure. Bientôt, elle ne comprit même plus pourquoi elle s'était tellement échauffée. Que lui importaient l'agitation et les coups de bec de la basse-cour ? Son problème personnel l'exhaussait, l'isolait au centre du monde. La fuite de Nicolas était lâche et stupide. Elle ne le plaignait pas et, cependant, elle n'avait pas la force de l'accabler. Au soulagement de le savoir loin se mêlait, en elle, une anxiété incoercible. Elle lui en voulait de retenir ainsi sa pensée, alors qu'elle eût aimé ne plus se soucier de lui. Il ne pourrait échapper longtemps aux recherches. Demain, après-demain, on le ramènerait... Un murmure de voix traversait les parois de la tente. On parlait d'elle encore, parmi les femmes. Pour la critiquer, pour la déchirer, pour la salir... Elle s'allongea sur sa paillasse, dans la pénombre. A midi, Alexandrine Mouravieff vint l'appeler pour le dîner. Elle refusa.

Jusqu'au soir, elle resta ainsi, terrée, silencieuse, ruminant son angoisse, sa honte, sa révolte. Elle ne parut pas non plus au souper, et se contenta de grignoter des gâteaux secs, qu'elle avait dans son sac de voyage. Plus tard, Nathalie Fonvizine et Elisabeth Narychkine pénétrèrent dans la tente, se déshabillèrent et se couchèrent, sans lui adresser un mot.

Le jour suivant n'apporta aucune nouvelle du fugitif ni aucun changement dans l'attitude des dames à l'égard de Sophie. Après une nuit d'insomnie, elle avait décidé qu'il était indigne d'elle de se dérober plus longtemps devant ces pimbêches. Surmontant sa répugnance, elle se mêla à la vie du camp. Personne n'avait l'air de remarquer sa présence. Sous la garde des sentinelles, les épouses des décembristes vaquaient à leurs occupations quotidiennes. Catherine Troubetzkoï et Marie Volkonsky faisaient la lessive dans une bassine. Du linge pendait sur des cordes, entre les arbres : tout un alignement indiscret de jupons, de camisoles, de pointes, de guimpes, de maillots et de langes. Alexandrine Davydoff donnait le sein à son bébé. Alexandrine Mouravieff encourageait sa fille à marcher, en la tenant par des lisières. Sitôt qu'un prisonnier s'écartait de sa yourte, les factionnaires hurlaient des sommations. Malgré cette sévérité, les maris réussissaient à se faufiler vers le gynécée. On échangeait quelques mots, en hâte, par-dessus les buissons, on se pressait la main, on se passait des billets. Les dames rentraient, toutes roses, de ces entrevues. La satisfaction de posséder un époux bien à elles, de n'avoir rien à se reprocher ni à lui reprocher, éclatait sur leur visage. Sophie attendit que Catherine Troubetzkoï et Marie Volkonsky eussent fini leur travail et se mit à laver des mouchoirs dans un seau où restait de l'eau propre. Cette fraîcheur sur ses mains lui était agréable. Elle s'attardait à la besogne. Et, derrière son dos, elle entendait les caquets de ses ennemies. Toutes semblaient vouloir démontrer qu'elles étaient plus affligées par la disparition de Nicolas que sa femme elle-même. Une demi-douzaine de veuves soupiraient à qui mieux mieux :

— Quand je pense que Léparsky a lancé tous les Bouriates aux trousses de Nicolas Mikhaïlovitch !

— Ce sont des brutes ! S'ils le rattrapent, il faut craindre le pire !...

— D'après mon mari, il se serait embarqué sur un radeau pour descendre la Selenga !...

— Le mien croit plutôt qu'il a rejoint une bande de brigands, dans les environs !...

Sophie refusait de se laisser émouvoir par ces rumeurs et, cependant, elle ne pouvait réfléchir à autre chose. A tout moment, elle était impliquée dans cette chasse à l'homme, dont Nicolas était le gibier haletant. Lorsque Léparsky annonça qu'on se remettait en route le lendemain, elle reçut cette nouvelle comme un arrêt de mort.

★

Le chemin serpentait au flanc d'une montagne basse et dénudée. A chaque tournant, Sophie, du haut de son tarantass, apercevait la caravane sur toute sa longueur, avec les soldats marchant en avant-garde, les décembristes qui piétinaient dans la poussière et les voitures, dont les caisses bâchées cahotaient à contretemps. Rien n'était changé, semblait-il, dans l'ordonnance du convoi, mais il s'en dégageait maintenant une impression funèbre. Les prisonniers avançaient en silence, dans une chaleur écrasante, la tête inclinée, les pieds lourds, et il était visible que tous songeaient à leur camarade évadé. Sophie elle-même éprouvait la sensation étrange qu'un poids entravait ses mouvements. Elle regardait droit devant elle et sa pensée la tirait en arrière. Partir en abandonnant Nicolas à son sort lui paraissait aussi monstrueux que de renoncer à secourir un homme en train de se noyer. Mais peut-être restait-il encore une chance ? Il n'y avait plus de Bouriates auprès de la colonne. Tous étaient occupés à poursuivre le fugitif. Ils finiraient bien par le rejoindre ! Non, non, inutile de se leurrer ! C'était trop tard ! On ne le retrouverait pas. Il s'évanouirait dans l'espace. Mort ou vif, on n'entendrait plus parler de lui. « Comme Nikita ! se disait-elle. Comme Nikita !... »

Assise à côté d'elle, Nathalie Fonvizine l'observait avec l'œil méfiant d'un gendarme convoyant un malfaiteur. Les femmes ne désarmaient pas à son égard. Même les prisonniers la tenaient pour responsable du malheur de Nicolas. Elle eût voulu pouvoir se justifier devant Youri Almazoff, devant le Dr Wolff, devant Lorer... Et puis, à quoi bon ? Parfois, elle se demandait ce qu'on allait faire d'elle. Devrait-elle quitter la Sibérie, parce que son mari ne se trouvait plus au bagne, ou rester pour le remplacer dans l'accomplissement de sa peine ? L'une et l'autre solutions étaient possibles dans ce pays voué à l'arbitraire du pouvoir absolu. Elle ne savait d'ailleurs que souhaiter. Le tumulte de ses idées était tel que, pour ne pas sombrer dans la folie, elle essayait de ne plus songer au lendemain. Elle voyageait dans le monde et les images voyageaient dans sa tête, et tout était absurde, ce qu'elle voyait et ce qu'elle pensait, une procession bariolée dans un paysage sec, une marche épuisante vers une vérité qui n'existait pas.

3

Filat rangea le restant de viande séchée dans un sac et ferma son couteau. La faim tenaillait Nicolas. Il eût bien mangé un morceau encore. Mais il fallait prolonger les réserves. Pour se remplir l'estomac, il but de l'eau fraîche au goulot d'une gourde. Le lieu de la halte était convenablement choisi, contre un rocher, sous l'auvent d'un arbre aux branches étalées. Le soleil avait disparu derrière les montagnes. De grandes ombres lilas rampaient vers les cimes roses. Les vallées fumaient. L'air perdait sa tiédeur et son mouvement, pour devenir un vide pur et froid. Ce serait la sixième nuit de bivouac depuis l'évasion. Jusqu'à présent, tout s'était bien passé. Filat était un compagnon actif. Il connaissait les sentiers, les détours, les abris, les points d'eau. Son idée était de pousser jusqu'à la frontière de la Mongolie. Là, il se faisait fort de s'entendre avec une tribu nomade, qui les mènerait, tous deux, à travers le désert de Gobi, vers Pékin. Nicolas se demandait s'il aurait eu le courage de fuir seul. En tout cas, il eût été vite rattrapé sans l'astuce d'un vieux forçat, qui avait voulu rester caché, les deux premiers jours, à une portée de fusil du camp, pendant que les Bouriates se lançaient au loin. C'était après le départ du convoi que les fugitifs avaient pris le large. Marchant à travers bois, n'allumant jamais de feu pour éviter de signaler leur présence par une fumée, ils avançaient en zigzag, vers le sud. Nicolas avait pu emporter une carte, une boussole et quatre cents roubles, dissimulés dans la doublure de son chapeau. Cet argent, il l'avait amassé, kopeck par kopeck, durant les trois ans de bagne. On en aurait besoin pour payer les services des Mongols, lors de la traversée du désert. Filat s'imaginait déjà installé, commerçant libre, dans quelque port chinois : Fou-Tchéou, Hong-Kong...

— De là, barine, tu pourras t'embarquer sur un bateau anglais ou français, disait-il.

Nicolas, cependant, ne voyait pas si loin. Il ne fuyait point dans l'espoir d'atteindre un but précis, mais pour se soustraire à une situation devenue intolérable. Le bagne, ce n'étaient pas Léparsky et tous ses gardiens, c'était Sophie, avec son visage de colère. Il suffisait qu'il se rappelât leur dernière entrevue, cette bataille lamentable, ce plaisir volé, la honte qu'il en avait ressentie, pour souhaiter ne plus jamais se retrouver devant elle. Comment avait-il pu la violenter ainsi, sachant qu'un autre occupait sa pensée ? Elle l'avait poussé à bout. Infidèle ou non, elle était coupable. Il la détestait pour le mal qu'elle lui avait fait, pour le mal qu'il lui avait fait, pour l'aventure embrouillée, misérable et inutile qu'avait été toute leur vie.

— Tu ne te couches pas, barine ? demanda Filat. Tu devrais. Demain, la journée sera dure. Montre-moi tes pieds...

Nicolas s'assit et se déchaussa. Chaque soir, Filat lui massait les pieds, avec de la salive et de l'herbe, afin de les délasser. Ses mains énormes avaient une étrange douceur pour palper les orteils, triturer les talons, envelopper les chevilles. Sous cette caresse, la fatigue s'en allait comme une fumée se dissipe au vent. Ces mêmes doigts bienfaisants avaient étranglé, vingt ans plus tôt, un capitaine qui employait Filat comme ordonnance. Filat n'aimait pas parler de cette histoire, mais, quand on le pressait de questions, il reconnaissait en soupirant qu'il avait couché avec la femme de l'officier et que c'était elle qui, après l'avoir fait boire, lui avait commandé de tuer. « Elle a eu droit à une pension de veuve et moi à quinze ans de travaux forcés ! » disait-il en manière de conclusion. Il souleva le pied gauche de Nicolas, souffla son haleine chaude sur la plante, à l'endroit de la courbure, et demanda :

— C'est bon ?

— Oui, continue, dit Nicolas.

Et il pensa à son père, qui, jadis, se faisait gratter les pieds, tous les jours, avant la sieste, par la *niania* Vassilissa. En avait-il assez ri autrefois, de cette manie ? Aujourd'hui, il reprenait la tradition familiale, mais la vieille servante, agenouillée devant lui, avait un front bas, marqué au fer rouge, et du poil jusque sur les phalanges.

— Des pieds de monsieur ! grommela Filat. Trois ans de bagne, et ils restent doux comme du beurre. Ce que c'est que la race ! Il y a tout de même une chose que je ne comprends pas. Vous, les décembristes, qu'est-ce que vous vouliez au juste ? Votre révolution, c'était bien pour donner la liberté aux autres ?

— Oui, dit Nicolas.

— A tous les autres ?

— Evidemment !

— Même aux bagnards ?

Nicolas se troubla :

— A certains bagnards.

— Aux bagnards comme moi ? insista Filat, le doigt levé, l'œil malin.

— Tu as déjà purgé ta peine. Tu n'es plus qu'un relégué. Sans doute t'aurait-on laissé rentrer en Russie...

— Sans doute ! Mais pas sûr ! Qui en aurait décidé ?

— Des juges.

— Tu parles de liberté et tu parles de juges, ça ne va pas ensemble !

— Il faut des juges, même dans un pays libre !

— Et des policiers ?

— Oui.

— Et des prisons, et des chaînes ?...

Filat éclata de rire, puis redevint sérieux et poursuivit avec force :

— Ah ! barine, tu vois, si toi et tes amis aviez réussi votre coup, ça n'aurait pas changé grand-chose pour nous autres. Ce n'est pas vous, avec vos mains propres, qui pouvez faire le bonheur du peuple. Ce sont ceux d'en bas, les petits, les sales, les tordus, les tondus ! Un jour, peut-être, toute la partie noire de l'humanité se dressera, et alors, vraiment, il y aura du nouveau sous le soleil. Si moi, par exemple, je dirigeais la révolution, je ne soulèverais pas la foule pour une idée.

— Et pour quoi ?

— Pour une envie. Et, lorsque l'envie m'aurait passé de massacrer, de piller, de casser, de me saouler, j'aurais trouvé une belle idée pour couvrir les décombres. Quand il s'agit de grands travaux, les démolisseurs doivent s'y mettre avant les ingénieurs, tu ne crois pas ? Vous avez des têtes d'ingénieurs. Les démolisseurs, c'est nous autres ! La prochaine fois, n'oubliez pas de nous faire signe d'abord. On vous nettoiera le terrain, on prendra notre plaisir. Et puis, vous vous amènerez, nobles comme des anges, avec des théories, et, sur l'ordure, vous élèverez une société comme il faut...

Tout en parlant, il réchauffait les pieds de Nicolas entre ses mains.

— Et plus tard, continua-t-il en se relevant, dans cette société comme il faut, on distinguera de nouveau des pauvres et des riches, des infirmes et des bien portants, des intelligents et des imbéciles, et, quand la différence deviendra trop grande, les plus malheureux repartiront en guerre contre les plus heureux. Et cette révolution portera un autre numéro, mais, au fond, ce sera toujours la même histoire ! Qu'est-ce que tu feras, toi, lorsque tu seras libre, hors de Russie ? Encore de la politique ?

— Peut-être, dit Nicolas.

— Moi, je ferai du commerce. J'achèterai bon marché, je vendrai cher. Et, avec le bénéfice, je me payerai tout ce que je voudrai. Je vivrai comme un porc. Ce sera très agréable !

Il plissa les yeux, les lèvres, et sa face devint plus large que haute.

— Très agréable ! répéta-t-il rêveusement.

Nicolas se coucha sur le dos, le bras le long du corps. Au-dessus de sa tête, le ciel s'ouvrit, immense et bleu, semé d'étoiles. Filat dit encore :

— Là-bas, le vieux Léparsky doit écumer de rage. Tous les soldats tremblent dans leur culotte. Les prisonniers nous admirent d'avoir osé. Et ta femme, qu'est-ce qu'elle en pense ? Hein ? Tu as bien fait de la laisser. Les femmes sont des diables. La seule que j'aie connue a fait de moi un bagnard. Il faut les culbuter, se reboutonner et continuer son chemin !

Il se tut juste une seconde, puis grogna :

— Tu n'aimes pas que je parle comme ça, hein, barine ?

— Non.

— Tu as le cœur trop tendre ! Ça te passera !

« Je n'ai pas d'autre ami que cet assassin », songea Nicolas. Comme chaque soir, Filat lui enveloppa les jambes dans une courte pelisse et arrangea un chevet de feuilles et de mousse pour sa nuque. Il s'affairait dans l'ombre, bougon et maternel :

— Là, tu es bien, barine ?... Tu n'as pas froid ?... Ne crains rien !... Dors !... Moi, j'ai toujours une oreille ouverte dans le vent !... Que Dieu te garde !...

— Merci, Filat. Toi aussi, que Dieu te garde !

L'extraordinaire immobilité des feuillages, le silence, la solitude de ces grands espaces donnaient à Nicolas l'impression d'avoir échappé à la vie réelle. Filat se roula en boule à côté de lui. Ils s'endormirent ensemble.

★

A l'aube, Nicolas rouvrit les yeux et s'étonna que la place, près de lui, fût vide. Inquiet, il appela faiblement, puis plus fort. Pas de réponse. Il battit les buissons d'alentour : personne. En revenant à l'endroit où il avait dormi, il s'aperçut que le sac de provisions, la gourde, la boussole et le chapeau contenant l'argent avaient disparu. Un instant, il douta que Filat se fût enfui en emportant le tout. Puis l'évidence l'éblouit, l'accabla. Il ne comprenait pas comment cet homme avait pu le dépouiller et l'abandonner ce matin, après lui avoir montré tant de dévouement la veille. Que s'était-il passé dans ce cerveau primitif ? Avait-il eu conscience seulement de sa trahison ? Non, les individus de cette sorte glissent du bien au mal sans calcul, sans remords, selon l'impulsion du moment. Ils sont aussi sincères dans leur amitié que déterminés dans leur intention de nuire. L'affection qu'ils portent à un être doit même, de quelque manière, les aider à le supprimer. On voit ainsi des tueurs caresser une bête avec tendresse avant de l'abattre.

Ce que Filat avait fait condamnait Nicolas à une mort presque certaine. Où irait-il, sans guide, sans argent, sans vivres ? Les montagnes qu'il admirait hier l'écrasèrent de leur masse. Il était le dernier homme sur la terre. Dans sa panique, il regretta le camp, le grouillement des prisonniers, la soupe, les gardiens aux figures rassurantes. Que faire maintenant ? Continuer vers le sud, en longeant les monts Iablonoff, comme le conseillait Filat ? Il finirait bien par rencontrer un campement mongol. Peut-être voudrait-on de lui, même sans argent ? Il se l'affirmait pour reprendre courage au milieu de ce paysage désolé.

Comme il avait faim, il cueillit des myrtilles et en mangea par poignées, de quoi se couper l'appétit. Il y avait d'autres baies sur les arbrisseaux, mais il ne les connaissait pas et craignait qu'elles ne fussent vénéneuses. Le soleil se levait, rouge feu, dans un poudroiement de cendre. Une lave de lumière débordait la crête des montagnes et coulait vers le fond, où la nuit s'attardait encore. Chaque arbre était une dispute d'oiseaux. Poussé dans le dos par cette aurore exaltante, Nicolas marchait d'un bon pas, à travers une végétation de taillis courts qui lui griffaient les jambes. Le creux de la vallée l'attirait. Il croyait y voir luire des reflets d'eau. S'il tombait sur une rivière, il la suivrait dans ses méandres. Elle le conduirait à un lieu habité. Pour l'instant, il ne pensait pas à autre chose : Sophie était sortie de sa tête. Et Filat. Et tout son passé d'amour, de politique et de bagne. Il était un homme sans nom, sans famille, sans patrie, en lutte contre la nature.

Son pas saccadé se répercutait jusque dans son cerveau. Bientôt, ses genoux ployèrent de fatigue.

Mais il continua, obstinément, l'œil fixe, les bras ballants, en comptant à haute voix, pour se tenir compagnie. Il descendait, marchait à plat, contournait un mamelon, descendait encore. Enfin, il fut tout en bas : ce qu'il avait pris de loin pour une rivière n'était qu'une flaque stagnante, entourée de joncs. Tant pis ! Il avait trop soif ! Agenouillé au bord de la mare, il but dans ses mains unies. L'eau était fade, mais il ne pouvait s'en arracher. Il s'en remplissait la bouche, il la faisait ruisseler dans son dos, il y plongeait ses pieds enflés et douloureux, il en aspergeait sa poitrine. Son avidité calmée, il regretta de n'avoir pas un récipient pour emporter de l'eau avec lui. Mais peut-être dénicherait-il plus loin la source qui alimentait cette mare par quelque infiltration souterraine ?

Il repartit avec courage. La vallée s'élargissait, devenait une sorte de plateau ondulé, entre des collines sèches. Des chardons blancs poussaient dans la caillasse. Le soleil montait, et avec lui, la chaleur. De ce paysage sans beauté émanait un bourdonnement continu. Nicolas ne savait si ce bruit était dû à des nuées d'insectes invisibles ou au battement du sang dans ses oreilles. Il remuait la langue dans sa bouche et avalait une salive amère. La soif renaissait, comme si toute l'eau qu'il avait bue se fût déjà évaporée de lui. Heureusement, il trouva encore des myrtilles et en avala une grande quantité. Pendant des heures, il marcha ainsi, dans le fond de la combe, avec un entêtement fou. Le crépuscule vint, brusque et glacé. Il se coucha et s'endormit tout d'une masse.

Au petit jour, il s'éveilla courbatu. Sa tête tournait, ses mollets tremblaient. Néanmoins, il voulut profiter des heures fraîches de la matinée pour avancer encore. Avec un immense ennui, il mit un pied devant l'autre. Ses semelles étaient déchirées, mais il ne sentait pas la dureté du sol. Il allait, titubant, hébété, vers une ligne d'arbres aux feuillages rongés de lumière. Un peu avant midi, il entra dans la forêt et s'écroula sous un gros chêne, qu'entourait un vol de papillons jaunes. Trois heures plus tard, il rouvrit les yeux. La gorge sèche. Toujours rien à boire. Dans le sous-bois, régnait une chaleur de four. Des traits de feu perçaient l'ombre verte au parfum musqué. Il tendit l'oreille, s'étonna de ne pas entendre un seul oiseau, cueillit de la mousse et la pressa sur ses lèvres. Une odeur terreuse le pénétra. C'était bon !

Il suivit une trouée entre les arbres et se retrouva en plaine rase. A l'horizon, des éboulis de roches concassées. Pour y arriver, une vaste étendue d'herbe jaune et d'arbrisseaux tordus, aux feuillages brillants comme du métal. Il se sentit incapable de franchir cette distance. Qui le lui ordonnait ? Personne. Et pourtant il le fallait. Pas à pas, vers la liberté ou vers la mort. Il trébucha et, subitement, une douleur lui coupa le ventre. Ses entrailles bouillonnaient, bourdonnaient, lâchaient une eau brûlante. Il n'eut que le temps de se déboutonner et de s'accroupir dans les fourrés. Soulagé, il crut pouvoir reprendre sa marche, mais, plus loin, une nouvelle tranchée le cisailla par le milieu du corps. Il regarda sous lui. Des déjections sanglantes souillaient l'herbe. La peur le saisit. L'eau, l'eau de la mare !... Il s'était empoisonné !... A moins que ce ne fût une simple indigestion !... Un goût de fer lui remontait dans la bouche. Des frissons hérissaient sa peau. La fatigue l'accablait. Il se traîna jusqu'au sommet d'une petite crête, s'effondra et décida de rester là pour la nuit. Mais il ne put dormir. A peine était-il sur le point de perdre conscience, qu'une colique le tordait. Il voulait se libérer de cette coulée de feu, se contractait pour l'expulser, haletait, gémissait, en vain, et retombait sur le flanc, le fondement endolori, la bouche sèche, comme liée de farine.

Jusqu'à l'aurore, il lutta ainsi contre la bête qui, à intervalles rapprochés, lui plantait ses crocs dans le ventre. De brèves rémissions, suivies d'attaques féroces. Sa langue était rôtie. Il n'avait plus une goutte d'eau dans le corps. Nul doute que, s'il avait pu avaler quelque boisson glacée, le mal eût aussitôt disparu. Il rêvait à une source, à un lac, à la pluie, à un verre de thé froid. Un vertige nauséeux le maintenait à terre. Le ciel tournait au-dessus de lui sur un pivot. Il n'avait aucune notion de l'heure ni du lieu. Il savait seulement que le salut était là-bas, vers le sud.

Tout au long du jour, il grelotta de fièvre, assoiffé, recroquevillé, incapable de penser à autre chose qu'à cette torsion de boyaux et à cette diarrhée. Au crépuscule, il réunit assez de forces pour se remettre sur ses jambes. Il faisait dix pas, vingt pas, et sous le choc de la souffrance, s'affaissait, se pelotonnait, les genoux au ventre, évacuait un filet de pourriture liquide, se reculottait, rampait, perdait connaissance, revenait à lui, repartait, épuisé, obstiné, le regard tendu vers une petite combe tapissée de buissons.

Il y parvint, comme la lune montait dans le ciel. En la voyant rayonner, blanche et ronde, il comprit qu'il entrait dans un monde où la joie, la tristesse, l'espoir, le souvenir étaient des mots vides de sens, un monde qui préfigurait le repos de la mort. Un froid glacial tomba sur ses épaules. Il claquait des dents. Mais, à l'intérieur de lui, tout bougeait, tout flambait. Sa nuit ne fut qu'une succession de coliques atroces et d'épreintes qui le laissaient au bord de l'évanouissement. Une légère accalmie se produisit enfin et il s'assoupit.

Le soleil le réchauffa, rouge et or, derrière ses

paupières fermées. En écarquillant les yeux, il crut que son rêve continuait. C'était dans son sommeil qu'il voyait, interposée entre lui et le gouffre lumineux du ciel, une grosse tête de Bouriate, au rire silencieux. Il se souleva sur un coude. Un peu en retrait, se tenait un autre Bouriate, en tous points semblable au premier. Leurs chevaux paissaient côte à côte. Nicolas respira l'odeur de suint qui se dégageait de l'homme accroupi devant lui. Il ne s'agissait donc pas d'une hallucination ! Une joie frénétique le secoua. Des nomades ! Des frères.

— Tu parles russe ? demanda-t-il en articulant les mots avec peine.

— Un petit peu, dit l'homme.

— J'ai soif !

— Tu auras à boire.

— Tout de suite !

— D'abord, donne tes mains.

Nicolas tendit ses mains. Le Bouriate les attacha avec une corde.

— Pourquoi fais-tu cela ? chuchota Nicolas.

— Parce que tu es mon prisonnier. Je vais te ramener au chef, au grand *taïcha !*

— Quel grand *taïcha ?*

— Le général Léparsky. Il me donnera cent roubles.

Nicolas n'eut pas la force de se désespérer. Il avait plus besoin d'eau que de liberté. Des larmes jaillirent de ses yeux.

— A boire ! dit-il encore.

— Où est l'autre ? demanda le Bouriate.

— Qui ?

— Celui qui s'est enfui avec toi.

— Je ne sais pas... Il m'a... il m'a abandonné... Il est parti tout seul...

Exténué, il retomba en arrière. Entre ses paupières tremblantes, il vit le Bouriate qui lui tendait une gourde. Un filet d'eau humecta ses lèvres, ranima sa langue, éveilla délicieusement des surfaces de muqueuses asséchées. Puis l'eau se changea en flammes. Des douleurs en coups de poignard le reprirent. Il lui sembla qu'il se vidait, par en bas, de tout ce qu'il avait bu. Les poings sur la bouche, il geignait, ahanait et pleurait devant les deux Bouriates perplexes.

Ils le hissèrent, tel un sac de son, sur un cheval. L'un des Bouriates le ficela à la selle, l'autre monta derrière lui. On se mit en route, au petit trot. Nicolas s'appuyait du dos à la poitrine du cavalier. Deux bras tendus l'encadraient, pour le maintenir en équilibre. A chaque secousse, il éprouvait un déferlement de feu dans les intestins. Il criait, les dents serrées, mouillait son pantalon et discernait dans un brouillard de lassitude, tout un paysage mouvant, des montagnes qui avançaient par bonds successifs, des arbres qui sautillaient sur une patte. Ses vertèbres craquaient. « Boire... boire !... Un peu d'ombre, par pitié !... Quelque chose de chaud sur le ventre !... Une pierre pour écraser cette contraction !... » Le martèlement des sabots retentissait dans son crâne. Une crispation plus forte que les autres. Il la perçut jusqu'à l'extrémité de ses nerfs. Où le menait-on ainsi ? Rejoindre le convoi ? Il faudrait des jours et des jours de route. Il mourrait avant. Les cordes coupaient ses chairs. Il ouvrait la bouche et respirait un air de fournaise. Il eût donné la moitié de sa vie pour se retrouver dans la fraîcheur d'une cave. Le soleil ne se coucherait donc jamais ? Les deux Bouriates parlaient entre eux, dans un dialecte aux accents tantôt rauques, tantôt flûtés. Ils avaient fait bonne chasse, ils riaient, ils étaient contents. Tout à coup, les voix s'éloignèrent, Nicolas ne vit plus rien, une écœurante langueur s'empara de lui, il eut le temps de penser qu'il mourait, que c'était bien ainsi, et sombra dans le néant.

Plus tard, il se sentit balancé comme au fond d'une barque. Il naviguait sur un lac, par la tempête. Ces vagues allaient retourner le canot. Attention ! Attention ! Il rouvrit les yeux et comprit son erreur. On l'avait déficelé, on le portait sur les bras, dans le noir, on le couchait rudement sur un tas de chiffons. Il mit quelques secondes à discerner qu'il se trouvait sous une yourte indigène. Les deux cavaliers avaient dû l'amener, pour passer la nuit, dans une tribu de leur connaissance. Un feu brûlait au centre de la tente, sous une marmite. La fumée sortait en colonne épaisse, par un trou, au milieu du toit. Autour du foyer étaient assis des Bouriates, hommes et femmes, au teint jaune, aux yeux obliques, qui devisaient à voix basse. Les uns tannaient des peaux de bête en les mâchurant à pleines dents, et une salive brunâtre filtrait des deux coins de leur bouche, d'autres foulaient du feutre, aiguisaient des flèches sur une pierre, coulaient des balles. Derrière les grandes personnes, des enfants se roulaient, nus sur des fourrures. Une odeur de lait tourné, de viande boucanée et de crottin composait le fond de l'air. Les flammes envoyaient de tous côtés de hautes ombres biscornues, qui semblaient vivre pour leur propre compte. Une vieille servit du « thé de brique » dans des tasses de bois laqué et obligea Nicolas à en boire. Il détestait ce breuvage salé, poivré, alourdi de lait de jument et de graisse rance. Mais une agréable chaleur se répandit dans son corps, dès qu'il eut avalé la première gorgée. Il vida le bol et en demanda un deuxième, puis un troisième. Le Bouriate qui avait capturé Nicolas exultait :

— Avec ça, jamais malade !

Soudain, les entrailles de Nicolas furent fendues latéralement par un coup de hachoir. Il tressaillit, banda ses muscles et sentit que des écluses craquaient, que la vie partait de lui, de nouveau, en boue brûlante et pestilentielle. Il avait honte, il avait mal, il tremblait de dépit et de fièvre. Le Bouriate se pencha sur lui et dit en hochant la tête :

— Ce n'est pas bien, barine !

Il était vêtu de peaux de chèvres cousues ensemble. Une longue pipe en argent pendait de sa bouche. Dans les fentes de ses yeux, dormait une liqueur noire, huileuse.

— Ce n'est pas bien ! reprit-il. Retiens-toi. Si tu meurs, je toucherai la moitié seulement.

4

Le général Léparsky venait de chausser péniblement sa botte gauche et s'apprêtait à chausser sa botte droite avec l'aide de son ordonnance, quand le lieutenant Vatrouchkine pénétra sous la tente, bomba le torse, plaqua sa main contre le fourreau de son épée et dit :

— J'ai l'honneur de signaler à Votre Excellence que le prisonnier politique Ozareff a été retouvé. Deux Bouriates le ramènent. Une de nos patrouilles les a rencontrés et a pris les devants pour nous avertir. Ils seront ici d'une minute à l'autre.

La joie frappa Léparsky si violemment, qu'il en eut une crispation dans la région du cœur. Sans mot dire, il se tourna vers le crucifix pendu au-dessus de son lit et s'agenouilla. Depuis dix jours que duraient les recherches, il avait perdu l'espoir de rattraper le fugitif et vivait dans la terreur du rapport qu'il lui faudrait expédier au tsar pour annoncer l'évasion. Ces hommes dont on lui avait confié la garde étaient un dépôt sacré. Qu'il en manquât un seul, et il était déshonoré comme s'il avait dérobé les bijoux de la couronne. Heureusement, tout rentrait dans l'ordre.

De nouveau, le compte y était. Il allait connaître des nuits tranquilles.

— Dieu soit loué ! dit-il en se redressant. Ont-ils aussi arrêté Filat ?

— Non, celui-là a pu s'enfuir.

— C'est moins grave ! Un simple relégué ! Ce qui importe, c'est le décembriste !

Il fit quelques pas en claudicant, un pied botté, l'autre dans une chaussette, s'arrêta au milieu de la tente et ajouta d'un air terrible :

— Il va voir de quel bois je me chauffe !

Mais cette menace sonna faux à ses propres oreilles. Le péril conjuré, il ne ressentait plus une fureur aussi déterminante. Il devait même lutter pour ne pas faire bénéficier le coupable du bonheur qu'il éprouvait à l'avoir repris. Avec un effort, il demanda :

— Les chaînes ! En avez-vous ici ?

— Bien sûr, Votre Excellence.

— Parfait ! Il suivra le convoi, les fers aux pieds ! Tout seul !

— Le pourra-t-il, Votre Excellence ? Les étapes sont longues...

— Il faut un exemple.

— Oui, Votre Excellence.

L'ordonnance acheva de botter, d'habiller, de brosser Léparsky, et lui tendit un flaçon d'eau de Cologne. Il s'en mettait toujours une goutte sur la moustache et derrière les oreilles, le dimanche.

— Allez, Vatrouchkine, dit-il en tapotant sa perruque sur ses tempes pour l'appliquer. Et veillez à ce que l'arrivée du prisonnier se fasse le plus discrètement possible !

Vatrouchkine s'éclipsa et revint presque aussitôt, sans avoir eu le temps de prendre la moindre disposition.

— Le voici, Votre Excellence ! dit-il.

Un brouhaha montait des abords de la tente. Tous les décembristes avaient dû se rassembler là, malgré les cris des sentinelles. Deux soldats entrèrent, portant quelque chose sur un brancard. Derrière eux, deux Bouriates, dos courbé, chapeau bas. Mais où était Nicolas ? Léparsky le chercha des yeux. Il s'attendait à le voir debout, haillonneux, révolté et contrit, les mains liées. Son regard s'abaissa sur la civière et il eut un mouvement de surprise. Il hésitait à reconnaître le fugitif dans la forme humaine qui gisait à ses pieds. Cette figure creuse, livide, aux joues hérissées de barbe, était celle d'un mourant. Les prunelles luisaient de fièvre entre les paupières sanguinolentes. Les lèvres fendillées, blanchâtres, se retroussaient sur un halètement qui ressemblait à un râle. Brusquement, Léparsky se trouva embarrassé dans sa colère. Fronçant les sourcils, il grommela :

— Qu'a-t-il ? Blessé ?

— Non, dit Vatrouchkine. Je crois plutôt qu'il est malade.

— Pouviez pas me prévenir ?

— Je viens de l'apprendre moi-même, Votre Excellence.

— Que disent les Bouriates ?

L'un des Bouriates s'avança, salua, plié en deux, à l'orientale, et marmonna :

— On l'a pris comme ça... Trop marché au soleil... Mais pas mourir... Pas mourir... *Taïcha* doit donner cent roubles...

— Payez-les, Vatrouchkine dit Léparsky, et allez chercher Wolff, immédiatement !

Vatrouchkine sortit avec les Bouriates. Le général attira une chaise et s'assit près de la civière. Les décisions qu'il avait prises tombaient d'elles-mêmes devant cet homme couché. On ne pouvait enchaîner un grabataire. Ni le punir, en aucune façon. Léparsky en voulut à Nicolas de lui compliquer la tâche. Tout eût été tellement simple, correct, administrativement praticable, si le fugitif était revenu sain et sauf. Au lieu de quoi, maintenant, il fallait improviser en tenant compte des circonstances. Le soigner d'abord, sévir par la suite. Le convoi devait arriver au complet, à Pétrovsk. Penché sur Nicolas, il demanda :

— Comment vous sentez-vous ?

Un chuchotement lui répondit :

— Je veux mourir...

— Non ! non ! s'écria le général avec une crainte superstitieuse. Je vous interdis ! Pourquoi vous êtes-vous enfui ?...

— Il... le... fallait...

— Qui vous a aidé ?

— Personne...

— Et Filat ?...

— Il m'a volé... m'a laissé...

— Vous rendez-vous compte de ce que vous avez fait ? Votre conduite va m'obliger à redoubler de sévérité envers vos camarades et envers vous-même !

Tout en parlant, Léparsky concevait le ridicule de ces menaces adressées à un homme qui, bientôt, peut-être, allait comparaître devant Dieu. Une odeur nauséabonde se dégageait de ce demi-cadavre.

— Après tous mes bienfaits ! reprit-il. Quelle ingratitude ! Vraiment, je ne méritais pas cette évasion !

La formule l'étonna lui-même et il se troubla.

— Excusez-moi, Votre Excellence ! souffla Nicolas.

Il ferma les yeux. Ses narines se pincèrent. Une plainte étrange clapota dans son gosier.

— Nicolas Mikhaïlovitch, balbutia Léparsky. Eh ! Eh ! Qu'avez-vous, mon ami ?... Nicolas Mikhaïlovitch !... Je vous en prie !...

« Il va me passer, là, entre les mains ! » pensait-il avec désespoir. Il s'affola, se fâcha, se mit à hurler :

— Vatrouchkine ! Où est-il encore ? Imbécile ! J'ai demandé le Dr Wolff ! Vite ! Vite !

Les deux brancardiers, qui contemplaient la scène avec stupéfaction, se précipitèrent dehors.

En arrivant, le Dr Wolff trouva Léparsky accroupi devant Nicolas et lui tapotant les mains avec maladresse :

— Ça ne va pas du tout, docteur ! Faites quelque chose !

Le médecin palpa le malade, examina ses linges souillés de déjections sanglantes, et se redressa, soucieux.

— Quoi ? bredouilla Léparsky. Vous allez le sauver, n'est-ce pas?

Son vieux visage, pesant et flasque, avait une expression de désarroi paternel.

— J'ai peu d'espoir, Votre Excellence, dit le Dr Wolff.

— C'est impossible !... Qu'a-t-il ?

— La dysenterie. Il est bien tard...

Les épaules de Léparsky s'affaissèrent.

— Faites-le transporter sous la tente de l'infirmerie, dit-il. Demain, quand nous nous remettrons en route, vous le prendrez dans votre voiture. Je compte sur vous pour le soigner comme si... comme si c'était moi-même !... Ah ! mon Dieu ! le pauvre garçon !... Mais qu'ont-ils tous dans la tête ?... Ils ne sont pas bien ici ?... Je ne suis pas gentil avec eux ?...

Il réfléchit et décréta, d'un ton bourru :

— Il faut quelqu'un pour le veiller. Je vais vous envoyer sa femme.

★

La bâche tirée maintenait une pénombre verdâtre à l'intérieur du tarantass. Assise sur le plancher, le dos appuyé au panneau du fond, Sophie regardait Nicolas, allongé près d'elle sous une couverture de laine brune. Ses paupières closes épousaient la forme du globe oculaire. Une faible respiration passait entre ses lèvres décolorées. Sa barbe avait poussé, blonde et drue. Les cahots de la voiture lui arrachaient des gémissements. Dès qu'il se plaignait, Sophie tressaillait, comme blessée elle-même. Elle maudissait les roues irrégulières, le chemin raboteux, la chaleur étouffante, tout ce qui indisposait le malade. Depuis la veille, il était entre la vie et la mort. Parfois, il rouvrait les yeux mais ne semblait pas reconnaître Sophie. Il avait la peau sèche, le pouls fréquent, petit et inégal. Le Dr Wolff le soignait en lui administrant du calomel, les lavements au laudanum, de la tisane de pavot. Cependant, la diarrhée persistait, sanglante, déchirante. Des mouches se promenaient sur le visage de Nicolas. Sophie les chassa de la main. Il fit claquer sa langue. Elle lui donna à sucer un linge trempé dans de l'eau de riz. Il tétait ce lambeau d'étoffe avec une avidité pitoyable, les joues creuses, les prunelles exorbitées. Puis il fut pris de coliques. La première fois, Sophie avait été écœurée par l'odeur. Maintenant, elle dominait sa répulsion et se réjouissait de voir Nicolas évacuer ce poison fétide. C'était le mal qui s'en allait. Penchée sur lui, elle l'encourageait à mi-voix, comme elle eût fait pour son enfant. Les petits sentiments de rancune, de regret, de nostalgie s'effaçaient devant l'effrayante menace de la fin. Elle ne pensait qu'à empêcher la mort d'entrer dans le tarantass. « Celui-là, tu ne l'auras pas ! » se disait-elle avec une détermination farouche. Le vrai drame ne se jouait plus entre elle et Nikita, dans le clair-obscur de sa mémoire, mais ici, au grand jour, à portée de ses mains. Le présent imposait silence au passé. Nicolas avait replié les genoux et grimaçait de douleur.

— Là ! Là ! marmonna-t-elle en lui caressant le front.

Il cessa de geindre, le ventre libéré. On lui avait fait une couche avec de l'herbe pour pouvoir la renouveler souvent. Sophie entrebâilla la bâche et appela deux anciens forçats de droit commun, qui marchaient à côté du tarantass. Ils grimpèrent à l'intérieur et soulevèrent Nicolas par les cuisses et par les aisselles. La couverture de laine glissa. Le bas du corps était nu. Il parut à Sophie d'une maigreur squelettique. La peau collait de près au fémur, au tibia, à la boule d'ivoire du genou. Le tarantass continuait à rouler, à tanguer. Les deux forçats oscillaient sur leurs jambes écartées.

— Dépêchez-vous ! dit l'un d'eux.

Sophie enveloppa l'herbe maculée dans un sac, la jeta dehors et étala sur le plancher une litière fraîche. Les deux anciens forçats reposèrent le malade avec précaution et se retirèrent en maugréant. Ils rechignaient devant cette besogne, à cause des risques de contagion. Sophie, elle, n'y songeait pas, trop engagée dans le combat pour réfléchir. Parce qu'une vie était en jeu, elle ne voyait plus le sang, elle ne respirait plus l'ordure. Tout ce qui sortait de ce corps torturé était parfaitement naturel. « Qu'il guérisse ! Le reste m'est égal ! » murmurait-elle en relevant, du poignet, une mèche de cheveux sur sa tempe. Les heures de la nuit et du jour se confondaient. Ce tarantass était sûrement le plus mauvais du convoi. Encore quelques verstes, et il se disloquerait dans les trous de la route. La tête de Nicolas ballait sur son épaule.

A midi, selon les prescriptions médicales, Sophie lui donna du charbon de bois à croquer. Il obéit en grimaçant de dégoût. Une bouillie noirâtre filtra entre ses dents. Quand il eut fini, elle lui essuya la bouche, comme à un bébé. De nouveau, la diarrhée fusa. Elle eut un mouvement de recul. Mais c'était peu de chose. Elle ne voulut pas le fatiguer en le nettoyant. Penchée à l'extérieur, elle respira une goulée d'air pur, puis se replongea dans la pénombre nauséabonde. Secousse après secousse, au pas lent des chevaux, le convoi se traînait dans la chaleur. Nicolas bredouillait des paroles confuses. Elle avait de la peine à retrouver dans ce moribond exsangue l'homme plein de désir qui s'était jeté sur elle, la nuit, au bord de la rivière. Toute cette histoire s'était déroulée dans une autre existence, entre des gens qui ne l'intéressaient pas. Son affaire à elle était ici, dans la voiture. Après avoir couru en tous sens, comme une folle, elle allait de nouveau vers un but précis. Sa dernière chance. Pourquoi s'était-elle détachée de Nicolas ? Il était le plus important souvenir de sa vie de femme. Ce qu'elle avait connu du bonheur physique, c'était à lui qu'elle le devait. Elle le revoyait dans sa minceur et son élégance, avec ce sourire fier, ce regard caressant. Sa gaieté, ses mensonges, sa légèreté, sa naïveté, sa vanité, son courage... Et c'était maintenant, peut-être, sur cette pauvre litière, que tout cela finirait dans un hoquet affreux. « Non, non ! Pas lui !... » Elle implorait Dieu pour son mari, comme elle l'avait imploré jadis — trop tard ! — pour Nikita. Ils étaient frères par la douleur. Elle passait de l'un à l'autre, sans les trahir ni l'un ni l'autre. La route montait, les essieux grinçaient, les chevaux s'arc-boutaient, tiraient fort, dans un nuage de poussière. Soudain, Nicolas se tordit, hurla, comme poignardé.

— Ah ! gémit Sophie. Encore ! Cela ne s'arrêtera donc jamais ?

Elle lui posa la main sur le ventre. Il claquait des mâchoires, roulait des yeux blancs et happait l'air avec une grimace de suffocation. Effrayée par la violence de ces tranchées, Sophie souleva la bâche et cria à un soldat d'escorte :

— Prévenez le docteur !

Le Dr Wolff accourut, se hissa dans le tarantass et prit le pouls du malade. Au bout d'un moment, Nicolas se calma, ses membres se relâchèrent. Le jet de la dysenterie avait tout taché autour de lui. Il était faible, livide, sans une goutte de sueur au front. Pour le fortifier, le médecin lui fit boire une décoction de genêt. Puis il aida Sophie à changer, une fois de plus, la litière. Elle se mordait les lèvres, des larmes tremblaient dans ses yeux.

— Parlez-moi franchement, docteur, chuchota-t-elle. Avons-nous quelque chance ?...

Il la considéra avec étonnement, comme si elle eût été la dernière personne à avoir le droit de se montrer inquiète.

— Je ne puis me prononcer encore, dit-il sèchement.

— Pourtant, il ne va pas plus mal ?...

— Non. L'état est stationnaire. Mais l'organisme tiendra-t-il jusqu'au bout ?...

— J'ai peur de ne pas faire ce qu'il faut !

— Mais si, Madame ! Mais si, vous vous débrouillez très bien !

Il se lava les mains dans une cuvette. Même en voyage, il s'arrangeait pour avoir du linge propre, une moustache bien coupée, une redingote à laquelle pas un bouton ne manquait. Son air sérieux plaisait à Sophie. Cependant, depuis la fuite de Nicolas, il se montrait avec elle d'une politesse distante. Il la quitta et s'approcha de la voiture suivante, où se trouvaient Alexandrine Mouravieff et Pauline Annenkoff avec leurs enfants. Tout le monde savait qu'il avait un faible pour la douce Alexandrine. Le mari, sombre, ennuyeux et froid, laissait faire. Sans doute cette idylle ne mènerait-elle à rien. Sophie le regretta. Pourquoi ? Elle n'aurait su le dire. De plus en plus, ces femmes admirables, ces épouses romaines l'exaspéraient. Elle avait reposé la main sur le front de

Nicolas. Il ne bougeait plus, inconscient, absent, une moue de souffrance au coin des lèvres. Des minutes s'écoulèrent. Le bras de Sophie s'engourdissait. Ah ! quand donc finirait ce charroi cahotant et bruyant ?

Par l'entrebâillement de la bâche, elle vit des Bouriates à cheval qui dépassaient le tarantass. Au creux d'un vallon, surgit un village de tentes pointues.

★

— Eh bien ! fais entrer les dames ! soupira Léparsky en s'asseyant derrière sa table pliante.

Et il se demanda ce qu'elles pouvaient bien avoir à lui réclamer encore. Le planton souleva un panneau de toile et s'effaça pour laisser passage aux visiteuses. La tente s'emplit de jupes. Léparsky eut l'impression de respirer plus difficilement. Elles étaient toutes là, sauf Alexandrine Mouravieff et Sophie Ozareff. Ce fut Marie Volkonsky, tête haute, teint basané et regard de charbon, qui ouvrit les hostilités.

— Excellence, dit-elle, nous venons solliciter l'autorisation de revoir nos maris, comme par le passé.

Il s'y attendait un peu.

— Non, princesse, répliqua-t-il avec force.

— Mais, puisque le fugitif a été retrouvé !...

— Cela ne change rien. La discipline s'était relâchée. J'entends la rétablir dans toute sa rigueur.

— Alors, rétablissez-la pour tout le monde ! s'écria Alexandrine Davydoff.

— Je n'ai jamais accordé de passe-droit !

— Si. A celle qui le mérite le moins !

— C'est vrai ! renchérit Nathalie Fonvizine d'une voix geignarde. La seule d'entre nous qui ait la permission d'être constamment auprès de son mari, c'est Sophie Ozareff !

L'indignation dressa Léparsky derrière sa table.

— Madame, Madame, balbutia-t-il, vous oubliez que Nicolas Mikhaïlovitch est au plus mal !

— Parce qu'il a tenté de s'enfuir ! dit Alexandrine Davydoff. Votre faveur va donc à ceux qui vous désobéissent. C'est une prime à l'évasion et à l'infidélité !

Cette remarque troubla Léparsky. Il n'avait pas envisagé le problème sous cet angle. Voyant l'adversaire ébranlé, Nathalie Fonvizine revint à la charge :

— Je vous signale, Excellence, que mon mari a pris froid et qu'il réclame mes soins !

— Le mien, dit Catherine Troubetzkoï, souffre d'un rhumatisme ! Je puis vous le faire certifier par le Dr Wolff !

— Le mien a de terribles migraines, dues à une insolation ! dit Pauline Annenkoff.

— Et après ? gronda Léparsky. Ils ne sont pas sur le point de mourir, comme Ozareff !

Les femmes, effrayées, se signèrent.

— S'il est sur le point de mourir, siffla Alexandrine Davydoff, vous auriez pu lui choisir une autre infirmière.

— Que reprochez-vous à celle-ci ?

— D'être responsable de l'état où il se trouve.

Léparsky haussa les épaules :

— Je n'ai pas à connaître de ces histoires. Je ne vois qu'une chose : puisqu'elle est sa femme, c'est elle qui doit le soigner !

— Même si elle le soigne mal ?

— Qu'insinuez-vous là ?

— On ne confie pas la garde d'un malade à une personne qui rêve de se débarrasser de lui !

Cette accusation d'Alexandrine Davydoff était si osée, que les autres femmes la dévisagèrent avec étonnement.

— Madame, dit Léparsky, si la personne dont vous parlez a quelque péché sur la conscience, je suis persuadé que le remords fait d'elle, en ce moment, la meilleure des épouses.

— Vous accordez trop de crédit au remords et pas assez à la rancune, rétorqua Alexandrine Davydoff avec un sourire sarcastique.

Craignant que Léparsky n'éclatât de colère, Marie Volkonsky intervint rapidement :

— Sans aller jusque-là, Excellence, avouez qu'il est pénible pour des femmes honnêtes, dont les maris n'ont jamais contrevenu à vos instructions, d'être moins bien traitées qu'une femme de moralité douteuse, dont le mari vous a créé les plus graves ennuis en s'évadant. Voici huit jours que Mme Ozareff se trouve auprès de son époux. Nous demandons simplement l'égalité des droits. Si vous êtes, comme vous le prétendez, un homme de cœur et de justice, vous devez...

Depuis un moment, Léparsky était débordé, étourdi, par ce caquetage. De tout ce qu'il avait entendu, seule l'assertion d'Alexandrine Davydoff l'avait touché. La phrase restait plantée en lui, à un point douloureux, comme une épine. Et si ces femmes avaient raison ? Si Sophie avait réellement des intentions criminelles ? Mais non, elles étaient toutes détraquées à force de lire des romans ! Il n'allait pas se laisser dicter sa conduite par des pensionnaires imaginatives ! S'il n'y mettait bon ordre, elles finiraient par lui manger sur la tête ! Tout à coup, il cria :

— Cela suffit, Mesdames ! Je lèverai la consigne quand je le jugerai nécessaire ! Vos récriminations ne peuvent que m'inciter à retarder cet instant ! Veuillez vous retirer !

Elles déguerpirent avec des mines offusquées.

Après leur départ, Léparsky se rassit derrière sa table et se mit à compulser des états administratifs. Mais les chiffres dansaient devant ses yeux. Les « 1 », droits, fiers et nets, lui rappelaient Marie Volkonsky, les « 3 », aux courbes rebondies — Catherine Troubetzkoï, les « 0 », tout ronds — Nathalie Fonvizine... Il se jugea très fatigué. Ce voyage était décidément une épreuve au-dessus de ses forces. On oubliait son âge, à Saint-Pétersbourg ! Dix-huit jours déjà que le convoi rampait, d'étape en étape à travers la Sibérie ! Si la petite colonie parvenait sans encombre à Pétrovsk, la réussite tiendrait du miracle. « Peut-être me décorera-t-on à cette occasion ? songea-t-il. Mais que ferais-je d'une décoration supplémentaire, à soixante-quinze ans ? » Il avait beau se raisonner, l'idée que le tsar pût le récompenser de ses services éveillait en lui un immense espoir. Pourvu que cet écervelé de Nicolas Ozareff ne mourût pas en cours de route ! Il était enrageant de penser que le succès de toute l'entreprise dépendait de si peu de chose. Le Dr Wolff n'avait pas encore fait son rapport, ce matin. C'était jour de repos. Le camp se prélassait au bord d'une rivière. Brusquement, Léparsky fut incapable de rester en place. Il ceignit son épée, empoigna ses gants, son chapeau, et sortit.

A dix pas de sa tente, il se heurta au Dr Wolff, qui venait vers lui. Les nouvelles étaient meilleures. Le malade avait pu s'alimenter légèrement.

— Vous croyez donc qu'il s'en tirera ? demanda Léparsky avec rondeur.

— Je suis un peu plus optimiste, dit le Dr Wolff. Mais les fatigues et l'incommodité du voyage ne sont pas pour arranger les choses.

Léparsky prit le médecin par le bras et chuchota :

— Etes-vous sûr que vos prescriptions sont suivies à la lettre ?

— Que voulez-vous dire ?

— Mme Ozareff ne fait-elle pas preuve de négligence ou de mauvaise volonté ?

— Quelle idée absurde ! Elle est parfaite de dévouement, d'habileté, de patience. Je le proclame d'autant plus volontiers que je n'ai aucune sympathie pour elle. Vous vous en êtes laissé conter par quelques-unes de ces dames !

— Oui, oui, marmonna Léparsky, c'est bien mon impression ! Je respire ! Allons voir votre malade.

Le Dr Wolff le conduisit à la tente de l'infirmerie. Nicolas reposait sur un lit de camp. Immobile, barbu, les yeux clos, il avait un profil de pierre. Accroupie au fond de la yourte, Sophie lavait des linges dans une cuvette. Elle se redressa et essuya ses mains sur son tablier. Léparsky fut frappé par l'expression fatiguée et dure de son visage.

— Je venais en passant, dit le général. Il m'est agréable de constater que notre patient se porte mieux...

En vérité, il avait du mal à garder un maintien sévère. Et pourtant, il le fallait. La maladie de Nicolas ne diminuait pas sa faute aux yeux de l'administration.

— Parlez plus bas, Excellence, murmura Sophie. Il dort.

— Ah ! pardon ! pardon ! grommela Léparsky.

Et, Dieu sait pourquoi, il ajouta :

— Vous lui direz que je suis venu.

Quand il fut parti avec le Dr Wolff, Sophie s'assit près de Nicolas. « Il est vraiment très beau », songea-t-elle. Il remua les lèvres. Elle lui donna à boire une cuillerée d'eau de riz. Puis elle renouvela le pansement chaud sur son ventre.

Enfermé dans la nuit de ses paupières, il éprouva une sensation agréable par tout le corps. La douleur reculait, se cachait dans une tanière. Il allait pouvoir vivre pendant quelques minutes avant qu'elle ne revînt. Son épuisement était tel, qu'il ne devinait pas les limites de sa chair. Il flottait, fumée parmi les fumées. Même sa pensée était malade. Il rouvrit les yeux. Le monde trembla derrière un rideau de brume. L'intérieur d'une tente, des linges, des fioles, une silhouette féminine : Sophie... Il tressaillit. Des souvenirs remontaient du fond de sa mémoire. C'était laid, c'était déshonorant... Jamais il n'aurait la force de le supporter... Dormir, oublier... Il voulut se rejeter dans l'eau noire. Impossible. Sophie lui souriait.

— Où sommes-nous ? Qu'est-ce que j'ai ? balbutia-t-il.

Elle mit un doigt sur ses lèvres et dit :

— Chut ! Reste calme ! Tu as été très malade ! Tu vas mieux !

Il se rappela tout, dans un éclair de lucidité, et eut honte de sa déchéance : ce corps mou, ces ballonnements, ces défaillances, ces ruisseaux de puanteur, et elle occupée à la sale besogne des infirmières. Il l'eût accepté, peut-être, si elle l'avait aimé comme autrefois. Mais la conscience qu'elle le soignait par charité lui était intolérable. Il eût préféré voir n'importe quelle autre femme à son chevet. Rassemblant ses esprits, il marmonna :

— Pas toi... Non... non...

Puis les larmes l'étouffèrent. Ses muscles se dénouaient. Il était trop faible pour affronter des problèmes si graves, il ne voulait qu'un peu d'ombre sur son front, un peu de fraîcheur dans sa bouche. Elle lui tendit une cuillerée de lait caillé. Il l'avala avec délices et réclama :

— Encore.

Elle fit « non » de la tête. Rien à redire. Il était à sa merci. Comme toujours.

— Dors, maintenant, prononça-t-elle avec une tendresse qui le réchauffa.

— Je ne peux pas, gémit-il.

— Il le faut.

Au lieu d'obéir, il regardait Sophie et la trouvait vieillie, fanée, et, en même temps, étonnamment semblable à la jeune femme qu'il avait connue jadis, à Paris. Les années lui avaient conféré ce regard profond, ce pli volontaire de la bouche, cette fine résille de rides, si charmantes, si émouvantes, autour des paupières, cet aspect fier, calme, réfléchi, qui le troublait et l'intimidait. Sans doute avait-elle embelli, d'une certaine façon, en prenant de l'âge. Mais son nouvel aspect, au lieu d'effacer l'ancien, le laissait transparaître. Ainsi, quand elle souriait, un visage juvénile affleurait sous son visage mûr et en brouillait le dessin. Tout cela, Nicolas le percevait avec une acuité anormale. Il partit à la dérive, pensant ou rêvant — il ne savait plus — jusqu'au moment où des souffrances aiguës, torsives, le reprirent. Alors, pour la première fois, instinctivement, il saisit la main de Sophie sur la couverture et la serra aussi fort qu'il le put.

5

Nicolas était si lent à se rétablir, que Sophie se demandait s'il recouvrerait un jour sa vigueur d'autrefois. Ses douleurs avaient disparu, mais sa faiblesse lui interdisait encore de marcher. Affalé dans le tarantass, il ne s'intéressait même pas à ce qui se passait dehors. Le Dr Wolff lui donnait une alimentation fortifiante, à base de lait de jument fermenté. A chaque étape, il devait boire, en plus, du sang frais. Le chef des Bouriates saignait un cheval, bouchait l'incision avec de l'herbe et apportait au malade un bol, plein d'un flot rouge jusqu'au bord. Nicolas le lapait avec répugnance. Il en eût versé la moitié par terre, sans Sophie qui le surveillait. Le danger écarté, ils éprouvaient, l'un devant l'autre, une gêne croissante. La maladie qui les avait rapprochés leur ôtait, en se retirant, l'excuse de la sollicitude. Comme si cette menace eût été un personnage installé en tiers dans leur vie, ils avaient l'impression de se retrouver, pour la première fois, en tête à tête, lui honteux de son abandon, elle embarrassée de sa prévenance. Par un accord tacite, ils ne parlaient pas du passé. De même, ils évitaient toute allusion à un avenir dont ils ne savaient pas au juste ce qu'il serait pour eux. On eût dit que leur existence conjugale devait se limiter à la durée du voyage. Les incidents de la route et les soins quotidiens suffisaient à nourrir leur conversation. Mais, derrière ces phrases banales, Sophie devinait l'espoir secret de Nicolas. Et, sans pouvoir s'analyser, elle était émue de sentir à quel point il avait besoin de sa tendresse. Ainsi, taisant le fond de leur pensée, ils s'accommodaient d'une situation fausse, manœuvraient entre des écueils connus d'eux seuls et goûtaient, face à face, un bonheur de sursis.

Un jour, Nicolas demanda à Sophie de relever la bâche du tarantass. Il voulait voir le paysage. Elle s'en réjouit comme d'un signe de guérison. La route suivait maintenant le bord de la Selenga. A gauche, une eau rapide et transparente, à droite, des falaises de cinquante sajènes de haut. Le regard glissait sur ces murailles de granit aux plaques superposées, rouges, jaunes, grises, noires et, tout à coup, se perdait dans le bleu du ciel. Comme enivré par un vin trop riche, Nicolas, au bout d'un moment, donna des signes de fatigue. Elle l'obligea à se recoucher et à fermer les yeux.

On campa au bord de la rivière. Le lendemain était jour de repos. Quelques dames en profitèrent pour redemander à Léparsky l'autorisation de voir leurs maris, mais se heurtèrent à un refus plus catégorique encore que la dernière fois. Les promenades et les baignades étant interdites, les prisonniers décidèrent de jouer aux échecs. Un attroupement se forma autour de chaque table. Même les Bouriates suivaient les parties d'un air passionné. Le prince Troubetzkoï, qui était de première force, invita l'un d'eux à se mesurer avec lui. Le Bouriate, une brute illettrée au front bas et au regard torve, le battit avec une aisance déconcertante.

— D'où connais-tu ce jeu ? demanda le prince vexé.

— Les Chinois nous l'ont appris au commencement du monde, dit le Bouriate. Les Chinois savent tout.

Youri Almazoff eut l'idée d'organiser un grand tournoi entre Jaunes et Blancs. Mais Léparsky s'opposa à ce projet, qu'il jugeait incompatible avec la discipline d'un bagne en voyage. D'étape en étape, il était plus nerveux, plus inquiet, plus intraitable. Les décembristes eurent l'explication de cette mauvaise humeur lorsqu'il leur annonça, au rassemblement du soir, que le convoi allait traverser bientôt la ville de Verkhné-Oudinsk, où le général Lavinsky, gouverneur de la Sibérie orientale, se trouvait en séjour d'inspection.

— Il s'agit pour nous tous, Messieurs, d'une sorte d'examen, dit-il. Des rapports secrets seront — soyez-en sûrs ! — expédiés en haut lieu, sur vous, comme sur moi. Je vous demande donc de marcher en rangs, d'un pas ferme, mais non joyeux, car votre sort ne doit point paraître enviable. Ayez l'air triste, accablé, résigné... mais en bonne santé... Vous voyez ce que je veux dire ? Pas d'accoutrements excentriques. Pas de pipes au bec ni de cornets de bonbons à la main. Pas de fleurs à la boutonnière. Les soldats de l'escorte montreront une physionomie dure et déterminée, comme il sied à des gardes-chiourme...

Tandis qu'il parlait, les prisonniers s'entre-regardaient en souriant. Il aperçut leurs mines ironiques et se fâcha :

— Ces dispositions vous semblent absurdes, Messieurs ! Vous avez l'esprit frondeur ! Cela vous a perdus autrefois ! Remerciez-moi de vous éviter une seconde bévue !

De retour sous sa tente, il dut, pour se calmer, boire deux grands verres d'eau. Comment se faisait-il qu'en toute circonstance le ridicule fût de son côté ? Suffisait-il de défendre l'ordre pour prêter le flanc à la critique ? Et, cependant, sans ordre il n'y avait pas de société ! Les décembristes eux-mêmes en convenaient dans leurs projets de constitution. Ah ! vraiment, il n'existait pas de rôle plus ingrat que celui qui constituait à diriger ses semblables ! Sitôt qu'un homme détenait une once de pouvoir, il était mal vu des autres. A croire que la fonction avilissait l'individu. On était injuste envers la Justice ! Ces idées agaçaient Léparsky à la manière d'une démangeaison. Après avoir fait quatre fois le tour de sa tente, il s'allongea sur son lit et rêva du défilé à travers Verkhné-Oudinsk comme d'une apothéose.

Le soir de la dernière halte, avant l'entrée dans la ville, il renouvela ses recommandations aux prisonniers, aux soldats, aux Bouriates, passa en revue les habillements, les armes, les chevaux, les chariots, et se rendit même sous la tente de l'infirmerie pour dire à Sophie :

— Vous avez bien compris ? Vous pourrez vous montrer dans votre tarantass, mais j'interdis les signaux, les sourires, les conversations avec les badauds. A la moindre incartade, je sévirai !...

Elle lui promit d'être l'image même de l'affliction.

— N'en faites pas trop, tout de même ! dit-il.

Et il se retira, sombre, une main sur le cœur, comme un acteur pris de crainte avant l'entrée en scène.

Le lendemain, dès l'aube, tout le camp fut saisi d'une activité fébrile. Installée avec Nicolas dans le tarantass, Sophie observait, de loin, le remue-ménage. Des soldats se rasaient, se plaquaient les cheveux à la graisse d'arme, astiquaient leurs bottes en crachant dessus ; six tambours, les coudes en ailerons, répétaient un petit roulement martial au coin du bois ; les gardes d'écurie pansaient les chevaux à l'étrille et à la brosse, et leur maquillaient les sabots avec du goudron ; un gnome se faufilait entre les roues des voitures, plongeait ses mains dans un pot et enduisait les essieux de suif ; les tentes s'affaissaient l'une après l'autre, comme dégonflées par un coup d'épingle ; on voyait surgir les prisonniers dans leurs meilleurs costumes, les dames habillées, eût-on dit, pour se rendre visite ; Pauline Annenkoff était coiffée d'un chapeau de paille à cabriolet avec deux bouquets de frisettes sur chaque tempe, Elisabeth Narychkine avait un carcan de tulle tuyauté autour du cou et un corsage vert à manches boursouflées ; Marie Volkonsky portait un turban de crêpe bleu roi, orné d'une plume. Enfin, parut Léparsky sur son cheval blanc. Il gronda les femmes parce qu'elles étaient trop élégantes. Elles refusèrent de se changer. Les unes prétextèrent qu'elles n'avaient rien d'autre à se mettre, les autres que leurs malles étaient déjà bouclées et chargées. Devant tant de mauvaise foi, il préféra battre en retraite pour ménager son cœur. Au dernier moment, il lui semblait que rien n'était prêt. Cependant, le convoi se formait, peu à peu. Vatrouchkine, suant et aphone, courait en tous sens et tarabustait les soldats trop lents à rompre les faisceaux. Les chevaux hennissaient en secouant leurs harnais dans un joyeux cliquetis de menuaille. D'une voiture à l'autre, les épouses s'interpellaient, telles des voisines de palier au réveil. Léparsky se dressa sur ses étriers, brandit son épée, hurla :

— Ma-a-arche !

Et la caravane s'ébranla. A mesure qu'on approchait de Verkhné-Oudinsk, le paysage s'animait. Des moujiks se montraient au bord du chemin, la main en visière sur les yeux, la bouche ouverte. Certains se découvraient et se signaient, à tout hasard, comme au passage d'un enterrement. Sophie et Nicolas, assis sur des ballots de paille, dans le tarantass, avaient relevé un pan de la bâche.

— Tu devrais mettre un chapeau, dit-elle. Tu as trop de soleil.

Il la remercia d'un regard ému. Elle se troubla ; elle n'avait pas voulu être si aimable ; elle détestait la gentillesse ! Et, pourtant, les paroles qu'elle avait prononcées laissaient en elle une traînée de douceur. Elle avait l'impression qu'en le soignant elle se guérissait elle-même. Ils revenaient ensemble à la vie. Ensemble, ils redécouvraient le monde.

Bientôt, apparurent les coupoles de la cathédrale, dominant la tempête figée des toits. Depuis quatre semaines que les prisonniers avaient quitté Tchita, c'était la première agglomération importante qu'ils rencontraient sur leur route. Fatigués du désert, ils regardaient avidement les maisons pressées au bord de la Selenga. En arrivant à la barrière, les tambours se mirent à battre rondement. Les soldats redressèrent la taille, tendirent le jarret, froncèrent les sourcils. Pour complaire à leur vieux général, les décembristes prirent des mines sinistres.

Les distractions devaient être rares à Verkhné-Oudinsk. Tous les habitants s'étaient assemblés dans la rue principale où les enseignes en russe alternaient avec les enseignes en chinois. Sur les trottoirs de bois, c'était un remous de toilettes européennes, sibériennes, asiatiques, un mélange de faces jaunes et blanches. Des gamins couraient en criant et sifflant sur les flancs de la colonne. Les chiens du quartier aboyaient contre les tambours. Une mère pressait son enfant sur sa poitrine comme pour interdire aux forçats de le lui prendre. Une autre montrait le défilé à son fils, âgé de cinq ans, et lui disait, sans doute : « Si tu n'es pas sage, tu finiras comme eux ! » Un vieillard faisait le signe de croix devant les réprouvés. Des Bouriates riaient en silence, sans comprendre. Chaque balcon portait sa grappe de dames provinciales endimanchées et de dandys régionaux en retard de cinq ans sur les modes de la capitale. Des éventails palpitaient devant les corsages, des faces-à-main se braquaient, on émettait des appréciations ironiques ou philosophiques sur le spectacle. Sophie croyait participer à une parade foraine. La signification du tableau n'échappait à personne : « Voyez, bonnes gens, ce qu'il advient de ceux qui bravent l'autorité du tsar ! » Le convoi ralentit, piétina. Les badauds arrondirent les yeux. Ils dévisageaient Sophie de tout près, comme une bête curieuse. Elle entendit chuchoter :

— Une femme !... Ce doit être la femme du commandant !... Mais non, c'est une criminelle !... Que Dieu ait son âme !... Elle a de beaux habits !...

Nicolas se retint de rire. Il y avait des semaines, des mois, que Sophie ne lui avait vu ce visage heureux. Elle en fut bizarrement soulagée : « Il va beaucoup mieux ! » songea-t-elle. Ils échangèrent un regard amusé. Le convoi repartit, en grinçant de toutes ses roues. Le ciel était bleu et chaud. On devait passer à proximité du marché, car une odeur de poisson éventa le tarantass. Les cloches d'une église sonnèrent. Sophie se rappela son dépaysement, lorsqu'elle avait traversé cette ville, trois ans plus tôt, en se rendant à Tchita. Elle voyageait seule, à cette époque-là ; Nikita était resté à Irkoutsk ; puis il s'était mis en route pour la rejoindre ; des gendarmes l'avaient arrêté, quelque part aux environs ; c'était à Verkhné-Oudinsk qu'il était mort sous le knout. Elle buta sur ce souvenir. Comme réveillée par un faux mouvement, sa tristesse, longtemps engourdie, se développait jusqu'à chasser toute autre idée de sa tête. S'il existait un lieu sur terre où elle avait quelque chance de retrouver Nikita par la pensée, c'était bien ici. Elle concentra toutes ses forces pour l'évoquer, mais ne recueillit que des images pâles et décousues. Le mouvement, le bruit de la rue la dérangeaient dans sa méditation. Distraite, elle renonça bientôt à poursuivre un fantôme pour s'intéresser à la foule bariolée des vivants. Les visages se multipliaient, serrés tels des légumes à un étalage. Derrière une rangée de curieux à pied, se dressaient maintenant d'autres curieux, debout dans des voitures. A un carrefour, apparurent des uniformes, tout un état-major, avec, au milieu, un général, qui devait être Lavinsky. Nicolas poussa un soupir et se recoucha lourdement. Sa barbe blonde accusait la maigreur de ses traits, l'éclat de son regard .

— Qu'as-tu ? murmura Sophie inquiète.

— Je ne sais pas... Je me sens très fatigué...

— Tu n'as pas mal ?

— Non.

Elle toucha son front, tâta son pouls, et, bien que rassurée, continua de l'observer d'un œil soupçonneux. Le dos tourné au monde, elle ne remarqua même pas que le convoi quittait la ville et reprenait la route à travers la campagne. Plus loin, au sommet d'un talus, se montra Léparsky, assis sur son cheval blanc, le chapeau en bataille, un poing sur la hanche. Il passait en revue la petite troupe disparate et claudicante, avec autant de sérieux que s'il eût assisté au défilé de la garde impériale sur le Champ de Mars.

On dressa le camp à une verste de là, et des citadins vinrent encore en calèche, pour voir les décembristes au repos, comme on visite une ménagerie. Les sentinelles croisèrent la baïonnette devant des dames froufroutantes et des messieurs à chapeau rond et cravate empesée, qui se réclamaient de leurs relations avec le gouverneur pour forcer la consigne.

Refoulés vers leurs voitures, ils repartirent mécontents.

Après une courte toilette, le général retourna à Verkhné-Oudinsk, pour y rencontrer des notables. Il revint, le soir, dans une excellente disposition d'esprit. Tout au long du dîner chez le gouverneur, il n'avait entendu que des compliments sur la bonne tenue des prisonniers et des gardiens. Le général Lavinsky lui avait même dit que, de sa vie, il n'avait vu un bagne aussi agréable à regarder. Il avait ajouté que, d'une façon ou d'une autre, cette réussite pénitentiaire serait portée à la connaissance de l'empereur.

Ayant frôlé la catastrophe avec la fuite de Nicolas, Léparsky reprenait goût à l'existence. Evidemment, il valait mieux ne pas révéler cet incident à l'autorité supérieure. Tout le monde avait intérêt que Saint-Pétersbourg reçût un tableau idyllique du voyage de Tchita à Pétrovsk. Mû par un élan de générosité, Léparsky réunit les prisonniers pour leur annoncer qu'il était content d'eux. En récompense de leur bonne conduite, ils obtiendraient de nouveau, dès demain, le droit de se promener, de se baigner, et, pour ceux qui étaient mariés, d'avoir des entrevues surveillées avec leurs épouses. On l'applaudit et Marie Volkonsky le remercia, au nom des dames. Aussitôt après, il se rendit dans la tente où Nicolas reposait, veillé par Sophie. Nicolas voulut se lever pour accueillir le général, mais celui-ci l'en empêcha.

— Très honoré Nicolas Mikhaïlovitch, dit-il, votre convalescence, dont je constate avec plaisir les premiers signes, va poser, un jour ou l'autre, le problème délicat de votre châtiment. Mon intention était de vous enchaîner et de vous mettre au cachot, dès que vous pourriez le supporter.

En prononçant ces mots, il lorgna Nicolas, qui restait calme, puis Sophie, dont une soudaine inquiétude brouillait le regard. Le trouble qu'elle manifestait amusa Léparsky.

— Vous reconnaîtrez avec moi, je pense, que vous méritez cette punition, dit-il.

— Je ne le nie pas ! répondit Nicolas.

— Dans mon esprit, il s'agit moins d'une sanction pour le passé que d'une précaution pour l'avenir. En effet, je ne sais quels motifs exacts vous ont poussé à nous fausser compagnie, mais j'estime que vous pouvez être tenté de renouveler votre exploit...

Les yeux de Sophie se tournèrent vers Nicolas avec une expression tendue, suppliante. Il ne le remarqua pas. Assis dans son lit, tête basse, il réfléchissait. Il était pâle et maigre comme un étudiant famélique. Enfin, il releva le front et murmura :

— Je ne crois pas que je recommencerai.

Léparsky attendait cette phrase avec impatience.

— Pouvez-vous me donner votre parole de gentilhomme ? dit-il.

— Je vous la donne.

Il y eut un silence. Léparsky avait l'air radieux d'un pêcheur qui vient d'amener un gros poisson sur la rive.

— Dans ces conditions, dit-il, je peux reconsidérer mon attitude à votre égard.

Et, dans son for intérieur, il pensait : « En évitant de réserver une suite à cette affaire, je diminue le risque qu'elle soit rapportée à l'empereur. » Le visage de Sophie s'était éclairé. Celui de Nicolas demeurait perplexe.

— Une fois guéri, vous retournerez parmi vos camarades et vous partagerez leur sort, reprit Léparsky.

— Merci, Votre Excellence, balbutia Nicolas.

Léparsky resta un instant au milieu de la tente à jouir de sa propre bonté, comme s'il se fût balancé dans un hamac. Puis il sortit, le cœur barbouillé d'indulgence, de douceur, d'amitié universelle. Il regrettait presque de n'avoir pas encore quelqu'un à qui pardonner aujourd'hui.

Après son départ, Nicolas leva sur Sophie un regard indécis.

— Comme je suis contente ! dit-elle. J'avais si peur qu'il ne te faille terminer ta convalescence au cachot !

— Cela aurait mieux valu, peut-être, marmonna-t-il.

— Pourquoi ?

Il ne répondit pas, se recoucha et elle n'osa insister, comme si elle eût senti qu'au point d'équilibre où ils étaient parvenus tout pouvait être gâché par une parole sincère.

★

Après l'étape de Verkhné-Oudinsk, le convoi quitta la route du courrier postal et s'enfonça, par un chemin sinueux, vers le Sud. La plaine se soulevait en collines serrées et boisées. Des nuages gris dérivaient dans le ciel. La pluie s'installa, fine, monotone, pénétrante. L'immense paysage, brun et vert, fut pris dans une résille d'eau. Les ruisseaux sortaient de partout dans un joyeux désordre d'improvisation. La bâche protégeait Nicolas et Sophie, mais, quand un tournant s'étalait à découvert, ils voyaient, loin devant eux, les autres prisonniers qui marchaient en file, nimbés de poussière et d'argent, la tête dans les épaules et les pieds dans la boue. Nicolas avait honte de rester au sec, pendant que ses camarades se faisaient tremper. Trois fois déjà, il était descendu de voiture pour les rejoindre et avait dû remonter aussitôt, les mollets mous, le cœur détraqué. Sur l'intervention de Sophie, le Dr Wolff l'avait grondé et il avait promis qu'il ne recommencerait pas. Il rongeait son frein en regardant, là-bas, ces silhouettes délavées. Les soldats de l'avant-garde avaient entortillé leurs fusils de linges et mis des housses sur leurs shakos. Au premier rang des prisonniers, cheminait, comme toujours, le petit Zavalichine, tout de noir vêtu. Sous le parapluie qu'il élevait à bout de bras, se pressaient contre lui deux grandes carcasses de femmes emmitouflées de plaids et de châles, dont l'une était le prince Troubetzkoï et l'autre le prince Volkonsky. Ensuite, sous un dais, qui n'était qu'une couverture montée sur quatre bâtons, s'avançait, tel un monarque oriental, le géant Iakoubovitch. D'autres, moins bien partagés, s'abritaient sous des couvercles de caisses ou sous des toiles de sac. Les plus courageux marchaient tête nue, la chemise collée à la peau. Derrière eux, les voitures se traînaient, et, à chaque cahot, les bâches se balançaient mollement, de droite à gauche, sur leurs cerceaux trop souples, comme de monstrueuses jupes à tournures.

— Si la pluie cesse, j'essayerai tout de même de faire quelques pas avec eux, dit Nicolas.

— Non, dit Sophie. Tu n'es pas encore en état de marcher !

— De quoi ai-je l'air dans une voiture, avec ma femme, alors que les camarades... ?

Il n'acheva pas sa phrase, confus d'avoir, pour la première fois depuis des semaines, employé l'expression : « ma femme », pour parler de Sophie. Elle devina la raison de sa gêne, et en fut à la fois agacée et touchée. Cette allusion directe, ce regard lumineux, la rejetaient dans un temps de sensualité conjugale qu'elle croyait avoir oublié. Visiblement, Nicolas avait si peur de lui déplaire, qu'il n'osait même plus la regarder en homme. Il se tenait à distance, étouffait ses sentiments, trop heureux qu'elle acceptât sa compagnie après ce qui s'était passé entre eux.

On fit halte dans un paysage sombre, humide et creux, entre deux collines couvertes de sapins et soutachées de cascades d'argent. Un Bouriate apporta sous la tente un bol de sang, que Nicolas vida, comme d'habitude, avec répugnance. Des perles rouges restèrent suspendues dans les poils blonds de sa moustache. Il s'essuya la bouche et passa la main sur ses joues : l'évasion, la maladie — il ne s'était pas coupé la barbe depuis un mois.

— Je devrais me raser, murmura-t-il.

— Pourquoi ? Tu es très bien comme ça, dit Sophie.

Elle avait parlé sans réfléchir et rougit brusquement. Ces yeux verts, lumineux, ce menton couvert de copeaux d'or et de cuivre — il ressemblait à un paladin russe du Moyen Age. Et ces cheveux longs... ! Il avait la même coiffure, lorsqu'elle l'avait vu pour la première fois, à Paris. Elle se sentit empruntée, comme devant un inconnu. Un besoin d'activité la saisit. Elle s'affaira dans la tente, rangea les vêtements, ouvrit les malles, courut aux marmites pour réclamer le dîner.

Nicolas mangea son riz avec une voracité attendrissante. Le Dr Wolff le visita sur le tard et se déclara satisfait. Il pleuvait toujours. L'étoffe feutrée de la yourte frémissait sous les rafales d'eau et de vent. Le crépuscule venait vite. Sophie prépara les lits. Un paravent la séparait, la nuit, de Nicolas. Elle lui donna ses médicaments, le coucha et se retira dans son coin pour se déshabiller elle-même. La sonnerie du couvre-feu retentit, alors qu'elle se glissait sous ses couvertures. Maintenant qu'il était hors de danger, elle ne craignait plus d'être réveillée en sursaut par des gémissements, comme cela lui était arrivé tant de fois au début de la maladie. Ils se souhaitèrent bonne nuit, à distance, dans l'obscurité. Sophie l'entendit qui respirait à fond, avec ce léger grognement qu'elle connaissait bien. Elle, cependant, ne pouvait dormir. Les yeux ouverts sur l'ombre, elle écoutait le ruissellement de la pluie, les craquements du piquet qui soutenait le toit. Ces rumeurs nocturnes excitaient son imagination. Elle se disait que Nicolas avait repris des forces, qu'il redevenait un homme normal, que, d'un moment à l'autre, il pouvait se lever, venir à elle, la saisir dans ses bras. Faudrait-il qu'elle le repoussât de nouveau ? Elle ne savait plus que désirer, que redouter.

A l'aube, dès le premier roulement de tambour, elle bondit sur ses pieds. Il n'avait pas bougé, il somnolait encore. Elle put se laver dans un seau d'eau, se coiffer, s'habiller, sans être dérangée, derrière son paravent. Une gaieté inexplicable l'animait. Elle se regarda dans une glace et se trouva un air de fraîcheur, malgré sa mauvaise nuit. Après réflexion, elle dénoua ses cheveux, les natta plus serré et se fit un chignon très en arrière, presque sur la nuque, comme elle l'avait vu dans un journal de mode. Puis, constatant qu'il ne pleuvait plus, elle changea sa robe grise de tous les jours contre une robe « rose-flamme », avec un canezou de mousseline. Il lui semblait que, dans cette nouvelle toilette, son corps respirait plus à l'aise, que ses mouvements étaient plus souples. Elle s'approcha de Nicolas sur la pointe des pieds. Il venait de s'éveiller, la tignasse en désordre, et souriait de ses dents blanches dans la mousse dorée de sa barbe.

— Tu es belle ! dit-il timidement.

Elle feignit de ne l'avoir pas entendu et le pressa de faire sa toilette, d'avaler ses médicaments et de s'habiller. Ensuite, il restait étendu sur le lit, selon les prescriptions du médecin. On ne devait repartir qu'à deux heures de l'après-midi, pour laisser aux charrons le temps de réparer les voitures endommagées. Un Bouriate apporta de l'eau bouillante pour le thé et des tranches de pain, trois par personne. Sophie ouvrit un pot de confiture. Elle préparait des tartines et s'amusait de voir Nicolas les dévorer à pleines mâchoires. Ils finissaient de déjeuner, quand Alexandrine Mouravieff vint prendre des nouvelles du malade. Sophie devinait que cette femme intelligente, généreuse et discrète était son alliée. Dix minutes ne s'étaient pas écoulées, que le Dr Wolff arrivait lui aussi, comme par hasard. Il était plus vif, plus disert, que d'habitude. A tout propos, il lorgnait Alexandrine Mouravieff pour quêter son assentiment. Leur amitié ressemblait à de l'amour et, pourtant, ils n'avaient rien à se reprocher ! Ils repartirent ensemble. Sophie les regarda, du seuil de la tente. La jeune femme s'appuyait au bras du médecin. Ils marchaient, nimbés de soleil, dans les herbes hautes. Le paysage, mouillé de pluie, s'évaporait autour d'eux. Une vague aspiration gonfla le cœur de Sophie. Elle avait soif de vivre, elle aussi.

Peu après, elle vit venir un groupe de prisonniers. Tous des amis de Nicolas. Léparsky ayant levé son interdiction, ils en profitaient pour rendre visite au malade. Sophie les reçut avec gêne. Mais ils eurent la courtoisie de ne lui manifester aucune animosité. Elle s'assit dehors, à l'entrée de la tente, un livre à la main. Derrière son dos, elle entendait un mélange de voix viriles et de gros rires. Ils se racontaient des péripéties du voyage. Leur gaieté était si communicative, que Sophie souriait dans le vide, au-dessus d'une page oubliée.

Le dîner fut servi très tôt et on se remit en route, pour une petite étape de douze verstes, qui devait amener le convoi au village de Tarbagataï. Là, vivait une colonie de *Staroviéry*, ou Vieux-Croyants, dont les ancêtres avaient été, disait-on, exilés en Sibérie par les tsarines Anne Ioannovna et Catherine la Grande. Allongé dans le tarantass, qui roulait en craquant et geignant, Nicolas expliquait à Sophie que les gens qu'ils allaient voir à Tarbagataï n'étaient pas, à proprement parler, des sectaires, mais des schismatiques. Ils refusaient de se soumettre à la réforme des livres saints ordonnée par le patriarche Nikon au XVIIe siècle. Pour eux, même les erreurs relevées dans les copies de ces textes étaient sacrées, puisque la foi de leurs aïeux s'était appuyée sur elles. Excommuniés, pourchassés par la troupe, proscrits, ils n'en continuaient pas moins à proliférer sur tout le territoire. L'animation avec laquelle Nicolas relatait ces faits enchantait Sophie. Elle retrouvait le ton de leurs conversations anciennes.

Ils parlèrent ainsi pendant une moitié du voyage. Puis le convoi fut arrêté par une rivière. Il fallut la traverser à gué. Les piétons, les cavaliers et les premiers tarantass passèrent sans peine. Mais les chariots de bagages, trop lourdement chargés, s'enlisèrent dans la vase. Sophie et Nicolas sortirent de leur voiture et rejoignirent les prisonniers massés sur la berge. Au milieu du courant, une énorme charrette, portant le piano-forte et tous les instruments de musique des décembristes, était plantée de guingois, la bâche claquant au vent. Derrière, un fourgon, contenant une partie de la bibliothèque, était dans une position aussi critique. D'anciens forçats de droit commun et des Bouriates se démenaient, dans l'eau jusqu'aux cuisses, autour des deux épaves. Les mélomanes se lamentaient sur la rive :

— Ils ne savent pas s'y prendre ! Ils vont tout renverser !...

— Jamais nous ne retrouverons un autre piano-forte !

— Et les livres ! les livres, Messieurs ! cria Mouravieff. Y avez-vous pensé ?... Que ferons-nous sans livres ?...

Léparsky marchait de long en large et prêchait le calme à tous ces intellectuels agités. Malgré ses exhortations, quelques-uns entrèrent dans la rivère.

— N'y allez-pas! hurla le général. C'est dangereux ! Il y a des remous !...

On ne l'écoutait pas. Bientôt, toute la chiourme fut réunie autour des véhicules embourbés. Nicolas pestait de ne pouvoir aider ses camarades. Sophie était pendue à son bras. Là-bas, les chevaux, attelés par huit, tiraient sur leurs traits, les hommes s'arc-boutaient, poussaient. A chaque secousse de la caisse, on entendait vibrer les cordes du piano-forte, tinter des cymbales, soupirer des guitares. A croire qu'un petit orchestre, enfermé dans une boîte, protestait avant de périr noyé. Enfin, dans une cacophonie victorieuse, les roues s'arrachèrent au limon et la charrette roula vers le bord. Un hurlement d'allégresse salua cet exploit. Les livres suivirent. Quelques-uns, au bas des piles, devaient être mouillés. Mais ils sécheraient vite au soleil. Les prisonniers repartirent d'un bon pas.

Les montagnes sauvages s'abaissèrent, perdirent leurs rocs escarpés et leurs forêts noires et, au tournant d'une route, s'étala une campagne moelleuse, riche, accueillante, avec des champs rectangulaires, jaunes, verts et bruns, des boqueteaux pour le repos des bêtes et un village tout neuf, tout propre, aux isbas largement espacées. On ne se serait pas cru en Sibérie, mais quelque part du côté de Moscou ou de Iaroslavl.

C'était dimanche. Tous les habitants vinrent au-devant du convoi dans leurs costumes de fête. Les hommes, grands, solides et barbus, portaient des caftans bleus et des ceintures écarlates, les femmes, potelées et roses, étaient vêtues de robes de soie, de douillettes à col de zibeline, et coiffées du diadème national brodé d'or et de perles de verre. Un vieillard offrit à Léparsky, sur un plateau de bois, le pain et le sel de l'hospitalité.

Le camp avait été dressé dans un pré communal. Sophie était en train d'arranger ses affaires sous la tente de l'infirmerie, lorsque le général entra, brusque, bougon, son chapeau sous le bras, et lui annonça que, d'après le dernier rapport médical, la santé du malade ne nécessitait plus qu'elle le veillât la nuit.

— Vous retournerez donc dormir auprès des autres épouses de prisonniers, dit-il.

Sophie demeura une seconde interdite. La soudaineté du changement lui donnait l'impression d'être frustrée. Elle songeait à l'accueil que lui feraient ces femmes pleines de hargne et de morgue.

— Et dans la journée, dit-elle, pourrai-je voir mon mari ?

— Bien sûr ! dit Léparsky. Vous voyagerez avec lui, vous le soignerez, vous ne l'abandonnerez qu'à l'extinction des feux.

Sans doute avait-il dû céder à la pression des épouses revendicatrices. Quand il fut loin, elle s'approcha de Nicolas. Il avait des yeux d'enfant triste. Son air déconfit la remit en gaieté.

— C'est vrai, dit-elle, tu n'as presque plus besoin de moi !

Il ne répondit rien et se rembrunit encore. Elle prit plaisir à le taquiner ainsi jusqu'à l'instant de la séparation. Sur le point de le quitter, elle éprouva un tel serrement de cœur, qu'elle n'eut plus envie de sourire. Ils restèrent longtemps plantés l'un devant l'autre, muets, les yeux dans les yeux. Comme le regard de Nicolas s'intensifiait, elle tourna les talons et partit.

Un Bouriate avait déjà transporté ses bagages. Lorsqu'elle se présenta devant son ancienne tente, elle trouva toutes les femmes assises à l'entrée, pour l'habituelle causette du soir. Elle ne se fia pas à leurs mines paisibles et s'avança, l'esprit en éveil, prête à riposter au premier coup de griffe. Alexandrine Mouravieff avait dû les raisonner, entre-temps. Elles se montrèrent tellement conciliantes, que Sophie se demanda si elle ne s'était pas rachetée à leurs yeux en soignant Nicolas. Catherine Troubetzkoï alla jusqu'à l'interroger sur la santé de « son » malade. Puis on parla de la future installation à Pétrovsk, qui posait des problèmes à la plupart des épouses. Celles qui ne s'étaient pas fait bâtir de maison envisageaient de louer des chambres, près du bagne. Sophie était trop agitée par des sentiments contraires pour prendre une résolution à ce sujet. Pour la première fois de sa vie, elle préférait ne rien prévoir et laisser les événements lui dicter sa conduite. Il fut aussi question de la prochaine arrivée de la baronne Rosen, de Mme Youchnevsky et et de Mlle Camille Le Dantu, la fiancée d'Ivacheff. C'étaient, en principe, des personnes « très bien », puisqu'elles avaient accepté, elles aussi, de tout abandonner pour rejoindre « l'homme de leur cœur » en Sibérie. Mais, évidemment, chaque règle comportait des exceptions. Elisabeth Narychkine lança cette remarque en regardant Sophie. La pique était si maladroite, que Sophie dédaigna d'y répondre. Il n'y eut pas d'autre allusion jusqu'à la tombée de la nuit.

L'apparition des étoiles inclina les dames au romanesque. Elles ne parlaient plus, soupiraient, partaient, chacune de son côté, dans des rêveries qui n'étaient plus de leur âge. Les enfants et les hommes étaient depuis longtemps couchés, les feux de bivouac se mouraient entre les yourtes pointues, les sentinelles s'interpellaient au loin, une bête poussait son cri, à l'orée du bois. Enfin, Marie Volkonsky se leva et rentra chez elle. D'autres la suivirent. On se déshabillait dans l'ombre, à tâtons, et les yourtes se cabossaient quand un coude ou un genou touchait la toile. Sophie fut la dernière à se retirer.

Couchée entre Nathalie Fonvizine et Elisabeth Narychkine, elle pensait à Nicolas, seul sous sa tente, avec juste un Bouriate allongé dehors, à l'entrée, pour le servir. Elle essayait de n'avoir pour lui qu'une sollicitude raisonnable, mais, à tout moment, un flot de tendresse la surprenait et se mêlait à son souci d'infirmière.

Dès l'aube, habillée, coiffée en un tournemain, elle se précipita au chevet de son mari. Miracle ! Il était là, sur son lit, sain et sauf, enflammé du plaisir de la voir. Immédiatement, elle se remit sur la réserve. C'était plus fort qu'elle : chaque fois qu'il faisait un pas en avant, elle faisait un pas en arrière. Ils prirent le déjeuner ensemble et, comme c'était jour de repos, sortirent pour se promener dans le camp. Sophie était fière de se montrer avec Nicolas à tous ceux, à toutes celles, qui l'avaient dénigrée.

Le staroste de Tarbagataï avait invité les prisonniers à visiter son village et Léparsky n'avait pas dit non. Ce fut une troupe de curieux, voyageant pour leur agrément, qui se déversa dans la rue principale. Les épouses donnaient le bras à leurs maris. Un robuste moujik de quarante ans leur servait de guide. Six soldats les accompagnaient, pour la forme. Les isbas étaient grandes et propres, avec des fenêtres à doubles carreaux, des toits en voliges, des perrons couverts à ornements de bois découpé et colorié. A l'intérieur, de vraies chambres, aux planchers rabotés, cirés, et aux meubles de gros bois peint à l'huile. Partout, des poêles hollandais, revêtus de faïence. Les remises contenaient des télègues bien entretenues ; les écuries étaient pleines de chevaux aux reins larges, à la robe lustrée ; les greniers regorgeaient de fourrage... Mais, au milieu de cette abondance, il n'y avait pas une église. Simplement, au bout du village, une petite chapelle de bois, dont la modestie contrastait avec l'opulence des autres maisons. Le moujik qui conduisait les visiteurs leur expliqua que les Vieux-Croyants n'avaient pas de prêtre, priaient d'après des livres antérieurs à la réforme de Nikon, révéraient des icônes très anciennes et choisissaient entre eux un lecteur de textes saints et un desservant. D'après les règles de la confrérie, personne, sous peine de péché, n'avait le droit de se couper la barbe, de se signer avec trois doigts, de fumer, de boire du vin ou du thé, d'absorber des « médicaments chimiques », de se faire vacciner contre la variole... La piété, la sobriété, le respect du travail, le sens de l'économie avaient permis à ces hommes, à ces femmes, longtemps persécutés, d'amasser des fortunes considérables. Ils s'enrichissaient en vendant aux Chinois du froment et des peaux de bêtes.

— Et tous les villages sont aussi prospères dans la région ? demanda Nicolas.

— Tous les villages de Vieux-Croyants, oui ! dit le guide avec fierté.

— Pourquoi pas ceux des autres ?

— Parce que les autres ne se lèvent pas avec le soleil pour travailler, parce que le kwass leur fait la tête lourde, parce qu'ils fument pour passer le temps, parce qu'ils ne savent pas mettre un kopeck de côté...

— Combien êtes-vous donc de Vieux-Croyants, par ici ?

— Je ne sais pas... Peut-être dix mille... peut-être vingt... Sur cinquante verstes à la ronde, vous en trouverez partout !...

Quand la promenade à travers le village fut terminée, les plus riches habitants de Tarbagataï prièrent les voyageurs de venir boire chez eux, sinon du thé — boisson diabolique — au moins du *sbiten*, breuvage bouillant à base de miel, qui ne pouvait déplaire à Dieu. Les décembristes se partagèrent en six groupes, chacun convoyé par un soldat.

Nicolas et Sophie furent reçus par un vieillard de quatre-vingts ans, nommé Tchabounine, qu'entouraient ses fils, ses petits-fils et ses arrière-petits-fils, dont le plus jeune avait dix-sept ans. Cela faisait vingt-cinq barbus, les uns ridés, voûtés, grisonnants, d'autres frais et roses avec de la soie floche au menton. Tous avaient un air de famille, qui leur venait de leur front bas et de leur nez camard. Pas de femmes à table, hormis les invitées. Les filles de la maison, dodues, enrubannées et les yeux baissés, servirent le *sbiten* dans des verres à monture d'argent. Mais, pour commencer à boire, on attendait le chef du clan. Lorsqu'il parut enfin, tout le monde se dressa. Il avait cent dix ans, un visage desséché, craquelé, une barbe blanche, et marchait sans canne. Son fils de quatre-vingts ans s'inclina respectueusement devant lui et le conduisit à la place d'honneur. Le vieillard bénit l'assistance d'une main de squelette, s'assit, leva son verre et proposa de trinquer à la santé de ceux qui souffrent. Quelqu'un lui demanda s'il se souvenait de son arrivée à Tarbagataï.

— Comment ne m'en souviendrais-je pas ? dit-il d'une voix à peine chevrotante. J'avais treize ans lorsque mes parents ont été exilés, en 1733, par l'impératrice Anne Ioannovna. Des villages entiers, dans notre coin, avaient refusé de se soumettre à la nouvelle liturgie de Nikon. Et voilà, il a fallu tout laisser, partir en télègue, à pied, pour la Sibérie. Des mois et des mois de marche. A Verkhné-Oudinsk, le commissaire du gouvernement nous a dit que nous devions nous installer au bord de la rivière Tarbagataï et que nous serions dispensés de taxes pendant quatre ans. Nous sommes donc venus ici. C'était le désert. Nous avons construit nos maisons, défriché nos terres, agrandi nos familles et vécu ainsi que Dieu le voulait. Et Dieu nous a récompensés, comme il récompense tous ceux qui travaillent. A l'époque de nos débuts dans la vallée, un ouvrier se louait cinq kopecks...

Il parla longtemps, sans jamais se tromper dans les dates et les chiffres. Puis soudain, ses yeux s'éteignirent, sa mâchoire inférieure se mit à trembler. Son fils le reconduisit dans sa chambre.

En se retrouvant dans la rue, Nicolas dit à Sophie :

— N'est-elle pas significative, cette rencontre, au-delà du lac Baïkal, de tous les naufragés de la foi ? Ceux qui ont servi un idéal politique et ceux qui ont servi un idéal religieux. Dans un cas comme dans l'autre, il s'agit d'hommes de cœur. Je finis par croire que c'est en prononçant des condamnations injustes que le tsar sert le mieux les intérêts de la Sibérie, que c'est en causant le malheur de quelques individus dans le présent, qu'il prépare, dans l'avenir, la prospérité de toute une contrée, que, chaque fois qu'il se trompe aux yeux de ses contemporains, il gagne aux yeux des générations futures. La grandeur d'un Etat est-elle incompatible avec le bonheur de ses sujets ? Ne peut-il y avoir de nation forte que dans l'iniquité, l'écrasement, l'esclavage ? Faut-il souhaiter, pour la vocation historique de la Russie, que des milliers et des milliers de gens comme nous soient envoyés dans les déserts ? C'est affreux, Sophie !...

Il paraissait si exalté, qu'elle eut peur : cette première sortie avait dû le fatiguer. Peut-être subissait-il une poussée de fièvre ? Les soldats groupaient les prisonniers pour les ramener au camp. On se mit en marche. Sophie prit Nicolas par la main. Il s'était calmé. Elle l'observait à la dérobée, attentive, inquiète, heureuse.

6

Léparsky s'assit dans l'herbe, au pied d'un chêne, et invita toutes les dames à prendre place autour de lui. Elles s'affaissèrent mollement dans leurs robes dépliées en corolles. Charmé par le tableau que formaient ces jeunes visages tendus de curiosité, il en oublia, pendant une seconde, ce qu'il avait à dire. Puis il se ressaisit et prononça d'une voix officielle :

— Mesdames, comme vous le savez, nous approchons du terme de notre voyage. D'après mes calculs, nous serons à Pétrovsk dans une dizaine de jours. Je dois, dès maintenant, prendre certaines dispositions en ce qui concerne l'installation du pénitencier. Quelles sont celles d'entre vous qui désirent loger dans les cellules de leurs maris ? Je vais faire l'appel. Il vous suffira de répondre par oui ou par non.

Il tira une liste de sa poche et commença :

— Princesse Volkonsky ?

— Oui.

— Princesse Troubetzkoï ?

— Oui.

— Madame Mouravieff ?

— Oui. Mais il est bien entendu, Excellence, que cela ne nous empêchera pas d'avoir une maison à côté, où habiteront nos enfants et où nous pourrons nous rendre nous-mêmes, à notre convenance ?

— Bien sûr ! Le règlement est formel sur ce point. Madame Annenkoff ?

— Oui.

Les femmes lâchaient leur oui, qui avec pudeur, qui avec fierté. Sophie attendait son tour.

— Madame Ozareff ?

Tous les regards se plantèrent en elle, comme des épingles dans une pelote. Elle ressentit un grand battement de cœur et dit avec fermeté :

— Oui.

Léparsky lui adressa un petit salut souriant, qui la fit rougir. Elle était la dernière de la liste. Il n'y avait pas eu un seul non.

— Bon, dit Léparsky, je m'en doutais. A présent, il reste une question à régler. Certaines d'entre vous ont des maisons à Pétrovsk qu'elles doivent aménager, les autres voudront au moins disposer quelques meubles dans les cellules qu'elles partageront avec leurs maris ; il faudrait donc que vous preniez les devants avec les chariots de bagages et de mobilier. Je ferai escorter vos voitures par des cosaques à cheval. Le lieutenant Vatrouchkine dirigera le mouvement.

Cette proposition enchanta les dames. Princesses ou roturières, la perspective de remonter un ménage leur allumait les yeux. Elles remercièrent Léparsky avec effusion. Sophie, moins enthousiaste, les imita pour ne pas se singulariser. Elle pensait à la tristesse d'une séparation imminente. « Pour elles, dix jours, ce n'est rien, mais pour moi !... » Cette idée la surprit comme un retour de jeunesse. Léparsky s'épanouissait au milieu d'un cercle de jolies femmes. Marie Volkonsky et Catherine Troubetzkoï le prirent chacune par un bras. La première était grande et mince, la seconde petite et boulotte. Serré entre elles, il avait l'air d'un samovar entre deux bouquets. On revint au centre du camp pour annoncer la nouvelle aux maris. Comme ils n'avaient aucun sens de l'organisation domestique, ils se réjouirent moins que leurs épouses. Certains même demandèrent si cette expédition préparatoire était bien utile. Leurs femmes les clouèrent par quelques arguments sans appel. Pendant qu'ils discutaient, Nicolas attira Sophie derrière une tente et murmura le visage bouleversé :

— Et toi ? Tu pars aussi ?

— Mais oui, dit-elle.

— Pourquoi ?

— Pour arranger notre cellule.

— Tu vas donc habiter avec moi ?

Elle s'efforça de paraître naturelle et répondit d'un ton détaché :

— Bien sûr !

— Oh ! Sophie !

Il lui avait saisi les mains et les couvrait de baisers. Elle se laissait faire, la poitrine oppressée, les yeux embués de larmes. L'instant d'après, des éclats de voix la tirèrent de son hébétude. Elle se vit entourée de femmes. Nicolas s'était écarté d'elle à regret. Elle mit un moment à comprendre ce que lui disait Alexandrine Mouravieff :

— En voiture, nous irons beaucoup plus vite. Je compte qu'en deux ou trois jours nous pourrons être là-bas. Cela nous laissera une bonne semaine pour nous installer avant l'arrivée de ces messieurs. Que faisons-nous ici ? Rien ! Nous allons partir dans une heure. Léparsky est d'accord. Dépêchez-vous !...

Sophie acquiesça de la tête, avec le sentiment qu'une grande chance s'éloignait d'elle. Que pouvait-elle, seule, contre toutes ces femmes pressées de se mettre en route ? A son corps défendant, elle fut prise dans le tourbillon des préparatifs. Pendant qu'elle rangeait ses effets de voyage, Nicolas la suivait pas à pas. Le chagrin qu'il affichait la consolait de sa propre déception. Elle finit par lui dire :

— Ce ne sera pas long, Nicolas ! Tu verras !...

Des Bouriates casaient les menus bagages dans les voitures. Les maris faisaient le signe de la croix devant leurs femmes et baisaient les enfants qu'elles portaient dans leurs bras. Le visage des hommes était grave ; elles, en revanche, paraissaient tout égayées par le travail qui les attendait à Pétrovsk. Une à une, elles s'arrachaient aux embrassades et grimpaient dans leurs chariots. Nicolas tenait les mains de Sophie. Tout à coup, elle fit un pas en avant. Leurs lèvres se touchèrent. Il fut étonné de bonheur. Déjà, elle se détournait. Elle chuchota :

— A bientôt, Nicolas... A très bientôt !...

Avant d'avoir pu se ressaisir, il la vit dans un tarantass, entre Nathalie Fonvizine et Elisabeth Narychkine. Elle lui souriait, le visage ombragé par une capeline de paille, un petit col de dentelle blanche moussant au ras du cou. Un élan d'amour le souleva. Il eut peur de perdre Sophie après l'avoir, par miracle retrouvée. N'allait-elle pas se déprendre de lui, pendant ces dix jours de séparation ? Des gens allaient, venaient autour de lui, le bousculaient sans qu'il en eût conscience. Léparsky donnait ses instructions à Vatrouchkine, devenu garant de la vie des dames. Des cosaques se rangeaient le long des voitures. Les chevaux hennissaient d'impatience. Enfin, ce fut le signal : le général dressa le bras et l'abaissa, le doigt pointé en avant, comme pour commander une charge de cavalerie.

— Allez ! dit-il. Que Dieu vous garde !...

Un grincement d'essieux lui répondit ; les tarantass s'ébranlèrent ; la route étant bonne, ils prirent de la vitesse. Massés devant leurs yourtes, les décembristes regardaient s'éloigner, dans un poudroiement de soleil, toutes les femmes du camp. Elles agitaient des mouchoirs. Leurs chapeaux enrubannés et emplumés sautaient au rythme des cahots. Bientôt, les plus jolis visages ne furent plus que des taches roses indistinctes. Nicolas suivit Sophie des yeux jusqu'au moment où elle disparut derrière un bouquet d'arbres. Alors, il éprouva une telle faiblesse, qu'il se crut de nouveau malade. Youri Almazoff le prit par les épaules pour le ramener sous la tente. Les charrettes contenant les malles, les meubles, les instruments de musique, la bibliothèque, partirent aussitôt après. Longtemps, la campagne retentit du bruit de ce lourd roulement.

Le convoi traversait maintenant une région cultivée, habitée, où les villages de Vieux-Croyants étaient nombreux. Le temps tournait à la grisaille, mais la pluie se retenait de tomber. Nicolas marchait avec les autres prisonniers pendant quelques verstes, et, quand la fatigue le prenait, montait dans un tarantass. Ses camarades lui témoignaient une amitié plus grande encore depuis sa fuite manquée et sa maladie. Bien que tous eussent été au courant de ses démêlés avec sa femme, personne ne l'interrogeait à ce sujet. Lui-même, d'ailleurs, ne croyait plus à son infortune. Il était sûr que Sophie ne l'avait pas trompé. Le regain d'amour qu'il éprouvait pour elle était la meilleure réponse aux soupçons qui l'avaient d'abord assailli. Il rêvait d'elle, à présent, comme il avait rêvé d'un verre d'eau fraîche lorsqu'il mourait de soif dans la montagne. Jour et nuit, elle était devant ses yeux, et, selon son humeur, tantôt il se désolait à l'idée que, peut-être, elle s'était détachée de lui, tantôt il s'enivrait de la chance qui l'attendait à Pétrovsk. Il lui arrivait aussi de se dire qu'elle avait pu tomber malade, ou être victime d'un accident... Toutes ces suppositions finissaient par composer dans sa tête une sorte de nuage où la douceur se mêlait au désir et l'inquiétude à l'espoir. Youri Almazoff ne le quittait pas d'une semelle. Mais Nicolas ne voulait pas en faire son confident. Un soir, cependant, assis devant le feu de bivouac, il lui avait avoué :

— Je crois que je marche vers le bonheur.

Et Youri Almazoff avait soupiré :

— Je t'envie ! Entre nous, je préférerais une femme qui me fasse souffrir à pas de femme du tout !

La conviction des célibataires était qu'à Pétrovsk, agglomération industrielle autrement importante que Tchita, ils trouveraient des filles assez nombreuses et assez faciles pour contenter leurs appétits. On racontait qu'il s'en passait de drôles dans le terrain vague, derrière la fonderie ! Youri Almazoff, en rapportant ces bruits, avait des étincelles plein les yeux. Nicolas se sentait étranger à toutes ces grivoiseries. L'amour avait pour lui la gravité d'une religion. L'homme installé sur la plage n'a pas, pensait-il, la même notion de l'océan que celui qui s'aventure assez loin sur les flots pour perdre de vue la terre.

A mesure que la caravane approchait du but, l'impatience gagnait les plus calmes. Chacun attendait de Pétrovsk un renouvellement dans son existence. Même ceux qu'aucune femme n'accueillerait là-bas furent saisis de coquetterie. Plusieurs voulurent se raser. Nicolas, cependant, hésitait à se couper la barbe. Il avait l'impression que, tel quel, il plaisait à Sophie. Par prudence, il ne toucherait pas à un poil de son menton tant qu'elle ne le lui aurait pas demandé.

A soixante verstes de Pétrovsk, conformément à l'ordre de route, la colonne commandée par Léparsky rejoignit celle commandée par son neveu. Les amis des deux contingents, longtemps séparés, se retrouvèrent avec des cris d'allégresse. De nouveau, le bagne fut au complet, pour la joie des prisonniers et le soulagement des gardiens. Les décembristes du premier groupe racontèrent qu'ils avaient vu passer les dames, en voiture, roulant grand train. Cette image donna aux maris l'envie d'aller plus vite. Mais Léparsky, avec sagesse, refusa de bousculer l'horaire. A la dernière halte, dans le village de Khara-Chibir, peu d'hommes fermèrent l'œil, la nuit.

Le lendemain, 23 septembre, à l'aube, ils étaient tous debout, lavés, récurés, habillés, des fourmis dans les jambes. On s'engagea, d'un pas résolu, dans une forêt de sapins. Des barbes de lichen pendaient à des branches squelettiques. Entre les troncs dénudés, fuyait une pente louche. Peu à peu, le sol s'inclina davantage, les arbres s'espacèrent, le chemin entra dans des buissons informes. Plus bas encore, apparurent des marécages piqués d'herbe drue. Parmi les prisonniers qui marchaient en tête, des cris s'élevèrent :

— Regardez ! Regardez ! Pétrovsk !

Toute la chiourme se rua vers le tournant qui surplombait la vallée. Nicolas arriva le dernier, hors d'haleine. A ses pieds, s'étalait une plaine spongieuse, traversée par une rivière, avec, de part et d'autre, des traînées d'un vert moisi et d'un jaune de sable. Au milieu de ce grand espace découvert, une bourgade aux maisons de briques, dominées par des cheminées d'usine. Détachée de l'ensemble, une énorme bâtisse en fer à cheval, aux murs orange et au toit rouge. Une fois qu'on l'avait aperçue, on ne pouvait plus regarder autre chose. Elle enlaidissait le paysage avec sérénité. Nicolas murmura :

— C'est pour nous, ça ?

— On dirait, grommela Youri Almazoff. Tu ne

reconnais pas le style de l'architecture ? Sobre et solide. Peinture jaune obligatoire sur les murs. Guérite rayée blanche et noire...

Les hommes baissaient la tête, accablés. Certes, ils savaient ce qui les attendait au bout du voyage, mais, depuis un mois et demi qu'ils vivaient au grand air, dans une liberté relative, le mot de prison s'était vidé pour eux de toute signification. En se retrouvant devant de vrais murs, ils mesuraient leur malchance :

— On ne nous a pas menti ! Il n'y a pas de fenêtres !

— Et le terrain est marécageux !

— Les moustiques viennent jusqu'ici !

— C'est un scandale !

Le général Léparsky arriva dans ce concert de récriminations et se fâcha tout rouge :

— Vous n'avez pas honte ? Elle est magnifique cette prison ! Ils ne font pas mieux en Amérique ! Vous verrez, quand vous serez à l'intérieur !...

Nul n'était convaincu. Le convoi se remit en marche, sans entrain. La remarque sur les moustiques était malheureusement justifiée. Leur nombre augmentait, tandis que la route descendait en lacets dans le creux du vallon. Chaque prisonnier avait son petit nuage d'insectes personnels, contre lesquels il se défendait en s'appliquant des claques. La colonne avançait dans un maigre bruit d'applaudissements. Soudain, les hommes s'arrêtèrent. Une voiture roulait vers eux. Après un instant d'indécision, ils reconnurent l'attelage.

— Ce sont nos dames ! dit Youri Almazoff.

Il se trompait. Les deux jeunes personnes, très habillées, qui descendirent du tarantass étaient inconnues des prisonniers. Du moins le crurent-ils pendant une seconde. Mais Rosen et Youchnevsky se jetèrent en avant avec des hurlements de joie : leurs femmes, qu'ils n'avaient pas vues depuis quatre ans, venaient de Pétrovsk à leur rencontre ! Le géant Rosen fit virevolter entre ses bras une poupée aux volants de satin mauve. Youchnevsky écrasa contre sa poitrine une faible créature ahurie, dont le chapeau roula par terre. Les larmes, les questions, les baisers, les réponses, tout se confondait pour eux, tandis qu'un cercle de camarades attendris et muets assistaient à leurs retrouvailles. Ensuite, commencèrent les présentations. D'abord Léparsky, puis les forçats. Chacun s'inclinait, en claquant ses talons éculés, et baisait très cérémonieusement la main qui se tendait vers lui. Le défilé dura quinze minutes. D'un prisonnier à l'autre, les dames susurraient invariablement :

— Je vous connais. Mon mari m'a tellement parlé de vous, dans les lettres qu'une femme de cœur écrivait à sa place !

Elles affirmèrent aussi que les autres épouses se portaient bien et attendaient l'arrivée du convoi avec impatience. Puis la baronne Rosen tira une liasse de journaux d'un sac de tapisserie et dit, en forçant la voix :

— Messieurs, j'ai une grande nouvelle à vous apprendre ! La révolution a éclaté en France !

Cette déclaration fit l'effet d'un coup de tonnerre. Après un silence de commotion, des clameurs jaillirent de toutes parts :

— Ce n'est pas possible ! Quand ? Comment ?

La baronne Rosen, visiblement émue par le succès de surprise qu'elle avait remporté, avala sa salive et répondit :

— A la fin du mois de juillet dernier ! Pour avoir voulu suspendre la liberté de la presse et dissoudre la Chambre, Charles X a été renversé ! Trois jours de combats ont suffi ! Maintenant, c'est Louis-Philippe d'Orléans qui est sur le trône ! Il a promis de s'entourer d'institutions républicaines !

Elle avait l'air de réciter une leçon. Les hommes buvaient ses paroles. Ils s'arrachèrent les journaux qu'elle avait apportés. Un groupe s'agglutina autour de chaque feuille. Penché sur l'épaule de Youri Almazoff, Nicolas lisait une ligne sur trois. Tout se mêlait dans sa tête. Il ne comprenait pas très bien les motifs de ce bouleversement politique à des milliers de lieues de la Sibérie, mais était enthousiasmé que la France, après avoir inspiré aux décembristes la passion de la liberté, leur donnât, une fois de plus, l'exemple d'une révolution réussie. A quelque endroit du globe que se produisît un soulèvement contre l'autorité, cette secousse, pensait-il, était salutaire, car elle préparait l'ébranlement de l'édifice russe. D'un choc à l'autre, la lézarde s'agrandirait jusqu'à traverser l'Europe. Un jour, le tsar, s'il n'y prenait garde, s'éveillerait les pieds dans le vide. Et tout serait parti de ce petit pays hexagonal, ami des jolies femmes, des vignes et des livres. Un élan de gratitude poussa Nicolas vers Sophie, comme si elle eût été pour quelque chose dans cette victoire des Justes. Il ne pouvait s'empêcher de l'associer à toutes les grandes entreprises de la France. « Comme elle doit être heureuse, se disait-il. Heureuse et fière ! » Et il avait envie de la broyer dans ses bras, jusqu'à lui couper le souffle. Un hurlement, qu'il n'avait pas prévu, s'échappa de sa poitrine :

— Vive la France !

Aussitôt, ses camarades reprirent en chœur :

— Vive la France ! Hourra ! Hourra !

Léparsky accourut, les yeux exorbités :

— Est-ce que vous êtes fous ?... Si quelqu'un vous entendait !... C'est de la subversion !... J'exige le silence !... Autrement, je vous ferai camper ici !... Toute la journée, toute la nuit, s'il le faut !...

Il écumait sous sa moustache. Les deux dames, intimidées, remontèrent en voiture. Les crieurs se calmèrent. Mais une satisfaction politique impudente rayonnait de leurs yeux. Ils reformèrent les rangs, tête haute, comme des militaires. Et sur l'ordre : « En avant, marche ! » au lieu de traîner les pieds selon leur habitude, ils se mirent au pas.

Toujours parfaitement alignés, ils descendirent la colline, contournèrent une église, longèrent un cimetière et passèrent devant une usine flanquée de deux montagnes de scories. L'air sentait la suie et la fonte chaude. Une poussière noire, impalpable, piquait les yeux. Deux ouvriers, dont beaucoup portaient au front la marque des bagnards, se pressaient au bord du chemin. Le chef de la police de Pétrovsk, toutes médailles dehors, salua Léparsky au passage. Plus loin, succédant aux jardinets galeux et aux isbas enfumées, apparurent des maisons de bois neuves, luisantes de peinture. Petites ou grandes, elles avaient un air de famille. Point luxueuses, mais cossues, avec un bon morceau de terrain tout autour. De quoi tailler un jardin, une cour, bâtir des communs... Des charpentiers travaillaient encore sur les toits. Devant chaque perron, se dressait une épouse de prisonnier. Elles avaient trouvé ce moyen pour que leurs maris pussent, du premier regard, identifier la maison qui leur appartenait. Debout sur la pointe des pieds, elles agitaient des mouchoirs. Sophie et Nathalie Fonvizine, qui n'avaient rien fait construire, se tenaient à l'écart, près d'un dépôt de planches. Le bonheur étourdit Nicolas comme un coup de cymbales. Sa femme lui souriait ! Sans sortir du rang, il cria :

— Tu sais la nouvelle ? La révolution en France !...

— Oui, oui ! dit-elle. C'est merveilleux !

Au comble de l'exaltation, il fredonna *la Marseillaise.* De proche en proche, le bourdonnement gagna toute la caravane. Les voix se renforcèrent. Soudain, le chant éclata, clamé par tous, en français, avec un terrible accent russe :

Allons enfants de la patri-i-e !...

Léparsky se retourna, furieux, sur son cheval blanc. Il se tortillait, roulait des yeux, secouait la main pour intimer aux prisonniers l'ordre de se taire. Mais personne n'avait l'air de comprendre ce qu'il voulait. Les soldats, ignorant qu'ils obéissaient à une musique subversive, cambrèrent la taille et se ragaillardirent. Toutes les dames se joignirent au cortège. Elles marchaient à petits pas, relevant leurs jupes sur le côté. Des cosaques formaient l'arrière-garde. Et *la Marseillaise* volait toujours au-dessus des têtes. Les portes de la prison s'ouvrirent à deux battants. Les sentinelles présentèrent les armes, tandis que les décembristes chantaient :

... Marchons, marchons !
Qu'un sang impur abreuve nos sillons !

Ils s'engouffrèrent dans une cour entourée d'une haute palissade. Les portes de la prison se refermèrent. Nicolas entendit le bruit familier des verrous grinçant dans leurs crampons, des grosses clefs tournées dans leurs serrures. Son rêve de verdure et de ciel s'achevait dans un cul de basse-fosse. L'enthousiasme des hommes tomba aussitôt. Ils rompaient les rangs et jetaient autour d'eux des regards inquiets. Léparsky mit pied à terre, s'épousseta, s'ébroua, prit un visage rogue et gronda :

— Vous m'avez infligé un affront, Messieurs !

— Ce n'est un affront pour personne de mener une troupe chantant *la Marseillaise !* dit Youri Almazoff.

— Ne répliquez pas ! Nous sommes en Russie,

que je sache! Cette traversée de la ville n'a été qu'insolence et dérèglement! Je m'en souviendrai!... Ah! oui, je m'en souviendrai!... Joseph, tu vas conduire les prisonniers dans leurs cellules!

— Vous ne venez pas avec nous, Excellence? demanda Marie Volkonsky avec tout le charme possible.

— Non! Excusez-moi! Ainsi, vous aurez tout loisir de chanter ce qu'il vous plaira. Eh bien! Joseph, qu'attends-tu?

Le neveu de Léparsky s'exécuta. Il marchait devant tout le monde, une épaule effacée, le pas oblique, avec un air hospitalier. A la grande cour commune succédait un ensemble de huit courettes séparées par des clôtures de pieux. Sur ces huit courettes ouvraient les perrons de douze sections. A chaque perron correspondait un couloir percé de portes identiques. Les cellules, au nombre de cinq ou six par couloir, avaient toutes les mêmes dimensions — sept pas de long sur six de large — et étaient toutes aussi sombres. Il n'y avait pas de fenêtre et le jour venait par un rectangle à grillage de fer, découpé dans la partie supérieure du vantail.

— C'est un désastre! protestaient les prisonniers. On n'y verra même pas assez pour lire en plein midi!

— Je sais, je sais, l'éclairage laisse à désirer! convint Joseph Léparsky. Mais, quoi? C'est un détail. Dans l'ensemble, vous ne pouvez nier que ces cellules soient vastes et confortables. De vraies chambres! Chacun la sienne! Quand vous les aurez arrangées!... Je suppose, Mesdames, que vous avez déjà commencé!...

— Bien sûr! dit Pauline Annenkoff. Vous voulez voir?

— Je n'osais vous le demander!...

Le troupeau murmurant des visiteurs suivit les

dames à l'extrémité du bâtiment où se trouvaient les sections 1 et 12, réservées aux ménages. Là, on se récria d'admiration. Chaque cachot était une vitrine décorée avec goût. En huit jours, les épouses avaient mobilisé tous les peintres, tous les menuisiers, et dévalisé les rares magasins de Pétrovsk. Lits recouverts d'étoffes à fleurs, fauteuils profonds, étagères garnies de livres, petites tables, estampes aux murs, bouquets dans des vases... Les maîtresses de maison faisaient les honneurs de leurs installations avec des mines faussement modestes :

— C'est très peu de chose !... Il a fallu se débrouiller avec les moyens du bord !...

Sophie prit Nicolas par la main, le conduisit au bout du couloir et lui montra une chambre aux murs vieux rose, meublée de deux lits jumeaux en bois blanc, d'un bureau d'acajou et d'un fauteuil canné.

— C'est ici, annonça-t-elle.

Il n'avait jamais rien vu d'aussi beau. Les larmes lui montèrent aux yeux :

— Merci, Sophie !

Il ne put en dire plus. La foule de ses camarades déferlait sur lui. Sophie dut, à son tour, sourire aux compliments, expliquer... Maintenant, les célibataires avaient hâte de s'installer eux-mêmes. Leurs bagages avaient été déchargés en vrac dans les couloirs, mais leurs cellules, une cinquantaine en tout, n'étaient pas prêtes. Ils supplièrent les dames de leur donner des idées de décoration. Nicolas, qui aurait tant voulu rester seul avec Sophie, fut contraint de la laisser partir. Il marchait derrière elle, désœuvré et béat. Passant d'un prisonnier à l'autre, elle présidait à la valse des chaises, des tables et des lits fournis par l'administration. C'étaient les gardiens, qui, en échange de pourboire, servaient de déménageurs. Ils avaient jeté bas la veste de leur uniforme et, en manches de chemise, remuaient les meubles et déclouaient les caisses. Du seuil de la porte, Sophie commandait :

— Un peu plus à gauche !... Plus au centre !... Non, c'était mieux avant !... Remettez le lit à la place de la table et la table à la place du lit !...

Le sol était jonché de paille. L'air sentait la peinture et la colle. Grimpés sur des tabourets, des locataires impatients plantaient des crochets dans le mur pour poser un rayon ou pour pendre un cadre. Par tout le pénitencier, ce n'étaient que coups de marteaux et grincements de scies. Les soldats fournissaient le matériel nécessaire, y compris les clous et les vis. Il y avait même un invalide qui trottait de chambre en chambre avec un pinceau pour faire des raccords de peinture, moyennant cinquante kopecks par intervention.

Jusqu'au soir, dans un bourdonnement d'auberge très achalandée, les femmes dirigèrent l'aménagement des cachots en aimables retraites. On s'entreprêtait samovars, fers à repasser, casseroles, tenailles... Léparsky ne se montra pas. Il boudait : *la Marseillaise* lui restait sur le cœur.

Les mères de famille quittèrent la prison afin d'assister au coucher de leurs enfants dans les petites maisons neuves et donner des intructions aux servantes qu'elles avaient engagées sur place. Ainsi, pour elles, il y avait maintenant deux logis, l'un consacré à l'amour maternel, l'autre à l'amour conjugal, entre lesquels elles devaient courir pour remplir toutes les obligations de leur vie de femme. Elles revinrent assez tard, la conscience en paix. La soupe fut servie par un gardien, sur des tables dressées dans les couloirs. Elle était froide et mauvaise, mais nul ne s'en plaignit. La fatigue du voyage et la nouveauté du décor rendaient indulgents les plus difficiles. Et puis, il y avait cette révolution en France, qui excitait les esprits. On ne parla que d'elle pendant le repas. Tout en regrettant que les « Trois Glorieuses » n'eussent pas abouti à la constitution d'une république, Sophie se consolait en pensant que le duc d'Orléans, devenu Louis-Philippe, avait un passé libéral. Son père, un régicide, était mort sur l'échafaud ; lui-même avait combattu à Jemmapes et, depuis, il avait toujours témoigné de l'hostilité aux ultras. Ne disait-on pas que ses premiers gestes, en se montrant à la foule, au balcon de l'Hôtel de Ville, avaient été de serrer sur son cœur le drapeau tricolore et d'embrasser La Fayette ? C'était bon signe. Mais, surtout, ce qui enchantait Sophie c'était l'idée que le soulèvement avait été voulu et conduit par le peuple. D'après les journaux russes, les ouvriers et les bourgeois de Paris avaient lutté coude à coude. Ils avaient pillé les armuriers, dépavé les rues, construit des barricades... Le succès de ce mouvement faisait ressortir la faute que les décembristes avaient commise en n'associant pas la nation entière à leur coup d'Etat. Sophie osa le dire. Tous les hommes furent de son avis. Les femmes, en revanche, la regardèrent d'un mauvais œil, comme si elle eût flatté le vice de leurs maris en leur parlant de politique.

— Ce qui est étonnant, c'est la fureur du tsar contre Louis-Philippe, le roi populaire ! dit Nicolas. Vous avez lu les journaux ? Ordre à tous les sujets russes de quitter la France, défense de laisser pénétrer des sujets français dans l'Empire, défense d'arborer la cocarde tricolore et de recevoir dans les ports des bâtiments français battant le nouveau pavillon ! Pour un peu, Nicolas Ier déclarerait la guerre à la France, parce que les Français ont choisi un roi qui n'est pas de son goût !

— Nous aurions peut-être eu la guerre, dit le prince Troubetzkoï, si la république avait succédé à Charles X. Mais, sous ses dehors populaires, Louis-Philippe est tout de même un roi. Le principe monarchique est sauf !

— Provisoirement, dit Annenkoff. Louis-Philippe n'est qu'une transition, une étape. Encore un coup d'épaule et, à sa place, les Français mettront un président élu par le peuple et révocable par lui !

Sophie écoutait ces forçats russes parler de la liberté française et son cœur se serrait à la pensée qu'elle était si loin de sa patrie ! Sans doute même n'y retournerait-elle jamais ! Elle devait se résigner à ne plus considérer la France que comme un ensemble de souvenirs. Il lui paraissait affreux, subitement, d'avoir quitté le pays où elle était née et où les idées qu'elle avait toujours défendues étaient sur le point de triompher, pour achever sa vie dans le plus despotique et le plus fermé des empires, au fond de la Sibérie, dans une prison ! Un instant, elle se demanda ce qu'elle faisait parmi tous ces gens, tandis que, dans son esprit, défilaient des paysages de l'Ile-de-France, une rue de Paris, les quais de la Seine, l'hôtel de ses parents, le visage de son père, de sa mère, morts à quelques mois d'intervalle et dont elle ne savait même pas ce qu'avaient été les dernières années... Mais Nicolas, à l'autre bout de la table, la regardait si tendrement, si fortement, qu'elle en oublia sa nostalgie et sourit de toute son âme.

Il fut touché de cet accord. La révolution en France l'exaltait, certes, mais moins que la perspective d'un tête-à-tête avec Sophie. Il espéra qu'elle saurait se libérer de la politique, le moment venu. Ce souper n'en finissait pas. Les hommes, une fois rassasiés, ne parlaient plus de la Charte, mais de cuisine et d'ameublement. En même temps, ils considéraient leurs épouses avec une rude convoitise. Ce serait la première fois, depuis cinq ans, qu'ils pourraient passer la nuit avec elles. A force d'y songer, ils devenaient de plus en plus maladroits et impatients. Ils s'agitaient sur leurs bancs, laissaient tomber la conversation, roulaient des boulettes de pain entre leurs doigts. Leurs compagnes, cependant, renchérissaient sur la coquetterie. Ce n'étaient que regards obliques, soupirs en gorge de pigeon, battements de paupières et cailletage de collégiennes. Sophie elle-même participait à cette parade féminine. Nicolas en avait mal dans tous les muscles de son corps. Enfin, Pauline Annenkoff donna le signal en prétextant qu'elle était lasse. Aussitôt, tous les hommes bondirent sur leurs pieds et s'empressèrent. Il y avait une bonne heure qu'ils attendaient cet instant. Les femmes avaient des visages d'anges. Elles ployaient de sommeil. Derrière elles, se tenaient leurs maris, avec des airs faussement innocents. Les ménages se souhaitèrent bonne nuit, comme des voyageurs dans le corridor d'une hôtellerie. Chaque couple rentra dans sa cellule.

Sophie referma la porte et alluma une chandelle. Les cloisons étaient minces. On entendait vivre les voisins. Nicolas ne savait que dire, debout, roide, les bras pendants, encombré de son désir. Elle fit un pas vers lui. Il fut enveloppé par le parfum de ses cheveux. Elle se trouvait à contre-jour. Son visage obscur était cerné d'une auréole d'or. Ses dents luisaient. Timidement, peureusement, il serra une taille flexible. Elle n'eut pas un mouvement de recul. Des yeux immenses le regardaient. Il n'osait croire encore à sa chance. Ce fut elle qui appuya sa bouche sur les lèvres de Nicolas. Puis, se dégageant avec adresse, elle l'attira vers le lit.

Plus tard, enlacés sur la couche trop étroite, ils écoutèrent, mêlant leurs souffles et les battements de leurs cœurs, la sonnerie lugubre du couvre-feu. Tout était noir dans la cellule. Un bonheur profond, animal et tranquille occupait Sophie. Elle ne discutait plus cette sensation d'alliance parfaite avec la nature. Comme si Nicolas eût été le seul mâle sur terre capable de la contenter. Un pas lourd se rapprochait dans le couloir. Elle chuchota :

— Qu'est-ce que c'est ?

— Le gardien.

— Que vient-il faire ?

— Nous enfermer, sans doute.

En effet, le verrou claqua, une clef tourna dans la serrure. Sophie réprima un frisson. Bouclée pour la nuit, avec son mari, dans un cachot. Impossible de sortir. Crier, supplier ne servirait à rien. Elle se blottit plus étroitement contre Nicolas. Il murmura :

— Je t'aime.

Sophie ferma les yeux. Il l'avait rencontrée la veille. Elle le connaissait à peine. Tout commençait pour eux, avec les forces et les illusions d'une nouvelle jeunesse.

Le pas s'éloignait, passait d'une cellule à l'autre et, derrière chaque porte, il y avait un couple qui sursautait au bruit sec du verrou.

TROISIÈME PARTIE

1

Assis derrière sa table de travail, dans la grande pièce aux murs nus qui lui servait de bureau, Léparsky écoutait patiemment les femmes des décembristes se plaindre du manque de fenêtres dans les cellules. Une fois de plus, il était obligé de donner raison aux détenus contre le gouvernement. La voix de Marie Volkonsky lui perçait les oreilles :

— Nous refusons de vivre dans ces conditions, Excellence ! Il nous faut ou bien renoncer à lire dans la journée, ou bien nous éclairer à la chandelle dès le matin !

— Mon mari a les yeux fatigués ! renchérit Catherine Troubetzkoï. Sa vue a encore baissé depuis une semaine que nous sommes à Pétrovsk !

— Si seulement on pouvait s'installer dans les couloirs pour travailler ! soupira Alexandrine Mouravieff. Mais ils sont ouverts à tous les vents, et, avec les premiers froids, on y gèle !

— Ajoutez à cela, dit Pauline Annenkoff, que l'humidité sort de terre ! Les murs ont déjà des lézardes, les poêles marchent mal, on grelotte, il y a des bêtes !

— C'est une honte ! Une honte ! gémit Nathalie Fonvizine.

Bombardé de toutes parts, Léparsky se retira sous sa carapace. Evidemment, comme toujours, c'était lui que les dames rendaient responsable de leurs malheurs. A croire qu'il régnait en maître sur le bagne. Quand donc comprendraient-elles qu'il était un prisonnier, comme leurs maris ? Avec un uniforme, des épaulettes, un titre, mais guère plus de liberté ! D'ailleurs, il n'y avait que des prisonniers en Russie, du haut en bas de l'échelle sociale. Chaque prisonnier d'un rang supérieur avait d'autres prisonniers sous sa coupe, qui, eux-mêmes, étaient les chefs de prisonniers moins privilégiés, lesquels commandaient à des prisonniers plus misérables encore, et ainsi de suite, jusqu'au dernier des gardes-chiourme et au dernier des forçats. Aucune *Marseillaise* ne prévaudrait jamais contre cette pyramide humaine, dont le faîte se perdait dans les nuées, à Saint-Pétersbourg, et dont la base s'enfonçait dans la boue des bagnes sibériens. A ce point de ses réflexions, Léparsky éprouva un malaise. Qu'allait-il penser là ? Les décembristes ne l'avaient-ils pas contaminé avec leurs idées révolutionnaires ? Il était comme un croyant auquel la foi vient à manquer et qui s'interroge.

— La première des choses à faire, dit Sophie, c'est d'ordonner qu'on perce des fenêtres.

Léparsky tressaillit, battit de ses lourdes paupières et marmonna :

— Ordonner ! Ordonner ! Comme vous y allez, Madame ! Regardez ça, plutôt !

Il se leva et déroula un plan sur la table. Les dames tendirent le cou.

— Voyez-vous des fenêtres là-dessus ? demanda-t-il.

— Non.

— Alors, comment en ouvrirais-je ?

— Mais enfin, Excellence, s'exclama Catherine Troubetzkoï, vous êtes le commandant du bagne, cet édifice est placé sous votre autorité, vous pouvez y faire exécuter les travaux qui vous paraissent nécessaires !

Léparsky haussa les épaules et pointa son doigt sur un paraphe, dans le coin supérieur gauche du plan.

— Et ça, dit-il, vous ne l'avez pas remarqué ? Ce document a été approuvé et signé par l'empereur. Si l'empereur a décidé qu'il n'y aurait pas de fenêtres, je ne vais pas, moi, pauvre général, tout près de la retraite, contrevenir à Sa volonté !

— Alors, nous devons nous résigner à vivre comme des termites ? dit Sophie. Sachez que, si vous n'intervenez pas, nos maris se laisseront mourir de faim !

Cette idée lui était venue en parlant, mais elle l'exprima avec tant de conviction, que les autres femmes en furent dupes et échangèrent des regards inquiets. Aussitôt après, comprenant qu'il s'agissait d'une manœuvre, elles épaulèrent Sophie :

— Parfaitement, Excellence ! Leur patience est à bout !

— S'ils se livrent à cette démonstration de désespoir, toute la faute en retombera sur vous !

— Le scandale sera immense, irréparable !...

Chacune y allait de son trait. Léparsky s'affola. Ces hommes étaient, en effet, capables des pires sottises. Leurs femmes — toutes des furies ! — les exciteraient au lieu de les retenir.

— Je vais, dès ce soir, dit-il, adresser un rapport à l'empereur pour lui demander l'autorisation d'ouvrir des fenêtres. Vous, de votre côté, écrivez à tous vos correspondants habituels, parents, amis, relations influentes, en leur dépeignant le pénitencier sous les couleurs les plus sombres. Je laisserai passer vos lettres. La censure les lira et en fera un compte rendu au tsar. Devant l'ampleur de la protestation, il ne pourra que donner une suite favorable à ma requête.

— Et s'il refuse ?

— Nous insisterons, par tous les moyens, jusqu'à ce qu'il soit convaincu. Mais, si vous voulez que je vous soutienne dans cette affaire, soutenez-moi aussi, dites à vos maris de rester tranquilles...

Elles promirent. L'alliance fut scellée. Pauline Annenkoff lança gaiement :

— Nicolas Bestoujeff pourrait exécuter des aquarelles représentant les intérieurs des cachots. Nous expédierions ces images, par lettre, à nos amis. Aucune description ne vaut une peinture fidèle !

— Excellente idée ! dit Léparsky. Commandez-lui donc ce petit travail de ma part. Mais qu'il choisisse bien ses cellules. S'il peint l'une des vôtres, Mesdames, il risque de susciter plus d'admiration que de pitié !

Les dames sourirent, flattées. Léparsky retrouvait la terre ferme sous ses pieds.

— Il devrait bien, par la même occasion, dessiner quelques vues de mon intérieur à moi, pour que je puisse les envoyer à Saint-Pétersbourg, reprit-il. De ma vie je n'ai été logé dans une maison aussi peu avenante !

— Que lui reprochez-vous, à cette maison ? dit Sophie. Elle est spacieuse, claire...

— Vous n'avez pas su l'arranger, voilà tout ! dit Marie Volkonsky en jetant un regard sur les lourds fauteuils alignés contre les murs et les guéridons placés comme des bornes aux quatre coins de la pièce.

— Il suffirait d'un rien ! suggéra Alexandrine Mouravieff.

Il hésitait, craignant de perdre sa dignité en acceptant leurs conseils. Elles, cependant, continuaient de promener leurs yeux sur toutes choses d'un air organisateur. Elles prenaient possession des lieux, par la pensée. Déjà Léparsky ne se sentait plus tout à fait chez lui. Il bredouilla :

— Si j'osais vous demander votre concours...

Elles ne se le firent pas dire deux fois. On commença par le bureau, puisqu'on y était, Léparsky appela quatre soldats pour aider les dames. Ce fut un beau remue-ménage. Certes, les goûts des décoratrices n'étaient pas toujours accordés et il y eut quelques discussions sur des points de détail, mais, chaque fois, elles trouvaient un compromis acceptable par toutes. Dans le feu de l'action, elles oubliaient la présence du général et parlaient de lui comme s'il eût été empêché de leur donner son avis.

— Il sera bien mieux là pour travailler, le dos à la fenêtre... Ou alors, un peu de biais... Oui !... Oui !... Parfait !... La lumière venant de la gauche... Il faudrait rapprocher ce secrétaire, pour qu'il n'ait pas à se lever s'il a besoin d'un document !...

Léparsky s'abandonnait au bonheur d'être mignoté par ces femmes qui auraient pu être ses filles ! Du bureau, on se rendit dans le grand salon, dans le petit salon, dans la salle à manger, dans la chambre à coucher, dans la chancellerie enfin, où quelques scribes suivirent d'un air contrit les chassés-croisés de leurs tables, de leurs chaises et de leurs dossiers. Partout, après le passage de la tornade, se découvrait un décor neuf et agréable. Le général marchait sur les pas de fées. « Il faudrait peut-être les inviter à souper, pour les remercier, se dit-il. Mais alors, je devrais aussi inviter leurs maris. Et leurs maris sont mes prisonniers. C'est impossible, impossible !... »

Quand l'installation fut terminée, il fit servir du champagne dans son bureau. Les dames acceptèrent de boire un doigt de vin avec lui. Elles étaient toutes roses d'avoir lutté contre les meubles. Après leur départ, Léparsky s'assit à sa table et commença son rapport sur les malfaçons dans la construction du bagne de Pétrovsk. Jamais il ne s'était montré aussi sévère pour les erreurs administratives. Parfois, il s'arrêtait, se relisait, craignait d'avoir forcé le reproche, mais, aussitôt il repensait aux dames et reprenait la plume avec énergie.

★

Léparsky envoya son rapport, les dames leurs lettres de récrimination avec quelques dessins de Nicolas Bestoujeff à l'appui, et, en attendant les réactions de Saint-Pétersbourg, la vie s'organisa tant bien que mal à Pétrovsk. La sonnerie du réveil retentissait à sept heures du matin et, pendant que les épouses se prélassaient dans leurs lits, les hommes se lavaient, s'habillaient, appelaient le gardien qui apportait du thé et du pain noir. Après avoir aidé leurs maris à balayer et à ranger la chambre, les femmes sortaient du pénitencier par un petit jour brumeux, serraient leur manteau sur leurs épaules et, furtives, frissonnantes, couraient, dans la boue, vers leurs maisons. Elles avaient hâte de revoir leurs enfants et d'achever leur toilette. N'ayant pu obtenir du général qu'il autorisât les domestiques à se rendre en prison, elles devaient, en effet, aller chercher les services de leurs caméristes à domicile.

Sophie avait loué deux pièces meublées dans l'appartement d'un ingénieur de l'usine et embauché une soubrette et un homme de peine. Elle se retirait chez elle, pendant que Nicolas était au travail avec ses camarades. Ce travail, en vérité, était encore plus vain qu'à Tchita. Pour occuper les prisonniers, Léparsky les envoyait tantôt à la fonderie pousser des wagonnets — mais les ouvriers se plaignaient de leur maladresse — tantôt au moulin — mais il n'y avait pas assez de seigle à moudre pour employer tout le monde. Alors, on se rabattait sur de petites corvées de balayage, de déblayage, de terrassement et de maçonnerie. A midi, les « princes forçats », comme on les appelait en ville, retournaient en prison pour le dîner. Là, les maris retrouvaient leurs femmes pomponnées. On prenait les repas par sections, dans les couloirs. Mais, au lieu de manger à l'ordinaire, les ménages faisaient venir des plats de leur maison. Des serviteurs les remettaient, dans des paniers couverts, au corps de garde, d'où un planton les apportait aux couples. Il ne restait plus qu'à réchauffer les gamelles sur les poêles des chambres. Tous les menus confondaient leurs fumets. On opérait des échanges à table. Les dames comparaient les talents de leurs cuisiniers respectifs. Ensuite, le planton rapportait la vaisselle sale au serviteur qui attendait dehors.

A deux heures, les prisonniers allaient travailler encore jusqu'à quatre heures et demie ou cinq heures. Puis ils se promenaient dans la cour principale, prenaient le thé, vers six heures, lisaient, à la lueur des chandelles, et, sur les huit heures, se réunissaient de nouveau pour le souper. Le couvre-feu sonnait à dix heures du soir. Le samedi, on conduisait toute la chiourme aux étuves. La distribution du courrier avait lieu le dimanche. C'était le dimanche également qu'un prêtre visitait les décembristes. Mais on ne les menait toujours pas à l'église. Les femmes y allaient pour eux et leur rapportaient des pains bénits. Une seule exception :

comme à Tchita, la veille de Pâques, ils assistaient à la messe et communiaient. Certains, parmi les plus croyants, souffraient d'être tenus à l'écart de la vie religieuse. Léparsky ne pouvait prendre sur lui de leur faciliter l'accès du sanctuaire. Mais il leur accorda d'autres concessions appréciables. A vrai dire, chacune de ses faveurs s'accompagnaient de restrictions qui en diminuaient la portée. Ainsi, ayant permis aux détenus d'avoir du papier, de l'encre et des plumes dans leur cellule, il leur défendait, comme par le passé, de correspondre directement avec leurs proches. De même, d'après lui, si les femmes avaient le droit de rester aussi longtemps qu'elles voulaient dans le pénitencier, les maris n'étaient autorisés à se rendre chez elles qu'au cas où elles étaient reconnues malades par le Dr Wolff. Il semblait que ces menus empêchements au bonheur des prisonniers fussent moins destinés à les garder dans la discipline qu'à rassurer le général sur son propre compte. C'étaient les derniers soubresauts de sa conscience professionnelle. En cédant sur ces points, il se fût, pensait-il, complètement démis de ses fonctions. Les épouses continuèrent donc à rédiger des lettres pour les forçats comme s'ils eussent été des analphabètes. Eux, cependant, redécouvraient le bonheur de noircir du papier à longueur de journée. La plupart se jetèrent dans la littérature. On écrivait des poèmes, des études historiques, politiques, sociales, des journaux intimes. Nicolas commença un exposé sur l'origine du mouvement révolutionnaire en Russie.

La bibliothèque du bagne comptait déjà près de quatre mille volumes et il en arrivait encore par chaque convoi postal. Avec l'autorisation de Léparsky, l'*artel* des prisonniers s'était abonnée à tous les journaux russes et à quelques journaux étrangers, *le Journal des Débats, le Constitutionnel, le Journal de Francfort, la Revue encyclopédique, la Revue britannique, la Revue des Deux Mondes, la Revue de Paris...* D'après le règlement établi par les décembristes eux-mêmes, chaque lecteur pouvait conserver un journal pendant deux heures et une revue pendant trois jours. Les gardiens passaient de chambre en chambre, une liste à la main, pour pointer la date et l'heure des prêts, les titres des publications, les noms des détenteurs et, au besoin, opérer l'échange des ouvrages. Les conférences reprirent, comme à Tchita, sur les sujets les plus divers. Et, comme à Tchita, les amateurs de travaux manuels ouvrirent des ateliers de menuiserie, de tournage, de reliure, de ressemelage et de couture dans les locaux de l'administration. L'*artel* s'était, entre-temps, consolidée et élargie. Les détenus les plus riches versaient dans la caisse commune des sommes considérables, afin que leurs compagnons, dont les contributions étaient moins élevées, pussent vivre sans manquer de rien. On organisa même un système d'assurance mutuelle, permettant d'attribuer un petit capital à chaque décembriste, lorsqu'il quitterait la prison pour être envoyé en résidence forcée. Toute cette comptabilité était contrôlée par une commission d'élus. Il y avait un président, un trésorier, un responsable des achats, un surveillant de la cuisine, un spécialiste du potager...

Les dames agrémentaient l'ordinaire des hommes seuls en fournissant des suppléments de nourriture à leur table. Certaines avaient acheté une ou deux vaches pour avoir du lait à volonté. D'autres faisaient un élevage de volailles dans leur jardin. D'autres encore possédaient quelques moutons, gardés par un paysan. Elles recevaient des subsides importants de leur famille, soit officiellement, soit en cachette, par l'entremise de voyageurs ou de commerçants. Sophie était parmi les moins bien partagées à cet égard. L'argent envoyé jadis par son beau-père constituait sa seule ressource. Il n'avait pas réitéré son geste, attendant sans doute qu'elle le lui demandât. Mais elle était trop fière pour s'abaisser à une pareille requête. Il n'en continuait pas moins à lui écrire régulièrement, afin de lui donner des nouvelles du petit Serge. Elle relisait souvent ses lettres pour essayer d'imaginer l'enfant qui grandissait à Kachtanovka. Mais elle ne parlait à personne de sa nostalgie. En réalité, elle n'avait jamais été encline aux confidences. Pourtant, après avoir été honnie, écartée, elle était de nouveau entourée d'amies. Son retour en grâce s'était opéré sans explication, sans transition. Peu à peu, elle avait senti que l'atmosphère se réchauffait autour d'elle et que l'estime des autres lui était rendue sans qu'elle eût rien fait pour la regagner. Un moment disloquée, la communauté des épouses se reforma, se renforça même avec les deux nouvelles venues, la baronne Rosen et Mme Youchnevsky. Celles qui n'avaient pas de maison avaient fini par se loger, comme Sophie, dans des chambres louées. Pour être le plus près possible de leurs maris, toutes avaient choisi d'habiter le long du chemin menant au bagne. Cette voie, jadis bordée de terrains vagues, était devenue le quartier général des femmes de prisonniers. Les gens de Pétrovsk l'appelaient « la rue des Dames ». La plus belle maison était celle des Mouravieff. Sophie s'y rendait fréquemment, pour bavarder avec Alexandrine. C'était avec cette personne de tête et de cœur qu'elle se trouvait le plus à l'aise. Alexandrine était en train de vivre un roman. Sa passion chaste pour le Dr Wolff était connue de tous. Léparsky ayant autorisé le médecin à sortir de prison pour visiter des malades en ville, elle pouvait le voir dans la journée, Bientôt, elle lui fit construire, près de sa maison, un petit laboratoire où il préparait ses médicaments.

Presque chaque soir, il y avait réunion dans l'une ou l'autre cellule de la section des mariés. Marie Volkonsky avait fini par tendre son cachot de soie jaune pâle et avait fait venir d'Irkoutsk deux canapés d'acajou, une bibliothèque et un tapis persan. C'était chez elle que le piano-forte de Tchita avait pris place. Après le souper et jusqu'au couvre-feu, on jouait du Gluck, du Blangini, on récitait des poèmes, on commentait les nouvelles politiques des journaux. Les rumeurs de voix, les accords de musique, allaient attrister les célibataires dans leurs retraites. Par moments, Sophie avait l'impression de participer à une réception mondaine, à Saint-Pétersbourg, dans un salon très intime. Mais l'invalide qui surveillait le couloir la tirait de ses illusions en passant sa tête par l'ouverture de la porte et en agitant son trousseau de clefs :

— C'est l'heure, Messieurs, Mesdames !

Et il enfermait chaque ménage dans sa boîte. Le verrou poussé, deux tours de clef dans la serrure et un tour de clef au cadenas. Seule avec Nicolas, Sophie parlait longtemps, dans le noir, des mille riens qui composaient leurs journées. Ils discutaient aussi de leur avenir, qu'aucun indice ne permettait de prévoir. Nicolas calculait qu'il serait envoyé en résidence forcée au plus tard dans quatre ans, en 1834. Mais Sophie persistait à croire que le tsar accorderait une remise de peine aux décembristes, à l'occasion de quelque événement bénéfique. Passé le feu des retrouvailles, elle était simplement heureuse avec Nicolas. Une chaleur douce, égale, la pénétrait, et même les heures où elle s'occupait à des tâches banales avaient un caractère de tendresse qu'elle n'avait jamais éprouvé jusqu'ici. Elle eût voulu avoir une intelligence plus aiguë, pour mieux saisir ce contentement épars dans toutes les minutes. Parfois, elle repensait à Nikita, mais comme à un rêve lointain, aimable et inconsistant. Il lui semblait qu'elle l'avait connu dans une autre vie, à une époque où elle n'avait pas encore rencontré son mari. La réalité était ici, avec Nicolas. Aucun souvenir ne valait une présence. Elle était née pour des joies matérielles, palpables. Son instinct la courbait vers la terre, vers l'homme. Combien de fois avait-elle reproché à Nicolas de se complaire dans des idées politiques fumeuses, alors qu'il y avait tant à faire, immédiatement, pour les paysans de son domaine ? C'était lui le chimérique et elle la raisonnable. Elle revenait à son vrai rôle. Après quelques hésitations, elle avait demandé à son mari de se raser de nouveau. Imberbe, il paraissait plus jeune. Il était fort et beau. La nuit, quand elle s'éveillait à ses côtés, elle se prenait à espérer encore qu'elle aurait un enfant de lui.

★

Au mois de décembre, malgré le rapport, les lettres et les dessins adressés à Saint-Pétersbourg, le tsar n'avait pas encore fait connaître sa décision au sujet du percement des fenêtres. Ces fenêtres, Léparsky en avait des cauchemars. Elles prenaient pour lui une signification mystérieuse, métaphysique. Il voyait en elles les symboles de la lumière, de l'intelligence, de la foi. Les refuser aux hommes, c'était presque aussi grave que de les priver des secours de la religion. Un gouvernement qui était partisan du mur aveugle ne pouvait être aimé de Dieu. Ce fut dans cette disposition d'esprit qu'il apprit, tout à coup, qu'un soulèvement avait éclaté à Varsovie. Enflammés par la révolution française de juillet, des conjurés polonais, étudiants, sous-officiers, officiers, avaient massacré un général, un préfet de police et mis en fuite le grand-duc

Constantin. Les négociations se révélant impossibles avec la Diète polonaise, le tsar avait chargé le feld-maréchal Diebitch, déjà vainqueur des Turcs, de franchir la frontière avec ses troupes et d'écraser les mutins. Tout en reconnaissant qu'il y avait de la folie pour ces jeunes gens à se rebeller contre l'autorité impériale, Léparsky ne pouvait oublier qu'ils étaient ses compatriotes. En tant que général de l'armée russe, il devait condamner leurs agissements, en tant que Polonais, il ne savait que les admirer et les plaindre. Curieuse coïncidence : pour eux aussi, l'affaire avait commencé au mois de décembre ! C'étaient des décembristes d'un autre genre !

Cependant, parmi les prisonniers, les opinions étaient partagées. La sympathie que la plupart d'entre eux éprouvaient pour les insurgés se nuançait de réticence, parce que les Polonais ne cherchaient pas seulement à secouer le joug du tsar, mais aussi, mais surtout, à se séparer de l'Empire. Cela, un Russe, fût-il libéral, avait du mal à l'admettre. En outre, l'honneur de l'armée était engagé dans un combat et bien des forçats se rappelaient qu'ils étaient d'anciens officiers de la garde. Nicolas prétendait que la victoire polonaise était souhaitable, car elle entraînerait, sans doute, une modification du régime en Russie.

— Nous devons mettre notre idéal républicain au-dessus de notre orgueil national, dit-il à une soirée dans la cellule des Troubetzkoï.

Cette affirmation alluma un débat très vif, mais l'orateur finit par convaincre son auditoire, ce qui remplit Sophie de fierté. A vrai dire, les débuts de la campagne d'hiver étaient si favorables aux Russes, qu'il ne coûtait rien d'espérer, en théorie un succès polonais. Dès les premiers jours de février, Diebitch refoulait l'ennemi sous les murs de Varsovie et s'arrêtait de son plein gré, comptant réduire la ville par la famine. En Russie, cependant, une grave épidémie de choléra, venue du sud, remontait vers la capitale. Les troupes étaient décimées par la maladie. Dans la population civile même, la mortalité gagnait du terrain. De tous côtés, se dressaient des cordons de quarantaine.

Ces contretemps empêchaient le départ de Mlle Camille Le Dantu pour Pétrovsk, et son fiancé, Ivacheff, se désolait. La rudesse de l'hiver, les mauvaises nouvelles politiques et l'affaire des fenêtres assombrissaient également l'humeur de Léparsky. Il ne trouvait de réconfort que dans la compagnie de ses prisonniers. Chaque jour, il leur rendait visite et s'attardait dans les cellules. Un soir, Nicolas et Sophie, qui prenaient le thé dans leur cachot, le virent arriver avec une décoration neuve parmi toutes les autres : la croix de commandeur de Saint-Vladimir. Félicité par eux, il leur expliqua, d'un air gêné, qu'il venait d'obtenir cette distinction pour avoir opéré le transfert des forçats de Tchita à Pétrovsk sans perdre un seul homme.

— Il s'en est fallu de peu que je ne sois point décoré, n'est-ce pas ? dit-il en considérant Nicolas avec insistance.

— J'aurais été navré, Votre Excellence ! balbutia Nicolas.

Léparsky haussa les épaules :

— Vous auriez eu tort. Tout cela a si peu d'importance !

Il ne le disait pas par fausse modestie. Cette marque d'estime, qu'il avait tellement désirée, ne lui procurait plus aucun plaisir. Il était même contrarié de l'avoir reçue. L'empereur le couvrait de ridicule devant les décembristes en le récompensant pour ce voyage comme pour un fait d'armes. Déjà, plusieurs de ces messieurs, qu'il avait rencontrés dans la cour, lui avaient présenté leurs congratulations avec un sourire ironique. Il se surprit à constater que, dans certains cas, leur opinion lui importait plus que celle du tsar. Il ne pouvait pourtant pas ôter cette croix de son uniforme. L'empereur en serait averti. Ce seraient la foudre, l'abîme, les ténèbres extérieures !... Mieux valait ne pas y penser.

— Toujours rien pour les fenêtres, dit-il en s'asseyant dans le fauteuil que lui offrait Nicolas. J'ai envoyé un second rapport...

— Le tsar doit avoir, pour l'instant, autre chose en tête que nos récriminations, dit Sophie. Quelles sont les nouvelles de la guerre ?

— Pas de combats importants. Les partisans harcèlent les troupes russes. Il faudra attendre le printemps pour la reprise des opérations d'envergure. C'est affreux ! Une aventure sanglante ! Sanglante et inutile !...

— Peut-être pas, Votre Excellence, dit Nicolas. Même si les insurgés sont écrasés, leur entreprise n'aura pas été vaine. Elle succède à la nôtre. Elle prépare celles de demain...

Léparsky hocha sa grosse tête à la perruque défraîchie, et grommela, poursuivant son idée :

— Ils ont mal choisi leur moment ! C'est en 1828 ou en 1829 qu'ils auraient dû agir quand nos troupes étaient occupées contre la Turquie...

Soudain, il s'aperçut qu'il prenait parti ouvertement pour les révolutionnaires et rectifia d'un ton vif :

— Bien entendu, je me place uniquement au point de vue stratégique !...

— Voulez-vous un verre de thé, Excellence ? demanda Sophie.

— Volontiers, dit-il.

C'était une heureuse diversion. Entre deux gorgées, il inspectait du regard la cellule. Des traînées d'humidité souillaient déjà les murs, le plafond avait craqué, les carreaux du poêle de faïence s'étaient disjoints.

— Tout est pourri ! soupira-t-il. Les architectes et les entrepreneurs ont demandé cher et ont construit au rabais. Ce sont eux les brigands, et c'est vous qu'on enferme !

Les chandelles grésillaient dans leurs supports de cuivre. Un vent glacé hurlait au long du corridor. Mais, dans la chambre, il faisait chaud. Sophie servit des gâteaux secs confectionnés par le cuisinier d'Alexandrine Mouravieff. Léparsky n'avait plus envie de partir. Il mangeait, buvait, se détendait, vivait la vie de famille.

— Comme c'est bien ! murmura-t-il.

— Qu'est-ce qui est bien, Excellence ? demanda Sophie.

— Votre existence ici !... Excusez-moi, vous ne pouvez pas comprendre !... Il faut avoir mon âge, ma situation, pour penser ainsi !... Un jour, vous serez tous libérés !... Vous partirez !... Je resterai seul !...

Il fit une figure consternée au-dessus de sa croix de Saint-Vladimir toute neuve. Brusquement, il envisageait avec effroi la dispersion de ses détenus. Que deviendrait-il, s'il n'avait plus personne à surveiller ?

— Nous ne sommes pas près de partir, dit Nicolas amèrement.

— Si ! si ! Vous obtiendrez une commutation de peine. Vous d'abord, puis les autres ! Dans une quinzaine d'années, il n'y aura plus un prisonnier à Pétrovsk ! Vous verrez !...

Tout en parlant, il calcula que, dans une quinzaine d'années, il serait probablement mort. Un voile passa devant ses yeux.

— Ce sera mon dernier poste, ajouta-t-il tristement.

Et il pensa : « On m'enterrera ici. Où serais-je mieux que sur cette jolie colline d'où on découvre la prison ? » Il paraissait si affligé que Sophie le gronda. Pauline Annenkoff et son mari se montrèrent dans l'encadrement de la porte ; ensuite, vinrent les Troubetzkoï, les Volkonsky, attirés par le bruit des voix. Sophie invita Léparsky à souper avec eux. Il hésita un moment, puis, comme il se fût jeté à l'eau, accepta.

La soirée se prolongea jusqu'à dix heures. Quand l'invalide vint, avec son trousseau de clefs, pour enfermer chaque ménage dans sa cellule, ce fut le général qui eut l'air puni. La sonnerie du couvre-feu le surprit dans le couloir, devant la rangée des portes closes. Il sortit, tête basse, répondit au salut des sentinelles et s'enfonça dans la nuit où tourbillonnaient des flocons de neige.

2

« Estimé Nicolas Mikhaïlovitch,

« J'ai la triste obligation de vous avertir que votre vénéré père, Michel Borissovitch, est décédé le 18 février dernier, à Kachtanovka, après avoir contracté la maladie du choléra, qui ravage notre région. Sa mort a été celle d'un chrétien, ce qui, je pense, adoucira votre peine. Dans son testament, il a pris des mesures qui ne sont malheureusement pas à votre avantage. Considérant que vous vous êtes conduit en sujet parjure et en fils indigne, et que, de la sorte, vous avez sali le nom des Ozareff, il vous déshérite et demande que sa fortune immobilière soit partagée entre sa belle-fille et son petit-fils mineur. Votre épouse étant soumise au statut des condamnés politiques ne peut, bien entendu, disposer en aucune manière de cette succession, mais je suis chargé, en qualité de maréchal de la noblesse de Pskov, de veiller sur ses intérêts et de lui verser la moitié des revenus du domaine. J'expédie donc pour elle, au général Léparsky, une somme de cinq mille deux cent dix-sept roubles, conformément au relevé ci-joint. Pour ce qui est de votre neveu, Serge, c'est son père, Vladimir Karpovitch Sédoff, qui s'occupera de son éducation. Vladimir Karpovitch s'est d'ailleurs déjà installé à Kachtanovka et a pris en main toutes les affaires de la propriété. Le Très Haut, dans son infinie sagesse, ne pouvait imaginer de solution plus satisfaisante. Je suppose que vous serez d'accord pour faire toute confiance à votre beau-frère. Il a, du reste, l'appui du gouverneur et le mien.

« Veuillez agréer, estimé Nicolas Mikhaïlovitch, l'assurance de mon distingué dévouement et de mes condoléances sincères.

« I. V. SAKHAROFF,
« Maréchal de la noblesse de Pskov. »

Sophie lisait la lettre par-dessus l'épaule de Nicolas. Ils arrivèrent ensemble à la dernière ligne et se regardèrent.

— Dieu ait son âme, murmura Nicolas. Personne au monde ne m'a voulu plus de mal que lui !

Et il se signa.

— Je n'aurais tout de même pas cru qu'il te déshériterait ! dit Sophie.

— Moi, j'en étais sûr. Il a été logique jusqu'au bout. Dans sa haine pour moi, comme dans sa faiblesse pour toi. Cet argent, nous ne devrions pas l'accepter ! Et cependant, nous l'accepterons... Nous en avons trop besoin ! C'est navrant ! C'est misérable !...

Ils restèrent muets, lui assis dans l'unique fauteuil du cachot, elle debout, appuyée au dossier. L'ombre du mort s'étendait sur eux. Nicolas, sans fermer les yeux, revoyait un visage raviné, aux favoris touffus, aux prunelles luisantes sous la broussaille basse des sourcils. Mais il n'avait plus peur de cet épouvantail en robe de chambre à brandebourgs, qui avait terrorisé sa jeunesse. Il avait beau le détester, trop de souvenirs les liaient l'un à l'autre pour qu'il ne fût pas ébranlé jusqu'aux plus tendres racines de sa vie par cette disparition inattendue. L'encrier en malachite, l'odeur de tabac, la vieille main veineuse crispée sur le pommeau d'une canne, autant de signes dont il était seul à connaître le pouvoir sur son âme. Il avait vite accepté la nouvelle de la mort, il commençait à peine à en accepter le fait. Une sensation de vide. Comme si les lignes de fantassins qui marchaient devant lui fussent tombées et qu'il se trouvât subitement à découvert, devant l'ennemi. Il pensa à Sédoff et son chagrin se changea en fureur.

— Il est arrivé à ses fins, la canaille ! grommela-t-il en froissant la lettre.

Il ne pouvait supporter l'idée que cet homme, qui avait voulu le faire chanter, qui avait révélé sa liaison à Sophie, qui avait acculé Marie au suicide, qui avait tout sali, tout gâché dans son entourage, fût aujourd'hui le maître de Kachtanovka. Comme il devait rire et triompher, lui à qui Michel Borissovitch avait interdit jadis l'entrée de sa maison ! Avec quelle volupté insolente il s'asseyait dans le fauteuil de son beau-père, parcourait son domaine, commandait ses moujiks, buvait son vin, dormait dans son lit, dépensait son argent, tirait son gibier et culbutait ses servantes ! Où était la justice divine, si celui qui était responsable des malheurs d'une famille recevait les biens de ses victimes en récompense de son forfait?

— J'aurais dû le retrouver, le provoquer en duel, le tuer, lorsque j'étais libre encore ! reprit-il.

— Quand je pense que Serge sera élevé par ce gredin ! balbutia Sophie.

— Oui ! C'est affreux ! Il faut faire quelque chose !

Sophie secoua la tête :

— Il n'y a rien à faire. Nous sommes désarmés,

Nicolas. Sédoff est le père et le tuteur légal de l'enfant. C'est donc à lui de gérer le domaine dont Serge a hérité avec moi.

— Tu peux tout de même...

— Je ne peux rien. Je suis, comme toi, déchue de tous mes droits civils. Je n'existe plus aux yeux de la Loi. Je dois m'incliner...

Il frappa ses poings l'un contre l'autre :

— Quelle ignominie ! Ah ! ma pauvre chérie ! Tu n'as pas fini de découvrir tout le mal que je t'ai fait !

Elle lui prit la main et la serra fortement, comme pour l'aider à franchir un passage difficile.

— Tais-toi. dit-elle. Le vrai bonheur n'est pas une affaire de circonstances.

— Si un jour je suis libéré, si je peux retourner en Russie...

— Tu seras si vieux que tu n'auras plus envie de te battre ! dit-elle en souriant.

Il se leva, bouleversé, les yeux humides, agrandis par une pensée intense.

— C'est vrai ! dit-il. Nous ne pouvons même pas espérer cela !...

Jusqu'au soir, il demeura dans un état de rêverie voisin de la prostration. Le lendemain, Sophie parvint à le distraire en lui parlant des achats qu'elle comptait faire avec le premier argent de succession, quelques meubles, des tapis, des gravures, des livres. Il approuvait tout. En l'intéressant à ces détails infimes, elle le rattachait au courant des jours, elle lui rendait le goût de la vie.

Alors que tout le monde avait déjà renoncé aux fenêtres, Léparsky reçut une lettre de Benkendorff, l'avisant que l'empereur accédait à la requête des détenus. Mais les croisées devaient être petites et grillagées, afin que les chambres eussent tout de même un aspect de cellules. Les travaux commencèrent au printemps. Malgré les supplications des dames, les ouvriers salirent les peintures, les tentures, et dégradèrent les meubles. Après leur départ, les cachots eurent un peu de lumière. Cependant, les ouvertures étaient placées si haut, que pour lire, les prisonniers se firent élever des estrades. Hissés sur ces piédestaux, ils avaient l'air d'être en représentation. Derechef, les épouses se plaignirent à Léparsky.

— Vous n'êtes jamais contentes ! gémit-il. Je n'ai pu que me conformer aux indications contenues dans le rapport ! Si j'avais été plus généreux dans les mesures, à la première inspection on aurait fait murer les fenêtres !

— Vous savez bien qu'il n'y aura pas d'inspection ! dit Sophie.

— C'est ce qui vous trompe, Madame ! Fiez-vous à ma vieille expérience. Il n'existe pas de coin, en Russie, qui ne subisse l'inspection, un jour ou l'autre. Et, alors, gare !...

Il rentra instinctivement la tête dans les épaules. Sophie se demanda s'il ne jouait pas à se faire peur. Elle n'était pas loin de croire qu'il y avait une part de volupté malsaine dans la crainte des fonctionnaires russes envers leurs supérieurs hiérarchiques.

Le premier soleil pénétra dans la prison par les fenêtres nouvellement percées. Au règne de la neige succéda celui de la boue. Le flanc des montagnes verdoyait, tandis que le fond de la vallée n'était qu'une vaste étendue de glaise brune et visqueuse, coupée de veules marécages. Les cheminées d'usine fumaient, noires, sous un ciel bleu tendre. Des planches avaient été jetées en travers des rues pour éviter aux piétons de s'enliser. Les roues des tarantass malaxaient une pâte sombre. Les moustiques vibraient par nuées autour des points d'eau. Déjà, les fonctionnaires arboraient leurs uniformes d'été aux vestes blanches, et quelques ombrelles à pampilles fleurissaient sur les trottoirs. Les décembristes travaillaient au moulin à bras et dans la grande cour commune, transformée en potager. Le soir, dans les groupes assemblés sur les perrons, on discutait les nouvelles de la guerre. Après une brillante offensive, l'armée russe paraissait désorientée par le caractère national de la résistance polonaise. Les insurgés s'enrôlaient en masse dans les provinces et harcelaient les troupes régulières, dont l'équipement, l'approvisionnement, le service sanitaire n'étaient pas à la hauteur des circonstances. On disait que les soldats, revêtus d'uniformes de parade, n'avaient même pas une peau de mouton à se mettre sur le dos par les nuits froides. Marches et contre-marches se succédaient sur les bords de la Vistule, sans emporter la décision. Au mois de mai, les Polonais bousculèrent la garde impériale et l'obligèrent à une retraite précipitée. La situation ne fut rétablie qu'à grand-peine, et, de nouveau, les Polonais reculèrent jusqu'aux murs de Varsovie. Le feld-maréchal Diebitch, puis le grand-duc Constantin moururent du choléra. Le général Paskévitch prit la direction des opérations. « Avec lui, ça ira tout seul ! affirmaient certains décembristes. Il a montré ce qu'il savait faire devant Erivan ! » D'autres, dont Nicolas, déploraient que la France ne soutînt pas militairement la Pologne dans le conflit. Léparsky, lui, pensait à son pays natal bouleversé, ensanglanté, aux milliers de jeunes patriotes morts sur les champs de bataille, et son visage, parfois, avait une expression de désarroi pathétique. Il lui arrivait de ne pas entendre ce qu'on lui disait, comme si une deuxième conversation, plus importante, eût retenu son oreille. Les prisonniers lui trouvaient l'air vieilli et fatigué. La grosse chaleur de l'été l'accabla davantage encore. Le teint terreux, l'œil glauque, la jambe molle, il ne sortait plus qu'au coucher du soleil. Il fit aménager le jardin qui dépendait de sa maison et invita les dames à venir y prendre le frais avec leurs enfants. De la fenêtre de son bureau, il regardait ces silhouettes en robes claires évoluer dans les allées, et son cœur se réjouissait. Sur son ordre, surgirent des plates-bandes de fleurs, des banquettes rustiques, une grotte artificielle... Il ne savait qu'inventer pour surprendre les visiteuses dans leurs promenades. Quand il ne faisait pas trop chaud, il allait échanger quelques mots avec elles, tapotait la joue des bambins et remontait dans son cabinet de travail avec l'impression de n'avoir pas perdu sa journée.

Ce fut cet été-là que deux prisonniers de la cinquième catégorie, Kuhelbecker et Répine, furent envoyés en résidence surveillée dans des villages lointains. La tristesse de ce départ fut compensée, pour ceux qui restaient, par la joie d'une arrivée. Le 9 septembre 1831, Mlle Camille Le Dantu fit son entrée à Pétrovsk dans une calèche poudreuse, démantelée, avec une femme de chambre rousse et un serf géant, portant une hache à la ceinture. Elle se rendit droit chez Marie Volkonsky, où l'attendait Ivacheff.

Toutes les dames étaient là, transportées de curiosité. Mais, au lieu de tomber dans les bras de son fiancé, la jeune fille demeura immobile, muette, pâle, les yeux pleins de larmes. Elle semblait avoir de la peine à reconnaître, dans cet homme mûr et lourd, aux traits rudes, le svelte adolescent qui l'avait séduite autrefois, et lui, de son côté, ne paraissait pas retrouver dans cette voyageuse fanée la petite gouvernante française de dix-huit ans dont il avait conservé le souvenir. Visiblement, ils étaient déçus, et comme effrayés l'un par l'autre. « Une décision prise à la légère va-t-elle les obliger à vivre ensemble, en Sibérie, jusqu'à la fin de leurs jours ? pensa Sophie. Ne vaut-il pas mieux pour eux admettre leur erreur, se séparer, retourner, lui en prison, elle à Moscou ? A la place de Camille Le Dantu, je repartirais !... »

— Camille ! s'écria Ivacheff avec un effort méritoire. Ma Camille bien aimée !...

Les yeux des dames se mouillèrent. Quelques mouchoirs s'échappèrent des réticules. Enfin, les sentiments allaient parler !

— Basile ! soupira Camille Le Dantu. Quel heureux jour !

Elle fit un pas vers Ivacheff et s'évanouit sur sa poitrine. Marie Volkonsky, prévoyant cette issue, s'était munie d'un flacon de sels. La jeune fille reprit connaissance, prononça le traditionnel : « Où suis-je ? », pleura un peu, remercia la dizaine de dames qui penchaient sur elle leurs sourires compétents et s'assit à côté de son fiancé, qui la considérait, ému, comme une ressuscitée.

Le mariage eut lieu une semaine plus tard, le 16 septembre, dans la petite église de Pétrovsk. Tous les prisonniers assistaient à la cérémonie, qui, contrairement à l'étrange union de Pauline et d'Annenkoff, à Tchita, se déroula presque normalement. Pas de fers aux pieds du futur conjoint. Mais, derrière son dos, une sentinelle. Léparsky était parrain de noces, la princesse Volkonsky, marraine. Après la bénédiction, elle offrit un souper dans sa maison de la rue des Dames aux jeunes époux et à leurs amis. La table avait été dressée dans trois pièces communicantes. La nappe, décorée de fleurs, de flambeaux, de cristaux, envoyait aux visages un reflet de fête. Quinze domestiques en blouses rouges assuraient le service. Tous les plats, hors d'œuvre, poissons, volailles, rôtis et tartes, avaient été préparés à domicile. Les vins venaient de France. Au dessert, il y eut des toasts et des discours. Léparsky présidait, ravi et congestionné, entre les deux princesses. À dix heures moins le quart, il annonça qu'il octroyait aux jeunes époux, en guise de voyage de noces, la permission de vivre ensemble, pendant huit jours, hors de la prison. Des applaudissements répondirent à cette initiative généreuse. Il salua comme un acteur. Son uniforme était déboutonné. Le champagne faisait pétiller ses yeux. Son neveu lui parla à l'oreille. Plusieurs fois, le général voulut l'écarter d'un revers de la main. Mais l'autre insistait.

— Tu m'embêtes ! grommelait Léparsky. Tu gâches tout !

Puis, comme à contrecœur, il déclara d'une voix forte :

— Messieurs, le couvre-feu va sonner dans dix minutes... Veuillez retourner dans vos cellules...

Tous les hommes se levèrent, sauf Ivacheff.

— Je suis désolé ! ajouta Léparsky en regardant les dames. Je vous assure que j'aurais préféré continuer cette petite fête !

— Nous allons avec eux, dirent les dames.

Il se frappa le front du plat de la main :

— C'est vrai ! J'oubliais ! Excusez-moi !...

Et il raccompagna tout le monde dans l'antichambre, où quatre soldats en armes attendaient les invités pour les reconduire au bagne.

Le lendemain, après le thé de six heures, les prisonniers se réunirent dans la grande cour pour débattre un problème soulevé, la veille, à l'issue de la cérémonie religieuse, par les princes Troubetzkoï et Volkonsky. Puisque les autorités refusaient aux détenus le droit de se rendre librement à la messe, ceux-ci ne pourraient-ils se cotiser pour faire construire une église dans la prison ? La dépense ne dépasserait pas douze mille roubles. L'*artel* était assez riche pour avancer cette somme. Quel retentissement dans le monde, si l'entreprise était menée à bien ! Peut-être le tsar se laisserait-il émouvoir par cet acte de piété collective ? L'exposé du prince Troubetzkoï émut aux larmes la plupart de ses auditeurs. Même ceux qui n'avaient pas beaucoup de religion paraissaient favorables à son idée. On en était déjà à discuter l'emplacement de l'édifice, quand Nicolas intervint :

— Ne craignez-vous pas qu'en construisant une église dans le pénitencier nous supprimions notre dernier lien avec le monde extérieur ? Il nous est permis, une fois par an, de nous mêler au reste de la population pour communier. Cette petite chance de participer à la vie des autres, nous allons la perdre si nous vous écoutons...

— C'est là un inconvénient secondaire en comparaison de l'immense réconfort que trouveront tous les gens pieux de notre groupe à fréquenter l'église selon leur cœur ! répondit le prince Troubetzkoï.

— Admettons !... Mais cette église, elle sera érigée en matériaux nobles, solides...

— Ah ! oui ! Nous ne voulons pas d'une bicoque de bois comme celle de Pétrovsk !...

— Votre bâtiment durera donc des années... enfin, plus longtemps que nous !... Ne pensez-vous pas que, plus nous améliorerons le pénitencier, plus l'administration aura tendance à s'en servir ?

Tous les visages se figèrent.

— C'est absurde ! s'écria le prince Volkonsky.

— Pas tant que ça ! dit Zavalichine. Il serait, en effet, monstrueux que, par excès de zèle religieux, nous aidions à transformer ce bagne provisoire en bagne définitif. Des générations de forçats seraient en droit de nous le reprocher dans l'avenir !

— Sans compter, dit Nicolas, que, si jamais une église existe dans ces murs, les gardiens relèveront le nom de ceux qui n'y vont pas ! Les athées, les libre-penseurs seront vite repérés !...

— Léparsky est incapable d'une pareille vilenie ! dit le prince Troubetzkoï.

— Je ne parle pas pour lui, mais pour le commandant qui lui succédera un jour ou l'autre ! Vous connaissez comme moi les habitudes d'investigation policière de nos dirigeants. Ils seront trop contents d'exploiter le moyen que vous leur offrez de fouiller dans nos consciences !...

Cette affirmation abaissa l'enthousiasme de la plupart. Le prince Troubetzkoï resta un instant sans réplique, puis dit sèchement :

— Il faut considérer cette entreprise non avec sa raison, mais avec sa foi !

— Je ne suis pas moins croyant que vous ! dit Nicolas.

— Ce que vous venez de dire tendrait à prouver le contraire !

— Messieurs ! Messieurs ! Un peu de calme, je vous en prie ! dit Zavalichine.

Comme il était de petite taille, il avait escaladé une pierre pour se faire voir de tous. Les cheveux longs, la barbe fluviale et l'œil inspiré, il serrait sa bible contre son cœur.

— Je ne pense pas que vous puissiez me reprocher d'être un athée, dit-il. Eh bien ! je trouve qu'Ozareff est dans le vrai. L'opinion religieuse de chacun est une affaire trop intime, trop grave, trop respectable, pour que les partisans de la construction d'une église, même s'ils sont en majorité, aient le droit d'imposer leur volonté aux autres. En agissant de la sorte, ils violeraient le principe sacré de la liberté de conscience. N'est-ce pas l'un des points pour lesquels nous avons toujours combattu ?

Ses camarades l'applaudirent, sauf une dizaine

d'irréductibles, groupés autour des princes Volkonsky et Troubetzkoï.

— Puisque vous voulez mettre de l'argent dans une œuvre pie, voici ce que je vous propose, reprit Zavalichine. L'église de Pétrovsk, vous avez pu le constater hier, croule de partout. Consacrons donc les douze mille roubles dont vous avez parlé, prince, à l'édification d'une nouvelle église qui ne sera pas réservée aux forçats, mais ouverte à tout le monde, hors de la prison. Alors, notre action aura le caractère désintéressé des vraies entreprises chrétiennes. Nous pourrons être fiers d'avoir, nous les prisonniers, les réprouvés, offert un temple aux hommes libres. Cette maison de Dieu, bâtie avec nos deniers, sera un monument durable commémorant notre séjour dans cette ville !

— Un monument durable où nous n'aurons licence de nous rendre qu'une fois par an ! observa le prince Troubetzkoï. C'est payer bien cher le droit d'aller à la messe !

— Ce n'est pas en allant à la messe que l'homme gagne son paradis !

— J'aimerais avoir l'opinion d'un prêtre sur vos paroles.

— Aucun prêtre ne peut remplacer ceci ! dit Zavalichine, les yeux étincelants, en désignant sa bible.

— Seriez-vous un protestant ? demanda le prince Volkonsky avec ironie.

— Je suis orthodoxe comme vous, mais je mets l'esprit au-dessus de la lettre, l'Evangile au-dessus des popes !

— Messieurs ! Prenez garde ! Nous nous égarons ! dit Nicolas. La question est de savoir si nous devons construire une église dans la prison ou hors de la prison ! Un point c'est tout ! Je propose de voter !

— Oui ! Oui ! Votons ! crièrent quelques voix. Autrement, on n'en sortira pas !

Youri Almazoff apporta du papier, des crayons, et passa dans les rangs avec un chapeau pour recueillir les bulletins. Le dépouillement eut lieu séance tenante et donna vingt-sept voix aux partisans de Zavalichine contre onze aux partisans de Troubetzkoï.

— C'est bon, dit le prince, je m'incline. Construisez donc une église pour les habitants de Pétrovsk. Mais je persiste à croire que votre munificence est absurde !

Pendant que les prisonniers discutaient les conséquences de leur résolution, Léparsky arriva, essoufflé, boitillant, le bicorne horizontal. Un gardien avait dû l'avertir qu'une réunion importante se tenait dans la cour. Il demanda des explications. A mesure que Zavalichine lui relatait les événements, sa figure devenait plus soucieuse sous le plumage solennel de son chapeau.

— Oui, oui, dit-il enfin, c'est une noble intention et je ne puis qu'y souscrire... Mais je ne sais si le gouverneur de la Sibérie orientale partagera mon avis... Je crains qu'il ne voie un peu de... comment dirai-je ?... d'ostentation dans votre désir de faire cadeau d'une église à la ville... Comme si elle n'était pas assez riche pour se payer ce qu'elle veut !...

— N'est-ce pas la vérité ? demanda Nicolas.

— Toutes les vérités ne sont pas bonnes à dire. Et puis, il y a quelque chose qui me chiffonne dans la façon dont vous avez décidé cela !

— Nous avons voté !

— Justement !... Il ne fallait pas... Il ne faut plus... Le vote est une habitude républicaine... Je n'aimerais pas la voir s'installer ici... Surtout quand il s'agit de trancher une question sacrée... C'est... c'est impie !... Le suffrage universel, la représentation populaire, la volonté du grand nombre... Encore un peu et vous allez jouer à l'assemblée constitutionnelle !... Laissez cela aux Français !...

Les décembristes se regardaient avec étonnement. Ils ne reconnaissaient plus leur vieux général dans ce pusillanime délégué de l'administration. Nicolas devina que Léparsky était dans un jour de scrupule et de résipiscence. Par moments, la fatigue, l'âge prenaient le dessus, et, oubliant sa générosité naturelle, il s'affolait, battait en retraite, rendossait en hâte la morale officielle que ses chefs lui avaient enseignée pendant plus d'un demi-siècle de service. Lut-il de l'ironie dans les yeux qui se fixaient sur lui ? Subitement, il se troubla et rompit les chiens :

— C'est bon, je verrai... Je ferai un rapport... J'espère que vous aurez gain de cause... Je vous salue, Messieurs...

Et il s'éloigna, un peu plus voûté qu'il n'était venu. Les prisonniers apprirent le lendemain, dimanche, en ouvrant les journaux, la capitulation de Varsovie. Sans doute Léparsky était-il déjà au courant de cette nouvelle quand il leur avait parlé, dans la cour. Une fois de plus, ils se divisèrent : il y avait ceux qui se réjouissaient parce qu'ils ne voyaient dans l'événement qu'une victoire de l'armée russe et ceux qui ressentaient comme un deuil cet échec d'une révolution libérale aux confins de l'empire. « Varsovie est aux pieds de Votre Majesté ! » avait écrit le généralissime Paskévitch dans son rapport au souverain. Le tsar, disait-on, avait reçu ce pli sur la route et, l'ayant lu, s'était agenouillé dans la boue pour remercier Dieu. Sa prière terminée, il avait dû songer au châtiment. On pouvait prévoir qu'il serait terrible.

A quelques jours de là, un service d'actions de grâces fut célébré à l'église de Pétrovsk. Tous les fonctionnaires de la ville avaient reçu l'ordre d'y assister en grande tenue. Agenouillé au premier rang, Léparsky écoutait le prêtre d'une religion qui n'était pas la sienne glorifier le Seigneur d'avoir aidé les Russes à écraser les Polonais. Il se signait et pensait : « Qu'est-ce que je fais là ? C'est une honte ! Je devrais crier, m'en aller, rendre mes décorations ! Et je ne peux pas ! Mon uniforme est plus fort que moi ! Il me colle à la peau, il me soutient, il me guide ! Si ceux de Varsovie me voyaient !... Avec ce nom : Léparsky !... Le nom de mes aïeux !... » Un chant triomphal s'enflait sous la voûte décolorée et craquelée. Des têtes serviles s'inclinaient au milieu d'un nuage d'encens. Soudain, les fidèles se relevèrent, tous ensemble. Léparsky fit comme eux. Qui pouvait le comprendre, dans cette assemblée d'automates ? Il avait mal aux genoux. Son menton tremblait. Des larmes coulaient sur ses vieilles joues.

3

Sur les onze épouses de décembristes qui habitaient Pétrovsk, il y en avait toujours une, au moins, qui était enceinte. Les accouchements se succédaient : chez les Annenkoff, chez les Volkonsky, chez les Ivacheff, chez les Troubetzkoï, chez les Rosen... A ces enfants nés en exil, près de la prison, leurs mères s'efforçaient de donner une éducation régulière. Elles avaient à cœur qu'ils fussent capables, plus tard, de prendre le rang qui leur revenait dans la société. Le tsar, pensaient-elles, n'exécuterait pas sa menace de les considérer toujours comme des descendants de forçats, comme des serfs de la Couronne. En attendant d'être réintégrés dans leurs droits, ils grandissaient tous ensemble, avec l'impression d'appartenir à une vaste famille. Les plus âgés de la bande avaient trois ans. Il ne pouvait être question de leur expliquer encore les conditions particulières de leur venue au monde. Pour eux, il était normal que leurs pères fussent enfermés la nuit dans une cellule et accompagnés, le jour, d'un gardien en armes. Chacun de ces bambins avait une telle quantité d'oncles et de tantes à aimer, qu'il s'embrouillait un peu dans ses affections. Filles et garçons jouaient, l'après-midi, dans le jardin de Léparsky : il y avait là, l'hiver, une pente de neige pour les glissades, l'été, des balançoires, des tas de sable et un bassin peu profond pour lancer des bateaux. Absorbées par l'éducation de leur progéniture, la plupart des épouses n'avaient pas le loisir de s'ennuyer. Leurs maris, en revanche, commençaient à trouver le temps long. Après une flambée de passion pour les études, certains s'abandonnaient à la rêverie, au désœuvrement, aux réminiscences malsaines.

C'étaient les célibataires qui souffraient le plus de cette existence monotone. Le manque de femmes tourmentait certains jusqu'à la déraison. A force d'interpeller des filles en allant travailler au moulin, Youri Almazoff finit par aguicher l'une d'elles, Galina, qui promit de le rejoindre dans le pénitencier. Mais comment lui ferait-il franchir la porte ? Après avoir écarté dix solutions trop audacieuses, il décida d'utiliser à cet effet la charrette du marchand d'eau. L'homme accepta, moyennant un bon pourboire. Il cacha Galina dans un tonneau vide, l'entoura de tonneaux pleins, et se présenta, comme chaque soir, à six heures, avec son chargement, au poste de garde. Les sentinelles avaient été soudoyées. Elles laissèrent entrer la voiture, tirèrent la fille de sa cachette et la conduisirent à la cellule de Youri Almazoff. Quelques célibataires s'étaient alignés sur le perron pour la voir. Les yeux écarquillés, ils se retenaient difficilement de rire. Une demi-heure plus tard, la porte de Youri Almazoff se rouvrit en miaulant et la visiteuse reparut. C'était une blonde, assez jolie, habillée en paysanne, forte de croupe et de giron. Froissée, dépeignée, elle jetait autour d'elle des regards hardis. Svistounoff, Solovief et Modzalevsky l'arrêtèrent au passage et lui parlèrent à l'oreille. Elle mordilla les perles en verre de son collier et leur lança une promesse qu'ils saluèrent par des exclamations. Entre-temps, le charretier avait déchargé les tonneaux pleins et repris les tonneaux vides de la veille. Galina s'engouffra dans l'un d'eux, fit un sourire de déesse qui remonte au ciel et se laissa coiffer par le couvercle.

Le lendemain, elle revint avec trois amies dans trois autres tonneaux. Les demoiselles ne limitèrent pas leurs faveurs aux hommes qui les avaient invitées. Elles passèrent, avec des mines confuses et des rires chatouillés, de cellule en cellule. Les célibataires leur faisaient signe, à l'envie, du pas de leur porte. Le marchand d'eau attendit qu'elles eussent satisfait toute leur clientèle avant de les rembarquer. Cette fois, des maris, ayant assisté de loin au transbordement, craignirent que leurs épouses n'en fussent averties. Quel scandale si elles apprenaient que des filles de mauvaise vie exerçaient leur commerce dans ces murs ! Pouvait-on, quand on était gentilhomme, courir le risque qu'une princesse Troubetzkoï se trouvât nez à nez, dans un couloir, avec une catin sortant d'un lit ? Annenkoff et Mouravieff firent même observer que la pratique inaugurée par Youri Almazoff, outre qu'elle était immorale, privait l'ensemble des prisonniers d'une partie de l'eau à laquelle ils avaient droit. Le nombre des fûts restant le même d'une livraison à l'autre, chaque femme dans un tonneau c'était autant de moins qu'ils avaient à boire. Soif pour soif, la leur était, disaient-ils, plus respectable que celle dont leurs camarades cherchaient l'assouvissement avec ces créatures. Nicolas, qui avait plus d'indulgence, prétendit que les grands froids allaient certainement ralentir le va-et-vient du marchand et, par conséquent, des filles qu'il transportait ; mais les neiges tombèrent, la rivière gela, les feux s'allumèrent dans les cheminées, sans que les besoins des célibataires en eau potable parussent subir la moindre diminution. En plein mois de janvier 1832, le charretier dut même, pour répondre à leurs demandes, doubler son chargement de barriques. Du coup, les maris décidèrent d'avoir une explication avec les responsables de ces désordres. La réunion se tint, à l'insu des dames, dans la resserre à outils du jardin. Ce fut le prince Troubetzkoï qui prit la parole au nom des ménages. Dès les premiers mots, il fut interrompu par Youri Almazoff :

— Pourquoi les hommes mariés auraient-ils seuls le droit de prendre du bon temps à la prison ? Pendant des années, nous avons supporté le spectacle de votre bonheur conjugal, alors que nous n'avions rien à nous mettre sous la dent ! Et maintenant que nous avons enfin trouvé le moyen de nous distraire un peu, vous venez nous faire la morale ?

Le grand nez du prince Troubetzkoï se releva d'indignation.

— Comment pouvez-vous comparer la vie digne que nous menons avec nos épouses et les rapports licencieux que vous entretenez avec ces filles de joie ?

— Tout en vous assurant de mon profond respect pour vos épouses, je ne saurais oublier qu'elles sont d'abord des femmes. N'auraient-elles que ce point commun avec les personnes qui nous rendent visite, j'estime que...

— Silence ! hurla le prince Troubetzkoï. Vos paroles constituent un outrage envers des femmes admirables, irréprochables, envers des anges ! Je ne le tolérerai pas ! Vous allez immédiatement me présenter des excuses !

— Pourquoi ? demanda le petit Youri Almazoff en blémissant de rage. Je ne vous ai pas insulté !

— Si. En vous exprimant comme vous l'avez fait, vous m'avez infligé un affront personnel !

— Ce n'est pas du tout mon avis !

— Vous refusez de reconnaître vos torts ?

— Oui !

— Dans ce cas, j'exige une réparation. Considérez-vous comme giflé, Monsieur !

— Je suis à vos ordres, prince !

Les autres décembristes suivaient cet échange de propos avec un intérêt anachronique. Tous paraissaient avoir oublié que les deux hommes qui voulaient se battre en duel étaient des forçats et qu'en fait d'armes ils ne possédaient qu'un couteau de poche soustrait à la vigilance des gardiens. Le premier, Nicolas sortit de cette aberration et murmura :

— Messieurs, messieurs, reprenez-vous, je vous en prie ! Nous sommes au bagne !

— Est-ce une raison pour que certains d'entre nous se conduisent comme des goujats ? répliqua le prince Troubetzkoï.

— Si vous craignez que les dames ne s'aperçoivent, un jour, de ce qui se passe chez nous, conseillez-leur d'habiter ailleurs, dit Svistounoff avec malice. Elles ont toutes une maison en ville !

— Ne dis donc pas de sottises ! grommela Nicolas. Ce qu'il faudrait, au moins, c'est que vous mettiez un peu plus de discrétion dans votre façon d'accueillir ces demoiselles !

— Elles arrivent dans des tonneaux. On ne peut être plus discret !

— Si encore vous n'en receviez qu'une à la fois !...

— Cela ne suffirait pas ! trancha Youri Almazoff. La prochaine livraison d'eau aura lieu demain, comme d'habitude.

Le prince Troubetzkoï renifla de dégoût.

— Venez, Messieurs, dit-il en s'adressant aux maris. Nous sommes vraiment ici en trop mauvaise compagnie !

Nicolas déplorait ce désaccord entre hommes mariés et célibataires. Jamais, à Tchita, pensait-il, une pareille animosité n'eût été possible. Là-bas, les prisonniers habitaient côte à côte, dans de vastes chambrées, sans distinction de fortune, de commodité, de condition sociale. A table, ils mangeaient ensemble les mêmes plats. Peines et joies, tout était en commun. Quiconque se plaignait de n'avoir pas un moment de solitude devait reconnaître qu'en contrepartie une affection fraternelle l'entourait du matin au soir. A Pétrovsk, les améliorations apportées au sort des décembristes n'avaient servi qu'à souligner les différences qui existaient entre eux. Tout détenu ayant maintenant sa cellule personnelle, l'avait meublée suivant ses moyens et ses goûts. Ceux qui ne recevaient pas d'argent de leurs proches logeaient dans des turnes d'une nudité monacale, ceux qui étaient plus riches se prélassaient dans des intérieurs douillets, décorés de tapis, de tableaux, de bibelots ; de deux amis condamnés pour le même crime politique, l'un était un loqueteux, l'autre portait des habits élégants. Vivant chacun chez soi, on prenait, peu à peu, l'habitude de vivre chacun pour soi. Après le règne de l'entraide commençait celui de l'égoïsme. L'installation des épouses dans le pénitencier avait aggravé encore ce danger de division. Leur seule présence dans ces murs était un ferment de jalousie et de discorde. Déjà, sous leur influence, les anciens compagnons d'armes s'assemblaient selon leur origine plus ou moins noble, leurs affinités mondaines. Les célibataires étaient excités, à leur insu, par ces jupes qui allaient et venaient dans la prison. Eussent-ils voulu rester sages, que ce mouvement continuel de femmes autour d'eux les en eût empêchés. A tout moment, elles les ramenaient à leur idée fixe. Le scandale suscité par le prince Troubetzkoï à cause de la visite des filles était la première conséquence de la désagrégation de la communauté. Nicolas attendait la suite avec inquiétude.

Le lendemain, à six heures du soir, ponctuellement, le marchand pénétra dans la cour avec sa télègue. Des soldats rigolards l'escortaient. Youri Almazoff et quelques camarades s'étaient groupés devant le hangar pour assister au dépotage. Nicolas était parmi eux. Les célibataires s'amusaient à parier sur les tonneaux contenant des filles. Le charretier venait à peine de délivrer quatre paysannes, qui faisaient bouffer leurs jupes froissées autour d'elles, quand tous les visages se figèrent dans la peur. Léparsky avait surgi à l'angle de la palissade. Qui l'avait prévenu ? Troubetzkoï ? Nicolas ne pouvait le croire. Il préférait supposer que la dénonciation émanait d'un gardien. La colère du général explosa avec tant de violence, que les visiteuses rentrèrent précipitamment dans leurs tonneaux. Il fit le tour du chariot en donnant des coups de poing dans les flancs des barriques. Certaines rendaient un son mat, d'autres un son creux, et un cri de souris s'en échappait.

— Canaille ! gronda Léparsky en saisissant le marchand d'eau par le collet.

L'homme, qui était grand, fort et barbu, se mit à trembler.

— Ma bonne foi a été surprise, Votre Excellence, balbutia-t-il. Vous savez ce que c'est : on puise de l'eau dans une rivière et les ondines viennent avec !...

Cette explication poétique eut le don d'exaspérer Léparsky.

— Est-ce que tu te moques de moi, fils de chienne ? hurla-t-il. Je ferai pousser du bois vert sur tes épaules !

Epouvanté, le cocher bondit sur son siège, fouetta son attelage et repartit, sans avoir déchargé ni ses filles ni son eau.

Quand la place fut nette, Léparsky se tourna vers les prisonniers et dit énergiquement :

— Fornicateurs et dissimulateurs ! je venais vous parler de votre église, dont le gouverneur de la Sibérie orientale a eu la bonté d'approuver le projet, et je vous trouve avec des putains !

Il cria ainsi pendant trois minutes. Puis Youri Almazoff, avec douceur et déférence, lui exposa le point de vue des célibataires, qui, disait-il, étaient des hommes comme les autres et ne pouvaient, à leur âge et dans leur condition physique, se passer de femmes.

— Vous vous en êtes bien passé jusqu'ici ! répliqua le général.

— Au prix de quelles souffrances ! soupira Youri Almazoff. Le Dr Wolff pourrait vous dire que des privations de ce genre sont néfastes à la santé des individus normaux. Puisque vous ne voulez pas laisser entrer des filles dans la prison, permettez-nous d'aller les retrouver dehors. Au besoin, faites-nous accompagner par un soldat...

Cette proposition, que Youri Almazoff lançait sans y croire, parut apaiser l'humeur du général. Dès qu'on lui parlait d'organisation, il se sentait plus à l'aise. En toute chose, c'étaient d'abord le désordre, l'irrégularité, l'improvisation qui lui déplaisaient. Avec un soldat sur ses talons, un prisonnier était excusé d'avance pour toutes ses entreprises.

— Je verrai, dit-il, j'étudierai...

Et il repartit avec cette idée dans sa tête. Une semaine plus tard, il annonça que tout prisonnier qui en ferait la demande serait autorisé à se rendre en ville, sous escorte, « chez des personnes de sa connaissance ». Les premiers jours, ce fut une bousculade parmi les célibataires à qui sortirait le plus souvent. Ensuite, leur ardeur se calma. Certains renoncèrent à leur permission. Les filles qu'ils rencontraient étaient vraiment trop décevantes. La plupart du temps, les soldats qui les avaient accompagnés passaient après eux pour le même prix. Il y eut quelques maladies que le Dr Wolff soigna avec dévouement, mais qui ne guérirent qu'à moitié.

Profitant de la licence concédée aux célibataires, les mariés réclamèrent le droit d'aller voir leurs épouses chez elles, rue des Dames. Ce que Léparsky avait accordé aux uns, il ne pouvait le refuser aux autres. Bientôt, il n'y eut plus assez de soldats pour suivre ces messieurs dans leurs déplacements. Quelques-uns reçurent la permission de se promener comme bon leur semblait, après avoir donné leur parole d'honneur de rentrer à la prison pour le couvre-feu. Puis Léparsky autorisa les ménages à passer chez eux le dimanche. Quand les maris prolongeaient ce séjour jusqu'au mardi matin, il fermait les yeux. Les cellules des sections 1 et 12 étaient presque toujours vides. En revanche, les maisons de la rue des Dames prenaient de plus en plus d'importance. Les Volkonsky avaient à présent dix domestiques, les Troubetzhoï, huit, les Mouravieff, sept. Des convois de meubles, de tapis, de tableaux arrivaient de Saint-Pétersbourg. Camille s'était fait construire, elle aussi, une « villa », selon sa propre expression. En dépit du pronostic des dames, son union avec Ivacheff était apparemment heureuse. Ils se montraient souvent bras dessus bras dessous, le regard énamouré, et répétaient à qui voulait l'entendre, qu'ils n'auraient plus rien à demander à Dieu lorsqu'il leur aurait envoyé un fils. En attendant, Camille avait acheté une vache, des poules, des lapins et s'occupait passionnément d'élevage.

On commençait à se recevoir d'un appartement à l'autre. Pourtant, les notables de la ville évitaient de se compromettre en fréquentant les demeures des décembristes. Ceux-ci restaient toujours entre eux, bien qu'entourés de la considération générale. Seul Léparsky ne craignait pas la contagion. Il était le trait d'union entre les détenus et « la société ». En vérité, l'élite de Pétrovsk — gouverneur, chef de la police, directeur de l'usine, directeur des postes, ingénieurs et scribes de premier rang — l'ennuyait. Quant aux épouses et aux filles de ces hauts fonctionnaires, il les trouvait laides, sottes, mal habillées et enflées d'une morgue provinciale. Sous les ordres de ce petit groupe administratif, vivait une population d'ouvriers libres et d'anciens forçats, employés à la fonderie. En bas, la misère, l'ignorance, en haut, la sécheresse de cœur, le manque de manières, l'absence d'idéal. Quelle différence avec le monde des prisonniers ! C'était parmi eux que Léparsky se sentait le plus à l'aise. Dans les salons de Pétrovsk, les mauvaises langues chuchotaient qu'il était amoureux des « dames de Sibérie » !

Le 24 avril, pour la sainte Elisabeth, fête de Mme Narychkine, celle-ci fit porter des invitations à tous les ménages de prisonniers et à quelques célibataires, par un valet de pied en livrée. Les épouses convinrent entre elles de s'habiller « un peu plus que d'habitude ». Sophie se contenta de revêtir sa robe « rose flamme », rehaussée, pour la circonstance, de rubans de velours noir. En pénétrant, au bras de Nicolas, dans le salon de Mme Narychkine, elle constata qu'elle était au-dessous du ton. La plupart des femmes avaient des coiffures de nattes, de fleurs artificielles et d'épis, des corsages très décolletés, des jupes de tulle ou de crêpe, semées de bouquets multicolores. Visiblement, les toilettes avaient été confectionnées en hâte, à la maison, mais toutes révélaient le souci d'éblouir. Les dames se complimentaient, s'exclamaient, jouaient du sourire, de l'œil et de l'éventail. Leur effort pour rappeler une réception à Saint-Pétersbourg était si évident, que Sophie en éprouva un mélange d'agacement et de pitié. Elle était sûre qu'en dépit de leur mascarade elles ne pouvaient se donner le change. Au fond de leur allégresse devait persister comme un goût de prison.

— Chère, votre robe est tout à fait ravissante !

— Et votre coiffure ! Il faut absolument que vous me prêtiez votre soubrette ! Elle a des mains de fée! Savez-vous ce que m'a dit la mienne ?...

Les messieurs, en frac noir et gilet blanc, avaient des mines compassées. A cause du nombre élevé des célibataires, il y avait dix hommes pour une femme. C'était une disproportion gênante, même pour celles qui aimaient être adulées.

Le général Léparsky, souffrant d'un œdème aux jambes, avait dû rester chez lui. Un petit orchestre de paysans avait pris place sur une estrade et jouait de la balalaïka en sourdine. Des valets passaient les rafraîchissements sur des plateaux. Les premières congratulations échangées, un froid tomba sur l'assistance. Personne n'avait plus rien à dire. Le sentiment d'être déguisés ôtait aux hommes leur esprit, aux femmes leur aisance. Nicolas se lança dans un débat politique avec le prince Troubetzkoï et le Dr Wolff. En France, Louis-Philippe, le roi citoyen, avait rétabli l'ordre et confisqué à son profit la victoire populaire. En Pologne, le tsar avait aboli la Diète, l'armée polonaise, l'administration indépendante, relégué les chefs de l'insurrection dans des provinces lointaines et écrasé tout le pays sous sa domination. Cette sévérité excessive n'allait-elle pas susciter de nouvelles révoltes ? Les dames protestèrent.

— Pas de discussions sérieuses ce soir !

Elles s'étaient mis en tête de danser ! Ce serait la première fois depuis la condamnation de leurs maris. Les joueurs de balalaïka s'écartèrent et le décembriste Youchnevsky s'assit à un piano. Ses doigts attaquèrent vivement une valse. Pendant un long moment, les hommes se regardèrent, embarrassés. Ils n'osaient obéir à cette musique joyeuse, comme si elle les eût invités à un sacrilège. La cause qu'ils avaient servie, le châtiment qu'ils avaient encouru, exigeaient d'eux, leur semblait-il, une dignité incompatible avec ce genre de réjouissances. Nicolas contemplait Sophie. Elle lui souriait, elle l'appelait, en silence. La lumière des candélabres dorait sa peau, avivait ses yeux.

Le prince Troubetzkoï s'inclina devant la maîtresse de maison. Ils ouvrirent le bal avec un rien de raideur dans le maintien. Tout le monde les observait, mais personne ne se décidait encore à les suivre. Youchnevsky, penché sur le piano, ajoutait à la mélodie des trilles, des arpèges, mille fioritures qui pinçaient le cœur. Soudain, oubliant le 14 décembre, la révolution, le bagne, Nicolas enlaça Sophie. Leurs pieds partirent en mesure dans une course ronde et légère. D'autres couples les rejoignirent. Bientôt, chaque dame eut son cavalier. La taille tenue, les épaules souples, le bras droit mollement étendu, Sophie se balançait, glissait avec grâce et ne quittait pas du regard le visage de Nicolas, empreint d'une expression grave et tendre. Il ne lui parlait pas, mais elle savait qu'il pensait comme elle à leur passé, à leur jeunesse, à d'autres bals, aux chances gâchées et à l'amour qui triomphe des épreuves du temps. « Comme autrefois... Presque comme autrefois... Mieux, peut-être... » Les glaces, les meubles, les flammes des candélabres, les figures des invités tournaient autour d'eux qui étaient le centre du monde. Prise de vertige, le souffle court, elle s'appuya, une seconde, à la poitrine de son mari. Il y avait en lui une force permanente qui la rassurait. Sans s'arrêter de danser, il la conduisit vers le fond de la salle. Elle se laissa tomber dans un fauteuil et renversa la tête :

— Je n'ai plus l'habitude ! dit-elle d'une voix entrecoupée.

Lui aussi était hors d'haleine, mais, par vanité, les narines pincées, les lèvres closes, il affectait de respirer calmement. Un peu de sueur perlait à son front où se gonflait une veine. Sophie s'aperçut qu'il avait mûri, vieilli, et en ressentit un étrange contentement. Comme si ce délicat flétrissement fût son œuvre à elle, comme s'il lui appartenait davantage parce qu'il avait des rides autour des yeux.

— Tu devrais faire danser la maîtresse de maison, chuchota-t-elle.

Il esquissa une grimace de gamin mal élevé et promit d'inviter Mme Narychkine à la prochaine contredanse. A ce moment, une bousculade se produisit du côté de la porte et le neveu de Léparsky s'avança parmi les danseurs. Il avait l'air si alarmé que la musique s'arrêta.

— Excusez-moi de troubler votre réunion, dit-il, mais le général Léparsky m'envoie vous prévenir que le général Ivanoff, aide de camp du ministre de la Guerre, est arrivé à l'improviste pour inspecter la prison. Il peut vouloir y aller tout de suite. Dépêchez-vous de regagner vos cellules. Vous vous changerez là-bas. Que les dames ne s'avisent pas de vous suivre ! Ce serait du plus mauvais effet ! Vite, Messieurs, vite : il y va de notre salut à tous !

Ce fut une ruée vers la sortie. La maîtresse de maison était au désespoir. Des hommes au visage bouleversé passaient devant elle, comme si le feu se fût déclaré dans son salon. Certains, même, oubliaient de lui baiser la main. Et il restait encore tant à manger, tant à boire, sur la table ! Nicolas embrassa Sophie, s'inclina devant Mme Narychkine et se précipita dehors. Heureusement, il n'y avait que la rue à traverser. Un peloton serré de fêtards, en frac et gilet blanc, défila au pas de course devant le poste de garde. Dix minutes plus tard, ils avaient tous dépouillé leurs habits de cérémonie pour redevenir des prisonniers mal vêtus.

Le général Ivanoff ne leur rendit visite que le lendemain matin. C'était un personnage si gras, si solennel et si décoré, qu'il avait de la peine à se mouvoir. Léparsky l'accompagnait, livide, un rictus de douleur au coin de la lèvre. Il boitait, mais refusait de s'appuyer sur une canne. De temps à autre, il chuchotait à l'oreille de l'inspecteur des explications qui ressemblaient à des excuses. Quand ils pénétrèrent dans la chambre de Nicolas, celui-ci se leva pour les accueillir.

— Et voici Nicolas Mikhaïlovitch Ozareff, dit Léparsky. Rien à signaler.

Il devait répéter cette formule en présentant chaque prisonnier. Son air obséquieux était pénible à voir. Nicolas l'estimait trop pour ne pas souffrir de son abaissement devant cette outre de suffisance. De quoi s'inquiétait-il ? La seule mise à la retraite qu'il pût craindre, à son âge, c'était la mort ! Mais il n'y pensait pas. Il était encore en plein service.

— A quelle catégorie appartenez-vous ? demanda le général Ivanoff.

— A la quatrième, dit Nicolas.

— Avez-vous à vous plaindre du logement, de la nourriture ?

— Nullement, Votre Excellence !

— A quoi employez-vous vos loisirs ?

— A la lecture et à l'étude.

— Quel genre d'étude ?

Léparsky avait le visage anxieux d'un père dont le fils subit un examen difficile. Il remuait les lèvres en même temps que Nicolas, comme pour l'aider à répondre correctement aux questions.

— L'histoire, la politique, la philosophie, dit Nicolas.

Le général Ivanoff se rembrunit. La graisse de sa figure devint lourde et morose.

— Ce sont de fausses sciences, dit-il. Des sciences dangereuses !

— Il s'occupe aussi de travaux manuels, dit Léparsky précipitamment. Menuiserie... petite mécanique... La plupart de nos détenus ont appris des métiers en captivité... Cela leur servira lorsqu'ils seront envoyés en résidence forcée...

— Et leurs épouses, où sont-elles ? demanda le général Ivanoff.

Un muscle se mit à trembler sous la paupière gauche de Léparsky. Il bégaya :

— Dans leurs maisons... Elles viennent ici, de temps en temps, comme le règlement les y autorise, mais d'habitude... oui... elles restent chez elles... Ces messieurs n'ont le droit de leur rendre visite qu'en cas de maladie grave... et toujours... oui, toujours, sous la garde d'un soldat !... Là-dessus, je ne transige jamais !... Tout ce qu'on veut, mais sous surveillance !...

L'inspecteur sortit sans ajouter un mot. Léparsky le suivit en claudicant. Au moment de passer le seuil, il jeta à Nicolas un regard de détresse.

Le général Ivanoff repartit le lendemain et Léparsky s'alita. Cette visite imprévue avait eu raison de sa résistance. Le cœur malade, les nerfs délabrés, il voulait écrire à l'empereur pour lui offrir sa démission. Il le dit au Dr Wolff, qui s'empressa de le répéter à ses camarades. L'affolement s'empara des prisonniers. Un autre commandant à Pétrovsk, cela signifiait pour eux, à coup sûr, le renforcement de la discipline pénitentiaire. Nicolas leur proposa de se rendre immédiatement en délégation auprès du général. Il les reçut, assis dans son lit, une veste militaire jetée sur ses épaules. Jamais il ne leur avait paru plus vieux ni plus las. Comme il n'était pas rasé depuis quelques jours, sa face, hérissée de poils blancs, semblait prise dans le givre. Il tenait une main appuyée sur son cœur et respirait difficilement.

— Il est impossible que vous nous quittiez, Votre Excellence, balbutia Nicolas. Que deviendrons-nous après votre départ ? Personne ne nous comprendra, ne nous aidera comme vous ! S'il le faut, nous ferons régner nous-mêmes la discipline que vous avez prescrite, à condition simplement que vous restiez !...

Ce discours émut Léparsky, dont toutes les rides se mirent à bouger, comme si son visage allait partir en morceaux. Des larmes séniles gonflèrent ses paupières. Il bafouilla :

— Vous êtes de bons garçons... Merci... Mais c'est au-dessus de mes forces... D'ailleurs, dans quelques jours, l'empereur me signifiera son mécontentement...

— Qu'en savez-vous ?

— Je l'ai deviné en observant Ivanoff. Il ne me disait rien, mais je lisais son rapport dans ses yeux. Peut-être, à l'heure qu'il est, mon remplaçant est-il déjà désigné ?

— Attendez au moins d'en être avisé officiellement, Votre Excellence !

— Je préfère prendre les devants.

— Par fierté ?

— Oui.

Le Dr Wolff, qui assistait à la discussion, intervint avec autorité.

— Vous n'êtes pas en état de trancher une question aussi importante ! Guérissez d'abord, vous déciderez ensuite !

Et, tourné vers ses camarades, il ajouta :

— Je vous prie de vous retirer, Messieurs. Son Excellence a besoin de repos.

Pendant un mois encore, les prisonniers vécurent dans l'angoisse. Léparsky ne quittait pas sa chambre. Chaque jour, il parlait de donner sa démission et, chaque jour, le Dr Wolff l'en dissuadait. Dans cette lutte quotidienne, les forces du malade déclinaient rapidement. Au degré de nervosité où il était parvenu, les médicaments habituels n'agissaient plus guère. Le Dr Wolff racontait que souvent le général se faisait apporter d'anciens dossiers, des témoignages de satisfaction datant des règnes de Catherine la Grande, de Paul 1er, d'Alexandre 1er, des cartes militaires aux plis déchirés par l'usage, les étalait sur son lit et les considérait d'un air hébété, durant des heures. Il revivait sa carrière, en silence.

Un dimanche matin, les prisonniers, assemblés dans la cour pour la distribution du courrier, virent paraître un revenant. Léparsky s'avançait vers eux, en s'appuyant légèrement au bras du Dr Wolff. Le général était en grand uniforme, avec toutes ses décorations sur la poitrine et l'écharpe de parade nouée autour du ventre. Sa figure était pâle encore, mais reposée. Son regard brillait d'une nouvelle jeunesse.

— Messieurs, dit-il, je tiens à vous faire savoir que l'empereur, sur le rapport du général Ivanoff, m'a adressé une lettre personnelle, pour me féliciter de l'organisation matérielle du pénitencier et de votre tenue au cours de l'inspection. Il autorise la construction de l'église à condition que les plans lui soient d'abord envoyés pour accord.

— Hourra ! cria Youri Almazoff.

Tous le soutinrent de leurs vivats. Léparsky souriait.

— J'espère que vous ne pensez plus à nous quitter, Votre Excellence ! dit Nicolas.

— On va essayer de faire encore un petit bout de chemin ensemble, grommela Léparsky en clignant des yeux.

Après son départ, le Dr Wolff confia aux prisonniers :

— Je n'y comprends rien ! Il était au plus mal, le cœur irrégulier, les jambes enflées. Il a reçu la lettre, et, comme par enchantement, l'œdème a diminué. Je l'ai vu de mes yeux ! Son vrai médecin, ce n'est pas moi, c'est le tsar !

4

La capitulation de Varsovie avait suscité chez les prisonniers l'espoir d'une prochaine amnistie. Mais aucune mesure de clémence n'avait suivi. La naissance d'un troisième tsarévitch n'avait pas davantage fléchi la sévérité de l'empereur. Maintenant, comme il fallait un but aux décembristes pour s'intéresser à l'avenir, ils se persuadaient qu'une réduction de peine leur serait accordée à l'occasion du dixième anniversaire de la révolte, le 14 décembre 1835. Encore trois ans à attendre !

L'été s'acheva brusquement par des averses glaciales et des chutes de neige. Le ciel se rapprocha de la terre. Tout Pétrovsk s'enfonça dans un hivernage lugubre. Au mois d'octobre, Alexandrine Mouravieff fit une fausse-couche, qui l'affaiblit beaucoup. Peu après, elle prit froid, se mit à tousser et s'alita avec de la fièvre. Le Dr Wolff diagnostiqua une pleurite. L'organisme de la malade était si éprouvé, qu'aucun remède ne lui apportait de soulagement. Elle soufflait petitement, par saccades, les poumons bloqués. Malgré ses précautions, au moindre effort respiratoire, un point de côté lui déchirait la poitrine. La sueur coulait sur son visage blafard, aux traits creusés, aux pommettes violacées. Bientôt, elle ne se défendit plus contre la mort. Sa lucidité était effrayante pour ses proches. Elle reçut les derniers sacrements, fit ses adieux à son mari, mais demanda qu'on laissât dormir sa fille et se contenta de serrer dans ses bras la poupée de l'enfant. Elle couvrait de baisers cette figurine de chiffons et les larmes débordaient de ses paupières. Toutes les dames assistèrent, muettes d'horreur, à son agonie. Elle eut un mot pour chacune. A Sophie, elle dit dans un halètement :

— J'ai eu si peur, autrefois, que vous ne vous sépariez de votre mari !... Vous êtes faits l'un pour l'autre !... Restez ensemble... toujours... toujours !...

Sophie avait de la peine à garder les yeux secs. C'était sa meilleure amie qui s'en allait. La seule qui l'avait comprise et défendue. Deux chandelles éclairaient la chambre. La tête de la malade retomba sur l'oreiller. Sa peau était diaphane, ses lèvres s'ouvraient sur un souffle rauque. Elle poussa un profond soupir, révulsa ses prunelles et s'immobilisa tout à fait.

Nikita Mouravieff s'abattit sur le corps de sa femme et des sanglots secouèrent ses épaules. De l'autre côté du lit, se tenait, tête basse, le Dr Wolff, qui avait tant aimé Alexandrine mais n'avait pas su la sauver. Il ferma les yeux du cadavre. Léparsky arriva trop tard. Il fallut l'aider à s'agenouiller. Longtemps, il resta ainsi, priant ou rêvant, devant cette forme de cristal et de marbre, sans âge, inhumaine, impondérable. Tout le bagne défila dans la chambre. La morte, habillée dans sa plus jolie robe, semblait voir, à travers ses paupières closes, le lent passage de ceux dont elle avait partagé le sort.

Nicolas Bestoujeff confectionna lui-même un cercueil tendu de taffetas crème. Des forçats de droit commun déblayèrent la neige et creusèrent la fosse dans le sol gelé du cimetière. Tous les prisonniers, tenant un cierge à la main, suivirent l'office funèbre. Il faisait un tel froid dans l'église, que Sophie en avait le cerveau perclus. Devant le catafalque encensé par le prêtre, elle songeait confusément à ses propres morts et regrettait de les sentir si lointains : son père, sa mère s'estompaient de plus en plus de sa mémoire, la petite Marie, enlevée très tôt, paraissait n'avoir jamais existé, Nikita lui-même, avec le temps, perdait en précision, en chaleur, en vérité humaine, ce qu'il gagnait en mystère. Seul de tous les défunts qu'elle avait connus, son beau-père, Michel Borissovitch, résistait à la lente érosion de l'oubli par son caractère brutal et son masque aux traits accusés. Elle ne le haïssait plus, mais l'évoquait parfois avec une sorte de crainte, comme s'il eût pu lui nuire encore par-delà la tombe. Après les dernières prières, six décembristes chargèrent le cercueil d'Alexandrine sur leurs épaules et sortirent dans l'air glacé. Derrière eux marchait Nikita Mouravieff, le dos rond. Sophie le regarda passer, avec un étonnement douloureux : ses cheveux avaient blanchi.

Le lendemain, Nicolas Bestoujeff entreprit d'ériger une petite chapelle au-dessus de la tombe. C'était le premier deuil qui frappait la communauté. Les femmes, qui veillaient ensemble sur l'orpheline, songeaient qu'elles aussi pouvaient disparaître, laissant des enfants en bas âge. « Que deviendront-ils sans nous ? » Cette question les obsédait toutes. Elles échangeaient des promesses solennelles, se confiaient leur progéniture les unes aux autres par testament, s'habillaient plus chaudement que d'habitude et s'alitaient au moindre malaise. Le Dr Wolff dut en gronder quelques-unes qui prenaient trop de médicaments.

Malgré la grande tristesse qui avait assombri la fin de l'année, il y eut des arbres de Noël dans toutes les demeures où se trouvaient des enfants. Les habitants de Pétrovsk allaient se promener dans la rue des Dames pour lorgner par les fenêtres les sapins ornés de friandises et d'étoiles de papier doré. Le nez collé aux carreaux, les enfants d'ouvriers enviaient les enfants de forçats.

La plus importante distribution de jouets eut lieu chez Pauline Annenkoff. Nicolas et Sophie assistaient à la fête. Un à un, les bambins endimanchés s'approchaient de la maîtresse de maison, assise près d'une montagne de paquets aux faveurs bleues et roses, recevaient leur cadeau et se précipitaient dans un coin pour le déballer. La petite Sacha Troubetzkoï venait de tomber sur son derrière en esquissant une révérence, quand, au milieu des rires, la porte s'ouvrit et Youri Almazoff parut, les yeux fous. Il agitait un journal au-dessus de sa tête comme une bannière et criait :

— Ecoutez !... Ecoutez tous !... La poste est arrivée !... Une grande nouvelle !... L'amnistie !...

Instantanément, les rires s'arrêtèrent, un cercle se forma autour du nouveau venu. Il étala sur la table un numéro de l'*Invalide russe,* du 25 novembre 1832. Le journal avait mis un mois pour parvenir à Pétrovsk. Le décret qu'il publiait datait du 8 novembre, jour où le quatrième fils de l'empereur, le grand-duc Michel Nicolaïevitch, avait été reçu sur les fonds-baptismaux. « A cette occasion, désirant donner une nouvelle preuve de Notre mansuétude aux criminels d'Etat désignés ci-dessous, nous ordonnons une diminution de leur peine... » Suivait une liste de noms. Les condamnés des trois premières catégories bénéficiaient d'une réduction de cinq ans, ceux de la quatrième catégorie, à laquelle appartenait Nicolas, devaient être immédiatement libérés et envoyés en résidence surveillée, ou, s'ils le préféraient, affectés comme simples soldats dans l'armée qui se battait au Caucase. Oppressé par la joie, Nicolas saisit la main de Sophie et la porta à ses lèvres. Autour d'eux, les femmes radieuses chuchotaient, pleuraient, se signaient, les hommes s'arrachaient le journal pour vérifier si leur nom figurait bien sur la liste. Camille, lourdement enceinte, soupirait, les mains croisées sur son ventre :

— Le bébé que je porte aura trois ans lorsque nous partirons d'ici. Ah ! Basile, élevons nos âmes vers le Seigneur !

— Cela ne fait plus que neuf ans pour nous ! disait Catherine Troubetzkoï. Et pour vous, Pauline ?

— Plus que cinq.

— Le temps passera vite !

— Dieu soit loué ! Dieu soit loué ! répétait Nathalie Fonvizine, le regard tourné vers l'icône du salon.

Tout au bonheur d'avoir reçu pour Noël ce présent inespéré du tsar, elles oubliaient les enfants qui attendaient, de leur côté, la suite des cadeaux. Filles et garçons restèrent un long moment interdits, à regarder les grandes personnes perdues dans un brouhaha de paroles, puis les plus timides commencèrent à pleurnicher, tandis que les plus effrontés s'emparaient des paquets destinés aux autres. Des batailles sournoises éclatèrent autour de la moindre poupée et du moindre sifflet de bois. Mais les cris et les larmes des petits ne dérangeaient pas les parents, qui continuaient à rire, à s'embrasser, à se congratuler, pour des raisons incompréhensibles. Comme les disputes s'aggravaient, des nounous intervinrent et emmenèrent la marmaille, ivre de sanglots, chaque combattant serrant sur sa poitrine un jouet qui, déjà, ne l'intéressait plus.

Quand tout le monde eut lu et relu le journal,

le prince Troubetzkoï suggéra de rendre visite à Léparsky pour savoir s'il était au courant de la décision impériale. Les dames étant aussi impatientes que leurs maris d'être renseignées, ce fut un groupe d'une trentaine de personnes qui prit, dans la neige, le chemin de la maison du général. Il les accueillit avec bonhomie, les félicita sur la grâce dont ils étaient l'objet, mais affirma ne connaître la nouvelle, comme eux, que par les gazettes. Dès qu'il recevrait des instructions officielles sur les lieux de résidence assignés aux quinze condamnés de la quatrième catégorie, il les en aviserait. Quelques décembristes lui dirent qu'ils voulaient s'enrôler dans l'armée du Caucase. Le prince Odoïevsky paraissait, à cet égard, le plus décidé. Il sembla à Sophie que Nicolas le considérait avec envie. Sans doute eût-il choisi, lui aussi, d'aller combattre les Tcherkesses, s'il n'avait été marié ! Une fraction de seconde, elle se dit qu'elle lui était à charge, qu'elle l'empêchait de vivre à sa guise. Mais il se rapprocha d'elle et murmura :

— Libres, Sophie, nous allons être libres ! Est-ce que tu te rends compte de ce que cela représente ?

— Oui, dit-elle, mais où nous enverra-t-on ?

— Cela n'a aucune importance ! Avec toi, je suis prêt à planter ma tente dans un désert ! Et puis, après quelques années de Sibérie, ils nous permettront de rentrer chez nous, en Russie ! Tu verras ! Aie confiance !

Ils se touchaient de l'épaule. Leurs bras pendaient l'un contre l'autre. A hauteur de leurs cuisses, leurs doigts entrelacés formaient un nœud vivant.

Léparsky fit apporter du champagne. Il avait pris l'habitude d'en boire dans les grandes occasions, malgré les remontrances du Dr Wolff. Il dit joyeusement :

— Mesdames, Messieurs, je vous propose de trinquer à la santé de l'empereur qui vient de vous prouver à tous son immense sollicitude !

Il fut seul à lever son verre. Autour de lui, les visages s'étaient refermés, comme sur un signal. Les femmes paraissaient plus hostiles encore que les hommes. Une expression de tristesse passa dans les yeux de Léparsky. De nouveau, un fossé se creusait entre lui et les détenus. Sans doute se trouvait-il dans l'unique endroit de Russie où un toast de ce genre ne pouvait rencontrer d'écho. Inutile d'insister. Il vida son verre d'un trait et le fit remplir par le planton. Cette fois, le prince Troubetzkoï dit :

— A votre santé, à vous, Stanislas Romanovitch !

Tous, faisant un pas en avant, reprirent en chœur :

— Oui, oui ! A votre santé, Votre Excellence ! Longue vie et bonheur ! Merci pour tout !

Léparsky fronça les sourcils pour cacher son émotion. Ces libéraux intraitables l'acceptaient pour maître. S'il avait été à la place du tsar, personne ne se serait révolté le 14 décembre. L'idée lui parut si étrange, qu'il craignit d'avoir trop bu. Le champagne lui piquait la langue. Ses yeux se mouillaient.

— A notre amitié ! dit-il d'une voix enrouée.

Et il choqua son verre contre les verres des prisonniers et de leurs femmes.

★

Les jours passaient, l'ordre de départ ne venait pas, et, après un élan d'enthousiasme, les condamnés de la quatrième catégorie envisageaient l'avenir avec angoisse. Ils avaient vécu si longtemps en étroite liaison de pensée avec leurs camarades, qu'ils souffraient d'avoir à les quitter, sans doute pour toujours. Au chagrin de la séparation s'ajoutait une étrange panique devant les dimensions et les lois du monde qui commençait au-delà du bagne. Dans la petite communauté fermée, chaude, fraternelle de la prison, le manque de liberté était compensé par le sentiment d'une sécurité absolue. Là, personne n'était abandonné à lui-même. A la moindre difficulté matérielle ou morale, on s'aidait entre voisins. Ceux qui avaient connu cette atmosphère de dignité, de ferveur, de générosité, d'entente politique, ne pouvaient que craindre d'être jetés, du jour au lendemain, dans la société des hommes normaux. Loin d'aguerrir les décembristes, leur existence en vase clos les avait rendus plus vulnérables. S'ils avaient beaucoup appris en lisant des livres, en écoutant des conférences, ils n'avaient guère avancé dans la science de la vie. Ils allaient se trouver dépaysés, désarmés, parmi des gens qui ne pouvaient pas les comprendre. Des gens durs et positifs, chez qui la passion de l'argent remplaçait l'amour du prochain. Des gens qui n'avaient jamais entendu parler du 14 décembre 1825 !

Nicolas repassait ces idées dans sa tête, mais n'en disait rien à Sophie pour ne pas la décourager. Elle, de son côté, faisait un effort pour paraître vaillante. Elle vendit quelques meubles et acheta des vêtements chauds. La feuille de route arriva le 15 février : destination Irkoutsk. Là, le gouverneur Lavinsky indiquerait à chacun son lieu de relégation. Léparsky s'indignait que Benkendorff n'eût pas jugé utile de l'en informer personnellement : « On dirait qu'il s'agit d'un secret d'Etat ! Se méfierait-on de moi à Saint-Pétersbourg ? » Parmi les dames, seules Sophie, Elisabeth Narychkine et Nathalie Fonvizine devaient se mettre en voyage avec leurs maris. L'ordre gouvernemental prescrivait que les départs seraient échelonnés, à raison d'un tous les deux jours.

La dernière soirée de Nicolas et de Sophie à Pétrovsk fut triste. Ils firent le tour des cellules et embrassèrent ceux qui restaient. Puis ils se rendirent chez Pauline Annenkoff, qui avait préparé un souper à leur intention. Léparsky était là, bouffi et morne, les yeux humides. Vers la fin du repas, il prit la parole pour souhaiter bonne route aux partants. Le ton était pompeux. Il avait appris son discours par cœur. Mais sa voix se cassa. Il jeta autour de lui un regard éperdu, baissa la tête et bredouilla dans sa moustache :

— Soyez heureux, mes enfants ! N'oubliez pas le vieillard dont vous avez éclairé les dernières années ! Je ne sais si j'ai pu adoucir votre séjour ici, mais j'ai fait de mon mieux !...

Il se moucha dans un grand mouchoir rouge, soupira, et reprit sa fourchette et son couteau, bien qu'il n'y eût plus rien dans son assiette. Quand on se leva de table, le prince Troubetzkoï entraîna Nicolas dans un coin et dit :

— Ainsi, nous la construirons sans vous, cette église de Pétrovsk dont vous avez défendu l'idée avec tant d'éloquence ! Ah ! si les hommes savaient combien les événements peuvent déjouer leurs desseins, ils n'entreprendraient jamais rien de considérable. Tout est mieux ainsi. Je vous envie, mon cher ! La sortie de prison, c'est une seconde naissance ! Vous allez vivre, enfin !...

— Oui, dit Nicolas, mais parmi quelle sorte de gens ? Il me semble que je n'ai plus rien de commun avec la majorité de mes compatriotes. Envoyez-moi au pôle Nord, chez les pingouins, je ne serai pas plus dépaysé !...

Le lendemain, à l'aube, Nicolas et Sophie sortirent de leur maison. Deux traîneaux attendaient devant la porte : un pour eux, l'autre pour le sous-officier Bobrouïsky, chargé de les accompagner. Pendant que les domestiques arrimaient les bagages, des lanternes se montrèrent au bout de la rue. Elles approchaient en se balançant. Conduites par Marie Volkonsky, quelques dames venaient dire un dernier adieu d'amitié aux voyageurs. Des détenus matinaux se glissèrent hors de la prison et se joignirent au groupe. Les petites flammes jaunes palpitaient dans leurs cages de verre et éclairaient, par intermittence, des visages émus. Une mousseline de neige tourbillonnait autour d'eux. Il gelait à pierre fendre. La robe des chevaux était givrée. Sophie avait de la peine à croire que ces mêmes femmes, qui pleuraient en se séparant d'elle, avaient été ses pires ennemies.

— Ecrivez-nous, Sophie !... Peut-être aurons-nous la chance d'être envoyés dans la même région que vous !... Bon voyage !... Que Dieu vous garde !...

Youri Almazoff s'approcha d'elle et chuchota :

— Permettez-moi de vous donner un baiser.

Elle le regarda, petit, maigre, les yeux sombres et brillants sous d'épais sourcils noirs.

— Je ne vous l'ai jamais dit, reprit-il, mais vous avez été souvent le prétexte de mes rêves. J'enviais, j'envie encore, Nicolas. Je vais être très malheureux de ne plus vous voir !...

Elle lui tendit sa joue, qu'il effleura du bout des lèvres. D'autres hommes l'embrassèrent. Elle se sentait faible, désemparée, prête à crier : « Nous restons ! » Nicolas l'aida à monter dans le traîneau.

— Adieu, mes amis ! dit-elle. Adieu !...

Les maisons de la rue des Dames glissèrent devant elle. Blottie contre Nicolas, sous une couverture en peau d'ours, elle regardait partir ce petit monde amical que, probablement, elle ne reverrait jamais plus. Là-bas, dans un halo de lumière, des gens enracinés agitaient la main, secouaient des mouchoirs. Le traîneau dépassa la demeure du général. Une lampe brûlait derrière les vitres de son bureau. Déjà levé ? Les chevaux marchaient au pas. Leurs clochettes sonnaient faiblement dans l'air glacé. La neige, au sol, devenait noirâtre et terne, en même temps que se précisait une odeur de fonte chaude. On approchait de l'usine. Les hautes cheminées fumaient et, parfois, crachaient au ciel des gerbes d'étincelles rouges. Des ouvriers, lanterne au poing, se hâtaient vers le porche. Ils s'écartèrent devant le traîneau. Certains ôtèrent leur bonnet. Sophie se retourna et contempla quelques secondes, avec une infinie tristesse, cette procession de vers luisants dans le petit jour. Les maisons s'espaçaient, de plus en plus pauvres et sales.

La route montait, les patins grinçaient. Vint l'église, vieillotte, enfouie jusqu'au ventre dans la neige, avec ses joyeuses coupoles, flottant dans la brume comme des ballons. Tout à côté, le cimetière. Parmi des centaines de croix rustiques, plantées de guingois dans le blanc, se dressait le caveau d'Alexandrine Mouravieff, construit en forme de chapelle, avec une image sainte au fronton et une veilleuse scintillant derrière des grilles fermées. Le cocher et Nicolas se signèrent. Le sous-officier, qui les suivait dans son traîneau, fit comme eux. Sophie inclina la tête et évoqua tendrement le souvenir de la disparue. Longtemps, elle pensa à leur amitié indécise, incomplète, puis ses idées se brouillèrent, le tintement des clochettes emplit son cerveau, et elle s'abandonna au mouvement de la course. L'attelage avait pris le trot. Nicolas entoura d'un bras les épaules de Sophie. La forêt s'ouvrit devant eux. Un poudroiement d'or traversait les branches entrecroisées. Le soleil se levait.

5

Les chevaux galopaient sur la terre gelée et leurs ombres obliques se déformaient en épousant les bosses du talus. Sophie regardait droit devant elle et n'apercevait que la plaine blanche, avec, au beau milieu, le dos du cocher, énorme, hirsute, dans sa touloupe en peau de loup. Un soleil jaune flottait dans un ciel de lait. Nicolas s'était assoupi, la tête ballante. Le traîneau venait de quitter Verkhné-Oudinsk et se dirigeait vers le lac Baïkal. Il y avait six jours qu'ils étaient en route, changeant d'attelage et de cocher à chaque relais. Leur sauf-conduit à trois cachets leur donnait le pas sur les voyageurs ordinaires. Un vent léger rasa le sol et souleva des panaches de neige. Mille paillettes scintillèrent dans l'espace et y demeurèrent en suspens. Les bornes qui jalonnaient le chemin disparurent dans un tourbillon. Le soleil se cacha. Un froid vif mordit Sophie au visage. Le cocher se retourna d'un bloc. Il s'était enroulé des chiffons autour de la figure pour ne pas avaler de poussière de neige. On ne voyait que ses yeux sous son chapeau. Il cria d'une voix détimbrée à travers son bâillon :

— Faites comme moi !... Autrement, il y aura bientôt une boule de glace dans votre poitrine !...

Sophie réveilla Nicolas. Ils se nouèrent des mouchoirs sur la bouche et se renfoncèrent sous la couverture. La bourrasque devenait si violente, qu'à deux pas des chevaux le regard se heurtait à un mur blanc. Malgré la capote de cuir baissée, la neige s'engouffrait par rafales à l'intérieur du traîneau. Dans ce néant brumeux, opalescent et glacé, l'ouragan gémissait avec une voix de femme. Pourtant, Sophie n'avait pas peur. La présence de Nicolas la rassurait.

Ils arrivèrent à la nuit tombante au relais. Un village vide, avec des monceaux de neige jusqu'au bord des fenêtres. Les chevaux se précipitèrent dans la cour de la maison de poste et s'arrêtèrent, la crinière ébouriffée, devant un perron de bois.

Dans la salle d'attente, régnaient une chaleur et une vapeur d'étuve. Une quinzaine de voyageurs. affalés sur les bancs, somnolaient dans l'odeur des bottes mouillées et de la soupe aux choux. Il n'y avait plus de chevaux. Mais le sous-officier Bobrouïsky se fâcha, montra son ordre de route à trois cachets et le maître de poste se rappela, tout à coup, qu'il lui restait un attelage frais à l'écurie. Le temps de se restaurer à la table d'hôte, d'avaler un verre de thé brûlant parfumé de rhum, et on repartit dans la nuit où dansaient de pâles phosphorescences.

D'étape en étape, les voyageurs atteignirent le Baïkal. Il était entièrement gelé, ce qui devait permettre de le traverser en traîneau. Le vent était tombé. Un soleil rouge grillait les derniers lambeaux de nuages. Les cimes des montagnes se découpaient en bleu vif sur ce flamboiement d'incendie. Leurs masses compactes entouraient l'immense miroir du lac. Une mer intérieure figée. Soixante verstes jusqu'au prochain relais. Quand le traîneau descendit de la berge et s'élança dans ce désert plat et blanc, le cœur de Sophie se serra. Elle avait entendu dire que, parfois, la carapace, à peine voilée de neige, cédait sous le poids des voitures. Conscients du danger, les chevaux volaient, l'encolure allongée, les sabots lestes. Aux cahots de la route succédait un glissement uniforme, étrange, apparenté aux évolutions des rêveurs entre ciel et terre. Lorsque le soleil fut au plus haut, toutes les couleurs disparurent et Sophie se trouva emprisonnée dans un prisme de cristal. Le froid lui mettait les os à nu. Ses narines étaient deux cornets indolores. Son haleine se condensait en vapeur. La vitesse de la course lui coupait la respiration. A plusieurs reprises, elle crut devenir aveugle dans ce rayonnement et ferma les yeux. En les rouvrant, elle découvrait le même univers inhabité, abstrait, géométrique, et, fasciné à nouveau, ne souhaitait plus en sortir. Nicolas lui tendit une gourde de rhum. Ils burent à tour de rôle, au goulot. Sophie se sentit toute remontée.

— Comme c'est beau, Nicolas ! chuchota-t-elle. Comme nous sommes heureux !

Un craquement sourd retentit. Une fente courut à la surface du lac. Le trait mince et vert avançait de biais, avec intelligence, pour barrer la route au traîneau. Le cocher fouetta ses bêtes et gagna la fissure de vitesse. Sophie se retourna, à demi morte de peur. Le deuxième traîneau était, lui aussi, du bon côté. Derrière eux, une plateforme, découpée à l'emporte-pièce, pivotait, se balançait mollement, dans un clapotis sinistre. Le cocher se signa. Au loin, se dessinait déjà le bourrelet sale du rivage. Des joncs poudrés de givre en défendaient les abords. Sophie retrouva la terre ferme avec soulagement. Toute la traversée avait duré moins de trois heures.

Au relais, la feuille de route de Bobrouïsky fit miracle, une fois de plus. Tard dans la nuit, les deux traîneaux franchirent la barrière d'Irkoutsk, où tout dormait, même les sentinelles. Où aller, à cette heure avancée ? Sans hésiter, Sophie indiqua à Bobrouïsky l'auberge de Prosper Raboudin.

Ils frappèrent longtemps à la porte avant qu'un serviteur, engourdi de sommeil, ne consentît à entre-bâiller le battant. D'une voix pâteuse, il annonça qu'il ne restait plus une chambre libre. Pendant que Nicolas parlementait avec lui, Prosper Raboudin, éveillé par le remue-ménage, apparut dans une robe de chambre mordorée, un bonnet de coton sur la tête, un gourdin à la main. En reconnaissant Sophie, son visage poupin trembla comme un plat de gelée ébranlé par une chiquenaude. Il s'écria :

— Ah ! mon Dieu ! Quelle joie de vous revoir ! Entrez vite ! Pour vous, il y aura toujours de la place ! Mais comment se fait-il qu'on vous ait laissé venir à Irkoutsk ?

— Mon mari, que voici, dit-elle, a fini son temps de bagne. On nous envoie en résidence surveillée. Nous ne savons pas encore où nous irons...

— C'est merveilleux ! dit Prosper Raboudin. Je suis très honoré, Monsieur. Avez-vous soupé, au moins ?

Sophie avoua que non. En un clin d'œil, il installa les voyageurs au bout de la table d'hôte, devant une montagne de viandes froides. Le sous-officier, par discrétion, s'assit à l'écart. Le dos rond, il dévorait avec hâte, en silence, comme s'il eût craint qu'on ne lui retirât les victuailles avant qu'il ne se fût rassasié. Prosper Raboudin ne quittait pas Nicolas des yeux, tout en questionnant Sophie sur sa vie au bagne. Elle ne pouvait se départir d'un sentiment de gêne : mille souvenirs de son premier séjour à Irkoutsk lui revenaient en mémoire. Ces murs décorés de gravures françaises, ces gros meubles, cette rampe d'escalier lui restituaient le fantôme d'un jeune serf blond, aux épaules de fer. Elle le suivait par la pensée, marchant d'un grand pas silencieux dans la maison. Prosper Raboudin savait-il seulement comment cela s'était terminé ? La fuite, l'arrestation, la mort sous le knout... Mais, oui ! On l'avait sûrement interrogé au moment de l'enquête ! Pourvu qu'il n'abordât pas ce sujet avec elle ! Il suffisait d'une allusion pour blesser Nicolas dans son amour-propre. Elle tremblait de tout perdre à cause d'un mot maladroit. Pourquoi était-elle venue dans cette auberge ? C'était le dernier endroit où elle aurait dû amener son mari. Au-dessus de la porte, un écriteau : « Il n'est bon bec que de Paris. » Sur le buffet, le reste d'une tarte qui affriolait les mouches.

— Pâtisserie française ! dit Prosper Raboudin en clignant de l'œil. En voulez-vous ?

— Non merci, dit Sophie.

Elle connaissait cette montagne de sucrerie pour y avoir goûté autrefois. Il insista :

— Un petit morceau. En souvenir !...

Elle se résigna. Il l'inquiétait par sa balourdise. Jusqu'à la fin du repas, elle parla avec un faux entrain de Tchita, de Pétrovsk, pour empêcher Prosper Raboudin d'orienter la conversation dans un sens épineux. Elle croyait déjà avoir gagné la partie, quand, profitant d'un silence, il dit ingénument :

— Au fait, vous devez m'en vouloir parce que je n'ai jamais répondu à certaines questions que vous me posiez dans vos lettres ! Mais je ne le pouvais pas sans risquer de vous nuire et de nuire à votre serf, qui m'avait quitté sans crier gare !...

— Je sais, je sais ! balbutia Sophie.

Elle glissa un regard à Nicolas. Il n'avait pas bronché ; il l'observait. Elle s'affola, pleine de honte et de colère. Et l'autre qui appuyait, avec une compassion pataude :

— Quelle affreuse tragédie !... S'il s'était confié à moi, s'il m'avait demandé conseil, je l'aurais retenu !... Mais il est parti comme un dément !... Ah ! jeunesse !... Vous avez dû en avoir bien du chagrin, ma pauvre dame !...

— Oui, dit-elle brièvement. N'en parlons plus.

Et elle pensa avec désespoir : « Il a tout gâché ! Ce soir, Nicolas ne sera plus le même ! »

— Tu dois être fatiguée, Sophie, dit Nicolas d'une voix étrange. Si nous allions nous coucher ?...

— Je vais vous conduire à vos appartements, s'écria Prosper Raboudin avec emphase.

Il les précéda dans l'escalier, poussa une porte. En franchissant le seuil, Sophie se crut revenue dans la chambre où elle avait logé autrefois. Son regard s'attacha au plancher peint en rouge, avec la crainte superstitieuse d'y voir se dessiner le corps de Nikita, tordu par la douleur. Mais les lattes parallèles refusaient le jeu. L'endroit était exorcisé. Prosper Raboudin alluma deux chandelles, souhaita une bonne nuit à ses clients et se retira sur la pointe des pantoufles.

Restée seule avec Nicolas, Sophie se mit sur ses gardes. Debout devant elle, il la dévisageait fixement. Il n'y avait pas de méfiance dans ses yeux. Mais un émerveillement tranquille. Elle sut que Nikita ne comptait plus pour lui. Aussitôt, tout devint léger dans sa tête, et elle en oublia sa fatigue. Une gaieté insolite la possédait. D'un geste brusque, elle enleva les épingles de sa coiffure. Ses cheveux tombèrent, dans un mouvement souple, sur ses épaules. Nicolas se pencha sur elle et l'enveloppa dans ses bras avec tant de force et tant de tendresse, qu'elle se sentit à la fois désirée, protégée et comprise.

★

Le lendemain, ils se présentèrent au général Lavinsky, gouverneur de la Sibérie orientale. C'était un homme de haute taille, au visage lourd et paisible. Après avoir souhaité la bienvenue à ses visiteurs et leur avoir demandé des nouvelles de ce « bon vieux Léparsky », il ouvrit un dossier sur sa table, mouilla un doigt, tourna quelques pages et dit, dans un soupir :

— Avant de vous indiquer votre lieu de relégation, je tiens à vous préciser qu'il n'a pas été choisi par moi. Le gouvernement m'a envoyé une liste de localités et j'ai dû tirer au sort entre tous les condamnés de la quatrième catégorie pour déterminer la résidence de chacun. Si cette liste avait été établie par mes soins, je n'y aurais fait figurer que des villes ou des bourgades importantes. Mais, à Saint-Pétersbourg on ne connaît pas la Sibérie. On se fie aux cartes, qui sont toutes fausses. On s'imagine qu'un petit rond noir avec un nom à côté désigne invariablement un gros village...

Sophie et Nicolas échangèrent un regard inquiet.

— Je m'empresse de dire, poursuivit Lavinsky, que vous avez de la chance ! Beaucoup de chance ! Le coin qui vous est échu, Mertvy Koultouk, au bord du Baïkal, est des plus pittoresques. Un hameau charmant, dans un site de rêve. Tous les plaisirs de la chasse et de la pêche. Vous aurez quinze dessiatines de bonne terre pour vous occuper de culture...

— Et nos camarades ? dit Nicolas. Y en aura-t-il qui viendront habiter dans les environs ?

— Ah ! non ! dit Lavinsky. J'ai des instructions pour disperser les prisonniers libérés aux quatre coins de la Sibérie. Même deux frères n'ont pas le droit de vivre ensemble. Encore heureux qu'on ne m'ait pas enjoint de séparer les ménages !

— Je ne comprends pas, murmura Sophie. Quel

danger y aurait-il à laisser de vieux amis de captivité s'installer côte à côte ?

Un sourire allongea les lèvres du général :

— Cette question dépasse ma compétence. Néanmoins, je vous ferai observer qu'on s'étiole à rester toujours en contact avec les mêmes gens. L'esprit a besoin de se rafraîchir, de s'aérer. Ne battez-vous pas les cartes avant de commencer une nouvelle partie ?

Il dressa un doigt et ajouta solennellement :

— Une nouvelle partie va commencer pour vous ! Il est bon que vous l'abordiez dans un oubli total du passé ! Vous verrez, vous serez très heureux à Mertvy Koultouk !

— Où logerons-nous ? demanda Nicolas.

— Dans la maison d'un relégué. Je l'ai déjà prévenu de mettre une chambre, et même deux s'il le faut, à votre disposition.

— Et si nous ne nous plaisons pas chez cet homme ?...

— Vous pourrez toujours vous bâtir une maison un peu plus loin. Ce n'est pas l'espace qui manque !

— Quand devons-nous partir ?

— Demain. Je vous ferai porter à l'auberge une lettre contenant toutes les instructions relatives à votre séjour là-bas. Un cosaque vous escortera jusqu'au lieu de votre résidence. Je vous conseille de faire quelques achats avant de vous mettre en route.

Lavinsky se leva. L'audience était terminée. Sophie et Nicolas se retrouvèrent, abasourdis, dans l'antichambre. Ils ne savaient s'ils devaient se réjouir ou s'inquiéter de cette affectation lointaine. Au milieu de son désarroi, Sophie se rappela le lieutenant Kouvchinoff, qui lui était venu en aide, jadis, dans ses démêlés avec l'administration locale. Elle le fit demander par le planton. En quatre ans et demi, Kouvchinoff avait pris du poids et reçu de l'avancement. Ce fut un capitaine joufflu, à la calvitie précoce et au ventre replet, qui, dix minutes plus tard, s'inclina devant Sophie. Il avait changé de bureau et trônait maintenant dans une pièce immense, sous un portrait en pied de l'empereur. Etait-ce son nouveau grade ou la présence de Nicolas qui le rendait si peu aimable ? L'air dédaigneux, il affirma n'avoir, au sujet de Mertvy Koultouk, que des renseignements très favorables et désigna, sur une carte pendue au mur, un petit point, vers le sud, non loin de la frontière chinoise :

— C'est là !

Lorsque Sophie lui demanda timidement s'il ne serait pas possible, grâce à lui, d'obtenir une résidence plus proche d'Irkoutsk, il eut un haut-le-corps et son menton rentra dans son cou :

— Les ordres de Saint-Pétersbourg ne peuvent être remis en question, Madame. Je regrette...

Elle pensa que, seule, elle l'eût retourné.

En ressortant avec Nicolas, elle fut assourdie par les carillons des églises. Nulle part, lui semblait-il, les cloches ne rendaient un son plus clair qu'à Irkoutsk. Sans doute était-ce dû au fait que, par 39° au-dessous de zéro, l'air était d'une pureté idéale. Le bleu du ciel était aussi dur que le blanc de la neige. Beaucoup de monde dans les rues. Les étalages regorgeaient de denrées hétéroclites, européennes et orientales. Il y avait des années que Sophie et Nicolas n'avaient vu de vrais magasins. Ce n'était pas dans les misérables échoppes de Pétrovsk qu'ils eussent trouvé une telle variété de marchandises. Fourrures, châles, souliers, tissus, vaisselle, tout paraissait beau à Sophie, elle avait envie de tout acheter ! Mais sa raison luttait contre sa convoitise. Elle avait préparé une liste d'emplettes nécessaires et affirmait à Nicolas qu'elle saurait s'y tenir : sucre, sel, farine, riz, thé, chandelles, ficelles, hache, pelle, couteaux... Ils couraient d'une boutique à l'autre, se concertaient à mi-voix, repartaient parce que c'était « trop cher », revenaient parce que c'était « tout de même indispensable », demandaient de livrer le paquet à l'auberge et, à peine dégagés de ce souci, faisaient des comptes, avec fièvre, devant une nouvelle tentation. Plus de deux cents roubles en assignats y passèrent. Nicolas s'effraya de la dépense. Sophie lui démontra qu'ils n'auraient pu s'en tirer à moins. Tantôt c'était lui qui était inquiet de leur avenir et elle qui le remontait, tantôt c'était elle qui avouait son peu d'enthousiasme pour Mertvy Koultouk et lui qui la grondait d'être si vite découragée.

Le lendemain, au petit jour, un jeune cosaque vint les chercher à l'auberge avec deux traîneaux. Prosper Raboudin mit Sophie et Nicolas en voiture, les emmitoufla et les nantit de provisions de bouche pour une semaine. Le cosaque, un rouquin au nez retroussé, leur annonça qu'il avait ordre de les mener à destination en quarante-huit heures.

— Connais-tu Mertvy Koultouk ? lui demanda Nicolas.

— Non, dit l'homme. Des camarades à moi y ont été. Il paraît que la route est très mauvaise. On raconte aussi qu'il y a des ours dans les parages. Mais n'ayez pas peur, je sais me servir d'un fusil !

Il monta dans le deuxième traîneau avec les bagages. Prosper Raboudin renifla deux larmes, agita son mouchoir et les attelages s'ébranlèrent.

★

D'heure en heure, la forêt de sapins paraissait plus épaisse. Le traîneau s'enfonçait dans une colonnade sans fin. Il faisait aussi froid que sur le lac Baïkal. Pelotonnée contre Nicolas, Sophie ne pouvait remuer ni ses idées ni ses membres, comme si tout en elle eût été gelé. La fixité de son esprit était telle que, même lorsqu'on changeait de chevaux aux relais, elle ne s'éveillait pas de sa torpeur. La nuit vint et ils continuèrent leur voyage, toujours en terrain boisé. Maintenant, le chemin grimpait à flanc de montagne. Pas un craquement de branche, pas un cri de bête. De temps à autre, par une déchirure de la forêt, se montrait une étoile dans un tissu de ciel bleu foncé. Les chevaux soufflaient en secouant leurs clochettes.

Exténués par l'insomnie, Sophie et Nicolas regardèrent le jour se lever. Un masque de glace adhérait à leur visage. Subitement, les arbres devinrent des squelettes d'or, des épouvantails aux robes de pourpre. Le soleil, sautant par-dessus l'horizon, cribla le sous-bois de flèches enflammées. Toutes les facettes des cristaux de neige, toutes les écailles des branches, tous les biseaux des aiguilles de sapin scintillèrent à la fois. L'air immobile s'emplit de ces mille ricochets de lumière, au point qu'il fallait cligner des yeux pour n'être pas ébloui à mort. Peu à peu, l'offensive des rayons se calma. Derrière l'étagement vertigineux des rameaux, s'étala un champ d'azur d'une pureté inimaginable. Le traîneau passa un col balayé par le vent. La descente commença, raide et grinçante. Les arbres s'espacèrent. A l'horizon, apparut une barre de montagnes. Le cocher les désigna de son fouet et cria :

— Khama Daban ! Après, c'est la Chine !

A un détour de la piste, le paysage ouvrit ses ailes et se mit à planer. Tout en bas, ce bouclier de givre, c'était le lac Baïkal. Un peu en retrait, ces quelques points noirs — des yourtes de Bouriates.

— Mertvy Koultouk, dit le cocher.

Nicolas serra la main de Sophie avec force. L'angoisse les laissait sans voix. Après des heures de glissade silencieuse, ils atteignirent le pied de la montagne, dépassèrent les tentes des indigènes et s'arrêtèrent devant une isba isolée, bâtie en rondins. Un vieux moujik, noueux, boucané, à la barbe grise, sortit sur le perron et se courba dans un profond salut.

— Soyez les bienvenus, dit-il. Le gouverneur m'a averti, la semaine dernière. Je peux vous céder la moitié de ma maison. Ma vieille et moi occuperons l'autre partie. Il ne vous en coûtera que cinq roubles par mois.

— C'est bien, dit Nicolas. D'ailleurs, nous n'avons pas le choix, n'est-ce pas ?

— Eh, non ! A moins que vous ne préfériez vous installer chez les Bouriates ?

— Vous êtes les seuls Russes ici ?

— Oui. Moi et ma femme...

Il souriait. Le stigmate des anciens forçats se creusait, rose, dans sa joue brune. Nicolas aida Sophie à descendre de traîneau. Elle se tenait difficilement sur ses jambes ankylosées. Ses oreilles tintaient. Pendant une seconde, elle resta stupéfaite devant son nouveau destin. Elle n'arrivait pas à croire que cette cabane perdue marquât la fin du voyage. Au plus fort de son doute, elle n'avait jamais imaginé une pareille solitude. Le désespoir s'empara d'elle, comme un ouragan secoue un arbre. Elle tremblait de fatigue, de déception, de peur. Les larmes l'étouffaient.

— C'est impossible, Nicolas ! balbutia-t-elle. Jamais nous ne pourrons vivre ici ! Il faut faire quelque chose !...

Il la pressa dans ses bras, si abattu lui-même, qu'il ne trouvait rien à dire pour la consoler. Une petite vieille, édentée et ridée, se montra à côté du maître de maison.

— Ma femme, Perpétue, dit-il. Moi, je m'appelle Siméon. Nous serons heureux de vous aider. Votre chambre est prête. Donnez-vous la peine d'entrer...

Sophie et Nicolas suivirent leurs hôtes et pénétrèrent dans une pièce carrée et propre, meublée d'un lit, d'une table, d'un banc et d'un coffre de bois. Une agréable chaleur coulait d'un poêle de faïence. Des peaux de loup jonchaient le plancher raboteux. Trois petites fenêtres, tendues de vessie de poisson, transformaient la lumière du jour en une irradiation jaunâtre et visqueuse. Une veilleuse palpitait dans le coin des icônes. Le cocher et le cosaque apportèrent les bagages. Mais Sophie n'eut pas le courage de les déballer. Elle s'assit sur une malle, tête basse. Perpétue lui servit un bol de thé. Elle se jeta dessus, assoiffée. Une douce brûlure se répandit en elle et calma ses nerfs. Nicolas buvait, lui aussi, à longues lampées sifflantes. Perpétue les observait de son œil malin, perdu dans un gribouillis de ridules.

— Vous verrez, dit-elle, on s'habitue très bien au pays. Mon vieux et moi, ça fait quarante ans que nous y vivons. L'impératrice Catherine la Grande, que Dieu ait son âme, avait relégué Siméon ici, après dix ans de bagne. Siméon avait tué un gars, par mégarde, à cause de moi... Je n'étais pas sans péché... J'avais des yeux qui parlaient à tout le monde... Et lui, mon Siméon, il n'aimait pas ça... Il ne connaissait pas sa force, en ce temps-là... Une bêtise de jeunesse, et on n'a pas assez de toute son existence pour la payer !... C'est vrai que, le galant, ce n'était pas n'importe qui !... Un assesseur de collège ! C'est ça qui nous a perdus !... Et vous, barine, barynia, pourquoi vous a-t-on envoyés ici ? Avec un air si aimable, vous ne devez pas avoir beaucoup de crimes sur la conscience !...

— Laisse-les donc, idiote ! dit Siméon. Tu les ennuies ! Chacun a son ver qui le ronge ! A quoi bon en parler, puisque tu n'y changeras rien ?

— Nous sommes des politiques, annonça Nicolas.
— Qu'est-ce que ça veut dire ? demanda la vieille. A qui avez-vous causé du tort ?
— A personne.
— Alors pourquoi vous a t-on punis ?
— Parce que nous voulions renverser le tsar et donner la liberté au peuple.
— Renverser le tsar ! s'écria Siméon. Dieu vous pardonne ! C'est plus grave que de tuer un assesseur de collège !
Il se signa et poursuivit :
— Une chose m'embête pour vous deux ! Que ferez-vous à la belle saison ? Ma vieille et moi, dès la fonte des neiges, nous allons loin de Mertvy Koultouk, dans les forêts, pour chasser la zibeline. Je vous proposerais bien de nous accompagner. Seulement, il y a par là-bas des mouches très mauvaises, Même avec un masque, on ne peut pas s'en protéger Nous autres, nous avons la peau tannée. Mais vous, en huit jours elles vous donneraient la fièvre de la mort !
— Combien de temps restez-vous absents d'habitude ? dit Nicolas.
— Des mois et des mois, jusqu'à la fin de l'automne. Après, nous passons par Irkoutsk pour vendre les fourrures, payer la taxe, acheter des provisions. Oui, bien que relégués nous avons le droit de nous déplacer un peu. Aux premiers froids, nous retournons dans notre maison. C'est comme ça !...
Nicolas pensa que la vie à Mertvy Koultouk serait plus supportable sans Perpétue et Siméon, qui devaient être de braves gens, certes, mais trop simples pour ne pas se révéler ennuyeux à la longue. La solitude plutôt que la promiscuité !
— Eh bien ! dit-il, en vous attendant, nous garderons l'isba et cultiverons nos quinze déssiatines de terre !

— Vous êtes courageux ! dit Perpétue. Dieu vous aidera. Mais faites attention : l'été, il y a tous les bagnards évadés, tous les *varnaks,* qui descendent de la montagne et passent par ici.

— Ce ne sont pas de mauvais bougres, observa Siméon. Ils demandent simplement qu'on les nourrisse. Si on leur refuse le pain, bien sûr, il leur arrive de piller, de brûler les maisons !...

— Et encore, s'exclama Perpétue, c'est très rare ! Nous autres, nous n'avons jamais eu de démêlés avec eux. Il est vrai que, maintenant, je suis vieille. Ils ne me regardent même pas. Autrefois, je me cachais. Je vous conseille d'en faire autant, barynia ! Belle et fraîche comme vous êtes, vous leur mettriez le feu du diable dans les veines ! Et alors, gare !...

Elle rit à petits hoquets pointus, dans un sautillement de verrues. Nicolas jeta un regard sur Sophie. L'idée qu'elle pût être molestée par des brigands l'emplit d'horreur. Il s'imagina, surpris en pleine nuit, assommé, ligoté, assistant au viol de sa femme. L'épouvante de la scène dut se refléter dans ses yeux, car Perpétue reprit avec bonhomie :

— Ne vous inquiétez donc pas, barine ! Si vous croyez en Dieu, il ne vous arrivera rien de mal. Le meilleur moyen pour vivre en paix, à Mertvy Koultouk, c'est de placer une icône au-dessus de la porte et une cruche d'eau avec un pain sur le perron. Les *varnaks* mangent le pain, boivent l'eau, se signent, passent leur chemin. Et tout le monde est content !

Pendant qu'elle parlait, Nicolas se précipita dehors à la recherche du cosaque. Il le trouva jouant aux cartes, dans un appentis, avec le cocher.

— Quand dois-tu repartir ?

— Demain matin.

— Je te donnerai une lettre pour le général Lavinsky.

Dix roubles glissés dans la main du cosaque affermirent son zèle. Nicolas revint dans la chambre, où Sophie ouvrait la grande malle. Dès qu'elle en eut tiré l'encrier, les plumes, le papier, il s'installa pour écrire. Il lui paraissait évident qu'en l'expédiant avec sa femme dans cet endroit écarté, Lavinsky ignorait à quels dangers il les exposait l'un et l'autre. Dans un style ferme, il peignit au général les inconvénients de Mertvy Koultouk, insista sur la solitude du lieu, les difficultés de ravitaillement, la menace des *varnaks,* et conclut en sollicitant, au nom de la charité la plus élémentaire, un prompt changement de résidence :

« Je n'aurais pas osé me plaindre à vous, Votre Excellence, si j'étais célibataire, mais j'ai trop le souci de la tranquillité, de l'honneur, de la vie de mon épouse, pour taire l'angoisse qui m'étreint devant les épreuves qui l'attendent ici. »

Sophie approuva les termes de la lettre et convint avec Nicolas que Lavinsky ne resterait pas indifférent à leurs doléances. Ils étaient arrivés à ce degré d'anxiété et de fatigue où l'esprit, ayant volé dans tous les sens, accepte n'importe quel espoir pour se percher dessus et prendre du repos.

Perpétue leur prépara le souper : choux aigres, pain noir et lait caillé. Ils mangèrent avec appétit et se couchèrent tôt. Serrés l'un contre l'autre, ils se sentaient seuls au monde et vulnérables comme des enfants. La maison craquait dans le froid de la nuit. Au moindre bruit, Sophie se hérissait de peur. Malgré son épuisement, elle ne put fermer l'œil jusqu'à l'aube.

Le lendemain, Nicolas remit la lettre au jeune cosaque et les deux traîneaux partirent, au son des clochettes. Debout sur le perron, Sophie les regarda s'éloigner, toute songeuse. La veille, stimulée par Nicolas, elle avait pu croire que leur requête avait quelque chance d'aboutir. Maintenant, au grand soleil, elle mesurait l'absurdité de cet appel, lancé du fond du désert vers un personnage inaccessible. Quand le dernier traîneau eût diminué jusqu'à disparaître dans le blanc de la neige, elle eut l'impression qu'il n'emportait aucun message, que Nicolas n'avait rien écrit, que tout cela n'était qu'un rêve dont elle s'éveillait à l'instant.

6

D'après Siméon, un sous-officier de liaison venait chaque mois d'Irkoutsk pour apporter le courrier et inspecter les lieux. Mais six semaines s'écoulèrent sans qu'aucun messager ne se montrât. Vraisemblablement, il n'y avait pas de lettres pour les relégués. Nicolas comprit que sa requête resterait toujours sans réponse. Jamais, ni à Tchita ni à Pétrovsk, il n'avait eu à ce point conscience d'être coupé du monde. Il n'osait exprimer le fond de sa pensée pour ne pas attrister Sophie, mais une angoisse l'étreignit à l'idée que, peut-être, dans trente ans, dans quarante ans, ils seraient deux vieillards, installés dans une cabane, au bord du Baïkal, racornis, solitaires, oubliés de tous, comme Siméon et Perpétue.

Cependant, Sophie avait pris vaillamment son parti de la vie rude et monotone de Mertvy Koultouk. Elle s'occupait du ménage avec Perpétue, tandis que Siméon enseignait à Nicolas l'art de consolider une toiture, de réparer un traîneau, de pêcher dans un trou de glace et de poser des collets. Les journées passaient vite et la sympathie grandissait entre les deux couples. Après s'être sentis très différents de leurs hôtes par la naissance et l'éducation, après avoir même souhaité leur départ, Sophie et Nicolas apprenaient à les aimer dans leur simplicité tranquille. Siméon et Perpétue n'étaient pas des paysans ordinaires. Originaires, tous deux, de la province de Nijni-Novgorod, ils y avaient vécu longtemps en cultivateurs libres, sur un lopin de terre qui était à eux. Leurs biens avaient été saisis et vendus après le procès. Quand le mari avait terminé son temps de bagne, la femme l'avait rejoint à Mertvy Koultouk. Ils étaient sans nouvelles de leurs trois fils et de leurs deux filles, laissés au pays et qui tous, maintenant, devaient avoir passé la quarantaine. Comme ni elle ni lui ne savaient tenir une plume, ils se contentaient d'imaginer ce qu'étaient devenus leurs enfants. Sophie se proposa pour écrire à leur place au village. Mais ils refusèrent : « Lorsque la vie a pris un pli, il ne faut pas le déranger. Le mieux, c'est encore qu'on nous oublie. » A vieillir ensemble, face à face, dans un complet isolement, ils avaient fini par se ressembler. Leurs caractères s'étaient polis, arrondis, en s'usant l'un contre l'autre, comme les galets du lac. Ce que l'homme disait, la femme aurait pu le dire, et vice-versa. Jamais ils n'étaient pressés par le temps. A l'âge où tant d'autres regrettent leur jeunesse, ils donnaient l'impression d'avoir tout l'avenir devant eux. Rien ne les effrayait dans le monde : ni la solitude, ni le froid, ni les brigands, ni les loups, ni les fièvres, puisque ces choses avaient été voulues par Dieu. Dans un univers qu'ils voyaient pur comme aux premiers jours de la création, le travail même ne leur semblait pas une pénitence. « Regarde les montagnes et tu te sentiras riche ! » avait coutume de dire Perpétue.

Le soir, les deux ménages se réunissaient pour souper à la même table. Siméon racontait des histoires de chasse, Sophie évoquait des souvenirs de la rue des Dames. Ses hôtes l'écoutaient avec admiration citer des noms de princes et de princesses. Elle entraînait son auditoire dans un conte de fées. Subjuguée par son propre récit, elle avait l'illusion de relater la période la plus heureuse de sa vie. Que n'eût-elle donné pour voir le vieux Léparsky entrer tout à coup dans l'isba, son chapeau à plumes sous le bras, l'œil sévère et la moustache souriante ? Elle songeait à lui comme à un père. Et les autres, qu'étaient-ils devenus ? Le Dr Wolff, Youri Almazoff, Pauline Annenkoff, Marie Volkonsky... Tant de monde autour d'elle, et, soudain, plus personne ! Elle avait écrit des lettres à toutes les dames et attendait la visite du sous-officier d'Irkoutsk pour les lui remettre. Mais, avec le temps qui passait, ce sous-officier se transformait en une figure mythique, qu'on espérait toujours et qui ne venait jamais.

Vers la mi-avril, la température se radoucit, la neige mollit, s'étoila. Siméon et Perpétue se préparèrent à partir. Elle enfouissait des provisions dans des sacs, lui, nettoyait son fusil, aiguisait ses couteaux, suiffait des ficelles et coulait des balles. La neige fondit par plaques autour de l'isba. L'herbe se redressa. Des ruisseaux chantèrent. La nuit, quand tout était silencieux, on entendait craquer la glace sur le Baïkal. La dernière soirée des deux vieux à la maison fut triste. Ils renouvelèrent leurs recommandations et leurs bénédictions à ceux qui restaient. On but un verre de vodka que Siméon avait fabriquée lui-même. Il laissa le tonnelet à Nicolas, ainsi qu'un pistolet et une hache.

Le lendemain, à l'aube, les deux voyageurs, emmitouflés de fourrures, chargés de sacoches, de cordes et de paquets, se hissèrent sur leurs chevaux. Perpétue portait des pantalons de cuir et montait à califourchon. Son visage aux plissures de pruneau sec disparaissait à demi sous une énorme toque de renard. Elle souriait, un trou noir au milieu de la denture :

— Que Dieu vous garde ! On se reverra en hiver !

— Bonne chasse ! cria Sophie. Au revoir !

Une amertume lui venait dans la gorge. Les chevaux partirent sur le sentier boueux. Longtemps, Sophie suivit du regard ces deux étranges cavaliers, si vieux de face et si jeunes de dos. Ils trottaient dans un paysage déshabillé de ses neiges, où les derniers lambeaux de blancheur cédaient sous la pression des fleurs sauvages. Quand ils furent loin, Nicolas rentra avec Sophie dans la maison. Ils tombèrent dans les bras l'un de l'autre. Et la vie leur parut soudain plus difficile.

★

Nicolas renonça vite à défricher les quinze déssiatines de terre que le gouverneur lui avait alloués et se contenta de remettre en état le petit potager de Siméon. Pour varier l'ordinaire, il prenait du gibier au piège ou allait pêcher dans le Baïkal avec les Bouriates. Le lac l'attirait, le fascinait. Il aimait se promener au bord de l'eau, bavarder avec les indigènes et les aider à réparer leurs filets. Chaque fois qu'il s'embarquait avec eux, c'était pour lui une fête. Sophie l'enviait d'être resté si enthousiaste, malgré les épreuves et les années. La vie au grand air lui convenait. Il avait le teint bronzé, la démarche souple, l'œil clair. Elle se surprenait à penser qu'il avait embelli en mûrissant. Au crépuscule, il se barricadait dans l'isba avec elle, après avoir déposé du pain et une cruche d'eau sur le perron, à l'intention des *varnaks*. Souvent, la nuit, elle s'éveillait en sursaut : quelqu'un marchait autour de la maison. Transie de peur, elle touchait l'épaule de Nicolas. Il se dressait sur son séant et, sans allumer la chandelle, écoutait à son tour : c'était le vent dans les arbres, ou la pluie sur le toit, ou un oiseau nocturne poussant son cri d'angoisse. Pourtant, un matin, en ouvrant la porte, ils constatèrent que le pain avait disparu et que la cruche était vide. Le sang se glaça dans les veines de Sophie. Elle regardait des traces de pas dans la boue, devant le perron, et tremblait. Plusieurs nuits de suite, elle ne put dormir. Mais les fuyards, dont elle redoutait l'incursion. devaient passer ailleurs. Les provisions qu'elle leur destinait restaient intactes. Puis de nouveau, un jour, elle ne retrouva ni le pain ni l'eau. Elle finit par s'habituer à ces visiteurs discrets. Ils revinrent fréquemment. Elle songeait à eux avec une crainte mêlée de curiosité, comme aux bêtes de la forêt qui s'aventuraient, elles aussi, jusqu'au seuil de la porte.

Le 23 mai, un sous-officier de liaison arriva enfin d'Irkoutsk avec le courrier. Il apportait une lettre du général Lavinsky avisant Nicolas que sa demande de changement de résidence avait été transmise par la voie hiérarchique à Saint-Pétersbourg, et une lettre du maréchal de la noblesse de Pskov envoyant à Sophie mille roubles de revenus et de bonnes nouvelles de son neveu. Elle voulut absolument garder le messager à souper. Il était jeune, sot et infatué. Mais c'était un visage neuf. Il venait de la ville. Deux jours auparavant, il avait vu des maisons, des magasins, des passants ! Elle l'interrogea avec avidité. Puis elle lui expliqua en détail pourquoi elle désirait quitter Mertvy Koultouk, comme si ce personnage dérisoire avait pu appuyer sa requête. Il écoutait d'un air important et buvait comme quatre. On le coucha, ivre-mort, dans le lit de Siméon. A son réveil, Sophie lui remit toutes les lettres qu'elle avait préparées pour les dames de Pétrovsk, plus une nouvelle protestation de Nicolas, adressée, cette fois, à Benkendorff. L'homme jura, l'œil mi-clos et le teint brouillé, de revenir, jour pour jour, dans un mois. Une fois dans sa voiture, il se rendormit.

Après le départ du sous-officier, Nicolas poussa un soupir de soulagement. Il avait eu peur que cet imbécile, en s'attardant à Mertvy Koultouk, ne lui fît manquer sa partie de pêche. Sophie eut beau lui dire que le ciel était à la pluie, il répliqua que, par mauvais temps, l'esturgeon se laissait mieux prendre. Elle l'accompagna jusqu'au village de tentes et le regarda monter dans une barque à voile, avec quatre indigènes vifs et grimaçants comme des sapajous. Il lui promit d'être de retour avant la tombée de la nuit. Le bateau s'éloigna en dansant sur des vaguelettes courtes et crêtées d'écume. Debout à la poupe, les cheveux ébouriffés, la face brune déchirée par un rire blanc, il agitait la main, il paraissait encore plus grand parmi les Bouriates qui étaient tous de petite taille. Sophie répondit à son geste aussi longtemps qu'elle put le voir.

Lorsqu'il fut loin, elle passa d'une yourte à l'autre, échangeant quelques mots aimables avec les habitants. Une soixantaine de Bouriates, répartis en huit familles. Il était difficile d'entrer en contact avec eux. Outre qu'ils baragouinaient à peine le russe, ils semblaient insensibles aux séductions de la propreté et de l'intelligence. Vivant comme dix siècles auparavant, ils appréhendaient tout ce qui risquait d'améliorer leur sort. Les femmes surtout considéraient Sophie avec méfiance, quand elle s'intéressait à leurs enfants. Elle les trouvait gracieux, amusants, étranges, avec leurs faces rondes et jaunes, leurs yeux bridés, leur air grave. Elle leur confectionnait des poupées de chiffons. Ils les acceptaient, mais elle ne les voyait jamais jouer avec. Le seul être à qui elle pût parler presque normalement était le vieux Vaoul, le chef de la tribu. Il était petit, borgne, avec un mufle tout plissé autour d'une large bouche, aux dents enduites de laque noire. Elle s'attarda sous sa tente. On y respirait cette odeur de viande avariée, de crasse et de sueur, caractéristique des campements mongols. Vaoul fumait une pipe en argent. Elle dut accepter d'en tirer trois bouffées. Lorsqu'elle lui eut rendu sa pipe, il dit :

— Maintenant, tu es de ma maison. Viens quand tu veux. Avec moi, il ne t'arrivera rien de mal. Tu sais, je suis un peu *chaman* : je parle avec les esprits de la terre et de l'eau...

Elle le remercia et rentra chez elle, où elle pensait avoir beaucoup d'ouvrage en retard. Mais, une fois dans sa chambre, elle ne sut plus que faire. Nicolas avait laissé sur la table un cahier où il consignait ses réflexions politiques. Elle le feuilleta avec l'attendrissement d'une mère penchée sur le journal intime de son fils. Elle le retrouvait si bien à travers cette prose ! Rien de fripé, rien d'usé dans ses idées. Comme jadis, il croyait au triomphe final de la liberté sur le despotisme, à la prédisposition des peuples au bonheur. Malgré l'expérience désastreuse des décembristes, il gardait une sorte d'innocence première, qui le sauvait du désespoir. Un autre cahier contenait le récit détaillé de la révolte du 14 décembre. Pour qui rédigeait-il ses souvenirs ? Si encore ils avaient eu un enfant !...

Sophie rêva un instant, soupira, reprit sa lecture. Peu à peu, la chambre s'obscurcit à ses yeux. Elle sortit sur le perron. Le ciel se couvrait à l'ouest. Un brouillard orageux décapitait les montagnes. De lourdes éponges de vapeur violacée pendaient au-dessus du Baïkal. La pluie se mit à tomber. « Je le lui avais bien dit ! » pensa Sophie avec une douce colère. Et, avisant le manteau de Nicolas, qui était resté accroché à un clou, près de la porte, elle se fâcha davantage : « Il est pire qu'un gamin ! Pourvu qu'il ne prenne pas froid ! » Ce souci la tourmenta, par intervalles, jusqu'à l'approche du soir.

Au crépuscule, elle s'enveloppa dans une cape, prit le manteau de Nicolas sur le bras et descendit vers le rivage. Fouettée par l'averse, elle scruta l'horizon : pas de barque. Les vagues déferlaient sur la plage de galets avec une violence croissante. Leur écume jaunâtre s'étalait en crépitant jusqu'au pied des yourtes. Des gamins, tout nus, le crin bleu-noir, le sexe ballottant, s'amusaient à se laisser rouler par les lames. Ils ne poussaient pas un cri en jouant, ils ne riaient pas. Au loin, une colonne de brume reliait le ciel bas au lac démonté. L'ombre vint et le bouillonnement liquide se confondit avec les draperies de la nuit. Cependant, personne n'était inquiet parmi les Bouriates. Le vieux Vaoul dit à Sophie :

— Ils ont probablement accosté ailleurs, à cause du mauvais temps. Ils vont camper...

Elle regagna sa maison en songeant que cette aventure devait enchanter Nicolas, toujours avide d'imprévu. L'inconséquence de son mari la charmait et l'irritait tour à tour. Elle l'imaginait assis à croupetons devant un feu de bois. Les mains tendues vers les flammes, il écoutait les Bouriates raconter des histoires de présages et de sorcellerie.

Toute la nuit, elle entendit le vent hurler et la pluie battre le toit. L'isba craquait des jointures. La clenche de la porte sautait sur son mentonnet. Le lac montait à l'assaut du rivage. A l'aube, les rafales s'apaisèrent. Quand Sophie sortit sur le perron, un paysage silencieux, mouillé, innocent, l'entoura. Le Baïkal était d'une tranquillité angélique. Le soleil naissait à la fois dans le ciel et dans l'eau. Une citadelle de nuages s'éboulait mollement au zénith. Les montagnes elles-mêmes semblaient prêtes à se dissoudre dans l'air. Nicolas et ses compagnons allaient revenir, poussés par une petite brise amicale. Sophie prit le temps de se laver, de s'habiller, de boire une tasse de thé chaud et se rendit au village bouriate. Vaoul l'accueillit avec empressement et lui proposa d'entrer sous sa tente. Elle préféra rester dehors pour voir arriver le bateau.

— Ne sois pas trop pressée, dit Vaoul. Peut-être qu'ils profiteront du beau temps pour pêcher encore !

Elle s'indigna :

— Ah, non ! Il sait que je suis inquiète, que je l'attends !...

— Quand le poisson mord, il n'y a plus de femme qui compte !

Vaoul riait. Sa face était un soleil de rides. Sophie rit aussi, par bravade, mais le cœur n'y était pas. A mesure que les heures passaient, une appréhension s'emparait d'elle. Par moments, elle croyait distinguer une voile dans le scintillement des flots. L'illusion se dissipait et le vide qui succédait à ces élans d'espoir était de plus en plus difficile à supporter. Elle remarqua que les femmes bouriates dont les maris étaient partis avec Nicolas venaient maintenant, de temps à autre, se poster sur le rivage avec des figures soucieuses. A plusieurs reprises, elle essaya de leur parler. Mais elles ne répondaient pas, le dos rond, le front bas, le regard craintif. Leurs doigts noirs de crasse tripotaient des amulettes. Seul Vaoul conservait une confiance inébranlable :

— Ce sont de bons navigateurs.. Il ne peut rien leur arriver !

Cette assurance, qui avait d'abord apaisé Sophie, l'exaspéra à la longue. A la tombée de la nuit, elle laissa éclater son angoisse :

— Nous ne pouvons rester ainsi, les bras croisés, à attendre !...

Vaoul cligna de l'œil gauche ; le droit était globuleux et pâle, comme un blanc d'œuf :

— Sois tranquille, j'ai consulté les esprits : ils sont pour nous. Demain, tout s'arrangera. En attendant, retourne chez toi. Tu as besoin de nourriture et de repos. Quand il y aura du nouveau, je te préviendrai.

Sophie refusa. Elle ne voulait pas s'éloigner du lac. Les Bouriates allumèrent des feux sur la plage pour guider les navigateurs. Le bois mouillé dégagea une fumée épaisse. Puis les flammes bondirent. La nuit s'anima. Des copeaux d'or se balancèrent au creux des vagues.

A l'heure de la soupe, chaque famille se replia dans sa tanière. Assis en cercle, hommes et femmes mangeaient de la viande séchée et buvaient du thé de brique. Sophie n'avait ni faim ni sommeil. Pourtant, elle accepta une litière dans la tente du chef. Il dormait là avec son épouse et ses quatre enfants. Les ronflements allaient du grave à l'aigu. L'odeur était insoutenable. Dans le noir, la crainte de Sophie augmentait à chaque battement de cœur. Il lui semblait entendre un pas sur les galets, le clapotis d'une rame touchant l'eau, un soupir, un gémissement. Elle se ruait dehors. Personne. Les flammes se mouraient. Là-bas, dans les ténèbres, des vagues aux chevelures blanches se poursuivaient indéfiniment. Sophie tournait la tête dans tous les sens, frissonnait de froid et de peur, rentrait sous la yourte et se recouchait pour quelques minutes. Son obsession était si forte, qu'elle s'assoupit avec l'impression de continuer à veiller, debout, face au lac.

Tout à coup, la clarté du soleil embrasa ses rêves. Elle bondit sur ses jambes, constata que la tente était vide, courut jusqu'à la berge et vit Vaoul qui embarquait sur un mauvais canot, avec deux rameurs.

— Ils doivent s'être arrêtés quelque part pour réparer leur bateau ! cria-t-il. Je vais les chercher sur le lac. Pendant ce temps, d'autres hommes suivront la côte, à cheval. A nous tous, nous finirons bien par les trouver !

A l'ouest, des Bouriates, montés sur de petits chevaux velus, s'enfonçaient, en file, dans les joncs. La barque s'éloignait à grands coups de rames. Une main en visière pour se protéger du soleil, Sophie regardait cette mouche pattue nager dans le sirop du lac. Elle diminuait à vue d'œil. Bientôt, elle ne fut qu'un point noir sur une virgule d'ombre verte. Puis il n'y eut plus rien. « Peut-être Nicolas s'est-il enfui, comme autrefois avec Filat ? pensa-t-elle. Peut-être apprendrai-je qu'il se trouve en Chine ou en Alaska ? Mais non, je suis folle, folle ! Il va revenir ! Il revient !... » Elle clignait des yeux et se cramponnait à son illusion, comme un joueur qui perd, s'entête et refuse de s'avouer vaincu. Ces alternatives d'espoir et de doute l'épuisaient. Son esprit et son corps ne faisaient qu'un dans la tension de l'expectative. Elle ne sentait même pas la cuisson du soleil sur sa figure. La femme de Vaoul lui apporta à manger. Elle secoua la tête négativement.

★

Les cavaliers envoyés par Vaoul revinrent au soleil couchant. Du plus loin qu'elle les vit, Sophie courut à leur rencontre. Ils allaient au pas, le long du littoral. Les derniers rayons du jour faisaient la roue derrière leurs silhouettes noires. Leurs ombres obliques se traînaient sur les galets de la plage. En s'approchant d'eux, Sophie remarqua qu'ils ramenaient de grands paquets roulés dans des prélarts et couchés en travers de leurs selles. L'un des Bouriates, qui parlait le russe, dit avec lenteur :

— On en a retrouvé trois sur cinq. La vague les a rejetés sur la côte.

Un gouffre s'ouvrit sous les pieds de Sophie. Elle se sentit faiblir et trembler. Brusquement, un cri affreux déchira sa gorge :

— Nicolas !

— Je crois que c'est celui-ci, dit le Bouriate en désignant le corps qu'il transportait. Tu veux voir ? Je vais le détacher, tout de suite.

7

Au bruit des pelletées de terre tombant sur le cercueil, Sophie inclina la tête. Chaque coup retentissait dans sa poitrine. Elle imaginait Nicolas couché entre les planches et écoutant, lui aussi, du fond de son obscurité, l'avalanche de mottes et de cailloux qui, peu à peu, le séparaient du monde. Elle ne pouvait s'habituer à l'idée qu'il fût mort. Même maintenant, elle gardait, sinon un espoir, du moins un doute. Nicolas n'avait pas cessé d'exister, il était ailleurs. Les deux autres cadavres avaient été retrouvés le lendemain, avec les débris du bateau. Il s'était ouvert sur un récif, pendant la tempête. Les Bouriates avaient enseveli leurs compagnons à même la terre. Pour Nicolas, ils avaient construit une caisse. Sophie regrettait qu'il n'y eût pas de prêtre pour bénir le corps. Avant la mise en bière, elle avait lu des prières, en russe. Avec un si mauvais accent que, sans doute, Nicolas en avait souri sous son masque horrible de noyé. Cette face blafarde, volumineuse, boursouflée, ce rictus idiot... Ce n'était pas lui, ce n'était pas lui !... La boîte résonnait sourdement. Déjà, on ne la voyait plus. Tous les Bouriates, hommes et femmes, se tenaient en cercle autour des deux fossoyeurs. L'endroit était bien choisi : à côté de la maison, face au lac. Le fer des pelles brillaient au soleil. Quand le trou fut comblé, on planta sur le tertre une croix taillée dans le bois de l'épave. C'était fini. Les Bouriates défilèrent devant Sophie et la saluèrent, une main sur le cœur. Le chef de la tribu se présenta en dernier et dit :

— Je vais envoyer un homme à Irkoutsk pour prévenir le général que ton mari est mort.

Sophie le remercia et rentra chez elle. La maison était encore pleine de Nicolas : ses vêtements, ses papiers, ses livres... Trop de choses le conviaient ici ! Ce soir, il reviendrait. La preuve ? S'il était réellement mort, elle eût été plus malheureuse. Or, elle ne souffrait pas. Elle était anéantie. Un automate agissait à sa place, d'une façon méticuleuse et insensée. Elle rangeait la chambre, disposait la cruche d'eau et le pain sur le perron pour les *varnaks*, fermait la porte à clef, se couchait, soufflait sa chandelle.

Au milieu de la nuit, elle s'éveilla. Seule dans ce grand lit. Sa main chercha la place de Nicolas entre les draps, sur l'oreiller. Le vide. Le froid. Pour toujours. Ce que son esprit n'osait concevoir, son corps brusquement le comprit. Un sanglot lui ouvrit la poitrine. Elle se roula sur un souvenir. Dix-huit ans de vie commune, d'amour, de tristesse, de jalousie, de querelles, de projets et, tout à coup, plus rien. Les larmes l'épuisèrent.

Au matin, elle s'aperçut que le pain avait disparu, que la cruche était vide. Ce n'était pas un rôdeur qui était venu, mais Nicolas. Et elle l'avait laissé dehors. Elle décida de ne plus fermer sa porte à clef. En même temps, elle se rendait compte que son idée était absurde, qu'elle divaguait. La notion de ce dédoublement lui était à la fois agréable et effrayante. Elle flottait entre ciel et terre.

Les jours passaient, sans qu'elle en eût conscience. Elle ne se demandait pas ce qu'elle allait devenir. Souvent, elle s'asseyait sur une pierre, devant la tombe de Nicolas, et s'abîmait dans une contemplation stérile. Vivre ? Pour qui ? Pour quoi ? Sa tâche terrestre n'était-elle pas terminée ? Elle avait donné le meilleur d'elle-même. Elle n'avait plus rien à dire à personne. Son intérêt n'était pas ici, mais dans le royaume des pensées incertaines, de choses impossibles...

Une semaine après l'enterrement, le Bouriate envoyé à Irkoutsk revint à bride abattue pour annoncer la visite imminente d'un « grand officier ». Et, en effet, le surlendemain, « le grand officier » arriva, dans une méchante calèche crottée, que traînaient quatre chevaux. Il s'agissait d'un simple lieutenant, dépêché par le général Lavinsky pour enquêter sur place. Dès l'abord, Sophie devina que ce jeune homme à la grosse tête blonde, plantée sur un petit corps, serait un ennemi pour elle. Il se nommait Pouzyreff et compensait sa courte taille par une suffisance qui l'obligeait à parler le menton haut et la narine dilatée. Assis dans l'isba, derrière la table de travail de Nicolas, il interrogea successivement tous les Bouriates sur les circonstances de l'accident et nota leurs dépositions dans un cahier. Puis, resté seul avec Sophie, il lui demanda de donner « sa version personnelle des événements ».

— Je n'ai rien à ajouter, dit-elle. Mon mari est parti. La tempête s'est levée. On l'a ramené mort.

La sobriété de ce récit ne fut pas du goût de Pouzyreff. Visiblement, il eût souhaité quelques contradictions entre les différents témoignages, des incohérences psychologiques, un mystère à résoudre, pour se faire valoir auprès de ses supérieurs.

— Ainsi, pour vous, c'est une affaire toute simple ? dit-il avec un sourire en biais.

— Hélas ! oui, Monsieur, répondit Sophie.

— J'espère que l'administration sera de cet avis. Mais vous admettrez qu'il m'est impossible de conclure officiellement au décès de votre mari, sans l'avoir constaté par moi-même.

— Vous arrivez bien tard !

— Je ne le nie pas, Madame. Et ma mission n'en est que plus délicate. Je vais être malheureusement obligé d'exhumer le corps.

Il prononça ces mots du bout des lèvres, en fixant sur Sophie un regard bleu et glacé. Elle resta une seconde sans comprendre, puis, soudain, une révolte la secoua. Remuer cette terre sacrée, troubler le repos de Nicolas, profaner ses restes pour un dernier contrôle de police, jamais !

— Je vous le défends ! cria-t-elle.

Pouzyreff eut un haut-le-corps :

— De quel droit ? Vous oubliez votre situation, Madame. Votre mari était un criminel d'Etat. Il se trouvait à Mertvy Koultouk en résidence surveillée. Qui me prouve qu'il ne s'est pas enfui en simulant un naufrage ? Qui me prouve que cette mort n'est pas une mise en scène ? Qui me prouve que la tombe n'est pas vide ?

Sophie avait pensé à tout sauf à cette supposition offensante et grotesque.

— Monsieur... Monsieur, balbutia-t-elle, croyez-vous que moi, sa femme, je pourrais me prêter à cette atroce comédie ? Si je vous jure que j'ai reconnu mon mari, que j'ai aidé à le coucher dans son cercueil, que...

Les larmes l'étouffaient. Pouzyreff se leva et dit :

— Je suis en service commandé. Quels que soient mes sentiments, j'exécute les ordres.

Il se dirigea vers la porte. Elle lui barra le chemin :

— Je vous en supplie, lieutenant, ne faites pas cela !
— Mais, Madame, je dois certifier dans mon rapport...
— Eh bien ! Certifiez, certifiez... mais ne bouleversez pas la tombe de mon mari !...
— Vous me demandez de mentir à mes supérieurs ?
— Je vous demande de vous conduire en gentilhomme !
Il l'écarta du bras, sans répondre, et sortit sur le perron. Les Bouriates attendaient, devant la maison, immobiles, muets, sous leurs chapeaux pointus.
— Allez chercher des pelles, leur dit-il.
— N'y allez pas ! cria Sophie en se dressant derrière Pouzyreff. Il veut vous faire déterrer les morts !
Elle avait un visage blême, défait, aux yeux rouges.
— C'est vrai, ce qu'elle dit ? interrogea Vaoul.
— Je ne toucherai pas aux morts de votre tribu, promit le lieutenant. J'ai besoin de vérifier le décès du criminel d'Etat Ozareff. C'est tout !
Vaoul hocha sa vieille tête et grommela :
— Ne nous demande pas ça, chef. Pas à nous. C'est contre notre croyance. Quand le grand repos a commencé pour un homme, aucun Bouriate n'a le droit de le déranger. Si tu veux, nous te donnerons une pelle. Creuse toi-même...
Les yeux de Pouzyreff étincelèrent de fureur :
— Vous refusez d'obéir aux ordres du gouverneur ? Cela vous coûtera cher ! Je le signalerai !... Je le signalerai !... On enverra de la troupe !... On vous fera marcher au pas !... Mécréants !...
Les Bouriates échangeaient des regards ahuris. Vaoul se grattait la nuque, grimaçait, hésitait. Une minute de plus, et il dirait oui. Comme frappée de

folie, Sophie s'arracha de sa place, traversa le potager, pénétra dans la cabane à outils, en ressortit avec une pelle et marcha vers la tombe. Sa raison chancelait. Elle n'était plus maîtresse de ses gestes. Si quelqu'un devait tirer Nicolas de son sommeil, ce ne serait pas un étranger, mais elle, sa femme devant Dieu. Elle marmonnait :

— Je le ferai, moi... Moi seule !...

Ses jambes s'empêtraient dans sa jupe. Avec force, elle planta la pelle dans la terre. Ce fut comme si elle eût porté un coup à un être vivant. L'affreuse vibration du choc courut le long de ses bras et atteignit son cœur. Les larmes jaillirent de ses yeux. Elle répétait obstinément :

— Je le ferai ! Je le ferai !...

Pour la seconde fois, sa pelle entra dans le sol mou. Elle pesa du pied sur le fer pour l'enfoncer plus avant. Des mains rudes la saisirent. Elle se débattit, gémissant :

— Laissez-moi !

Mais les Bouriates la maintenaient prisonnière avec une fermeté respectueuse. Pouzyreff était devant elle, pâle comme un linge. Il bredouilla :

— Madame ! Madame !... Eh bien ?... C'est absurde !... Reprenez-vous !...

Elle tremblait et claquait des dents, sans comprendre ce qui lui arrivait. On lui enleva la pelle, on la ramena dans la maison, on l'assit dans un fauteuil, on lui servit une tasse de thé chaud. Perdue dans un brouillard nauséeux, elle vit Pouzyreff qui rangeait ses papiers dans une serviette en cuir rouge. Les Bouriates avaient disparu. N'étaient-ils pas en train de rouvrir la tombe ? Inquiète, elle se dressa sur ses jambes :

— Où sont-ils ? Je ne veux pas...

— Rassurez-vous, Madame, dit Pouzyreff. Nous nous passerons de l'exhumation. J'écrirai dans mon rapport que le nécessaire a été fait, que j'ai constaté, que tout est en règle... Hum !... C'est la routine, n'est-ce pas ?... Nous sommes obligés...

Il lui parlait avec une prévenance appuyée, comme s'il se fût adressé à quelqu'un d'anormal ; de toute évidence, il redoutait une nouvelle crise ; il était pressé de partir ; il fit deux petits saluts, sortit à reculons et sa calèche l'emporta.

Quand le bruit des clochettes se fut éteint, Sophie regarda autour d'elle et le chagrin, l'horreur, la reprirent avec une violence redoublée. Seule, elle n'avait plus la moindre raison de se contenir. Le vide de la chambre l'effrayait. Un râle sourd laboura sa poitrine. Elle ne pleurait pas, elle hoquetait. Ses muscles se contractaient, son diaphragme sautait, sans qu'elle pût dominer l'affreux mouvement qui s'était emparé d'elle. Longtemps, elle se débattit dans le désespoir. Puis ses forces l'abandonnèrent. Elle émergea de la tempête avec un cerveau vacant et des membres rompus. C'était la rémission, le repos. Il lui semblait qu'aucun coup du destin ne pouvait plus l'atteindre et que même sa peau était devenue insensible. On lui eût brûlé la main sans qu'elle tressaillît ! Parvenue à cet état d'inertie absolue, elle s'étonnait déjà d'avoir tant souffert, tant pleuré, devant le petit officier dépêché d'Irkoutsk pour rouvrir la tombe. Elle savait bien, pourtant, que son Nicolas à elle ne reposait pas sous cette terre. Pas une fois, elle n'avait perçu sa présence quand elle s'était recueillie au pied de la croix. L'idée lui vint que, si Pouzyreff avait réellement exhumé le cercueil, il n'eût rien trouvé à l'intérieur. Elle aurait dû le laisser faire ! Nicolas était parti sur le lac et y voguait encore. La dernière image qu'elle avait eue de lui, ce n'était pas un cadavre défiguré, mais un homme vivant, joyeux, dressé à l'arrière d'un bateau, agitant la main et riant de toutes ses dents blanches. Si elle voulait le rejoindre, elle devait partir à son tour. Fuir cet endroit où il ne reviendrait jamais. Rentrer en Russie... On ne pouvait plus le lui refuser, maintenant que son mari était mort. C'était lui et non elle qui avait été condamné à finir ses jours en Sibérie. Bien entendu, elle emmènerait les restes de Nicolas avec elle pour qu'ils fussent inhumés à Kachtanovka. Là-bas, il serait bien. A l'ombre d'un grand arbre. Entre son père et sa sœur.

Très agitée, elle se leva et courut à la tombe, pour demander conseil. Son esprit procédait par bonds désordonnés. Tantôt elle raisonnait en personne sensée, tantôt un déclic se produisait dans sa tête et elle se laissait aller à des suppositions extravagantes, qui la ravissaient au monde et la pénétraient de frayeur et de joie. Le soir descendait du haut des montagnes. Dans la pénombre, la croix, grossièrement clouée, était celle de n'importe qui. Sophie la regardait et n'en recevait pas de réponse. Pendant cinq minutes, elle demeura ainsi en face d'un inconnu qui n'avait rien à lui dire. Evidemment, tant qu'il n'aurait pas regagné Kachtanovka, il resterait muet. Elle frottait ses mains l'une contre l'autre, d'un geste machinal. Puis elle se rendit au bord du lac, lustré de vert et de bleu, comme le plumage d'un paon. Une lune pâle se précisait dans le ciel encore clair. Longtemps, elle attendit, avec un grand sérieux, le retour du bateau de pêche qui avait emporté Nicolas. Devant ce gouffre d'obscurité lumineuse, tout était possible. Enfin la nuit s'installa complètement.

Sophie rentra chez elle, mangea un peu, sans savoir pourquoi, se coucha et se prépara à ne pas dormir. Une pensée énergique se frayait un chemin à travers tous les obstacles, dans son cerveau. Quitter Mertvy Koultouk et cette tombe trompeuse, obtenir une feuille de route du général Lavinsky, retourner à Kachtanovka, sur les lieux mêmes où Nicolas et elle avaient été si heureux. Là-bas, dans le cercle de ses plus chers souvenirs, elle retrouverait le petit Serge. Il avait huit ans à présent, mais elle continuait à le voir tel qu'il était lorsqu'elle l'avait laissé : un bébé dans ses langes, avec une moue nourrie de lait et de gros yeux bruns, pailletés d'étincelles rieuses. A cette évocation, un flot de tendresse la souleva. Ah ! tenir dans ses bras, réchauffer, préserver, bercer cette vie à ses débuts ! Etre utile de nouveau ! Evidemment, il y aurait Sédoff, à Kachtanovka. Mais elle l'écarterait en le payant. C'était un homme toujours prêt à se vendre. Il suffisait d'y mettre le prix. Et elle était riche, puisque la moitié du domaine lui appartenait. Une fois Sédoff éloigné, le petit Serge serait tout à elle. A elle et à Nicolas. Ils s'occuperaient de lui, ensemble. Ils l'élèveraient dans leurs idées. Ils en feraient leur enfant. Cette conviction insolite devenait le centre de sa joie. Elle reprenait espoir ; elle apercevait un but, dans le lointain : la vieille maison de Kachtanovka, avec ses murs de crépi rose, son toit vert chou et les quatre colonnes de son perron.

Toute la nuit, elle y rêva avec une exaltation fiévreuse. Le lendemain, elle demanda à Vaoul de la conduire à Irkoutsk. Justement, il devait aller à la foire, pour échanger des fourrures et des vessies de poisson contre du thé de brique, des outils et du suif. Il dit à Sophie que, si elle pouvait attendre quinze jours, il la prendrait dans son chariot. Elle le remercia et s'exhorta à la patience.

La veille de son départ, comme elle était sûre de ne pas revenir à Mertvy Koultouk, elle distribua aux femmes bouriates les ustensiles de ménage dont elle n'aurait plus besoin.

8

— J'avoue que je suis fort surpris de vous voir ici, Madame, alors que je ne vous ai pas donné l'autorisation de vous déplacer, dit le général Lavinsky en invitant Sophie à s'asseoir devant lui, dans son bureau.

Le voyage en chariot, avec les Bouriates, l'avait épuisée. Elle appuya dans le fond du fauteuil ses reins endoloris, ses épaules lasses, regarda son interlocuteur dans les yeux et murmura :

— Je pensais qu'après la mort de mon mari je n'étais pas personnellement tenue à résidence !

— La mort de votre mari ne modifie en rien vos devoirs envers l'administration, rétorqua-t-il en fronçant les sourcils. Je veux bien, par égard pour votre deuil, fermer les yeux sur l'irrégularité de votre arrivée dans cette ville. Je vous promets même de ne point faire de remontrances à vos convoyeurs. Mais je compte sur vous pour que pareille fantaisie ne se reproduise plus !

Elle ne s'attendait pas à cette réprimande et perdit un peu de sa confiance pour la suite de l'entretien. Lavinsky marqua un temps d'arrêt. Son visage se détendit. Puis il dit avec l'expression d'un intérêt tout paternel :

— J'imagine que seul un motif très grave a pu vous inciter à venir, de votre propre chef, à Irkoutsk. De quoi s'agit-il ?

Sophie rassembla son courage et se lança dans le discours qu'elle avait préparé. Tandis qu'elle expliquait son désarroi où l'avait laissée la mort de Nicolas et l'impossibilité où elle était de continuer à vivre seule à Mertvy Koultouk, il l'écoutait d'un air de commisération infinie. Hochant la tête, soupirant pour elle, il paraissait la suivre, pas à pas, dans ses épreuves. Elle pouvait croire la partie gagnée.

— Mon mari étant mort, je n'ai plus aucune raison de rester ici, Excellence, dit-elle. Je voudrais retourner en Russie et y faire transporter le corps, afin qu'il soit inhumé dans notre propriété familiale, à Kachtanovka. Ne pourriez-vous m'aider dans mes démarches ?

Le buste de Lavinsky se raidit et grandit derrière le bureau. Ses yeux pâles s'arrondirent sous le double arc de ses sourcils levés. Il semblait aller de surprise en surprise avec cette visiteuse qui ne doutait de rien.

— Je suis désolé de vous décevoir, Madame, dit-il, mais premièrement, il est interdit de déplacer la dépouille d'un ancien condamné politique, et deuxièmement, la veuve d'un ancien condamné politique n'a pas le droit de quitter la Sibérie.

Sophie demeura interloquée. Comme un blessé étourdi par le choc, elle ne ressentait pas encore la profondeur du coup qu'elle avait reçu. Soudain, elle bredouilla :

— C'est impossible, Excellence ! La faute de mon mari s'est éteinte avec lui ! N'ayant pas été moi-même condamnée, je suis libre d'aller où bon me semble !

— Avant de rejoindre Nicolas Mikhaïlovitch Ozareff en Sibérie, n'avez-vous pas signé un papier par lequel vous reconnaissiez être assimilée à un criminel d'État ? demanda-t-il.

— Si, balbutia-t-elle.

Et le froid pénétra dans ses veines. Assise dans ce bureau solennel, où régnaient le bronze, l'acajou et le vert empire, elle avait l'impression de perdre contact avec tout ce qui était humain.

— On ne tient jamais assez compte des signatures qu'on distribue ! dit Lavinsky. Surtout les dames ! Du reste, Sa Majesté a tranché le point de droit qui vous préoccupe en Conseil des Ministres, il y a quelques semaines, exactement le 18 avril 1833. Le mieux est encore que vous jetiez un coup d'œil sur le rapport officiel de la séance...

Il sortit d'une chemise une grande feuille de papier, couverte d'une écriture bouclée et portant le numéro d'ordre 762.

— Passez le préambule, reprit-il. Allez droit au paragraphe 2. C'est celui qui vous intéresse.

Il pointa son doigt sur une ligne. Sophie lut :

« Après la mort des criminels d'Etat, les épouses innocentes qui ont partagé leur sort seront réintégrées dans tous leurs droits, avec la possibilité d'administrer leur fortune et d'en toucher les revenus, mais uniquement dans les limites de la Sibérie. L'autorisation de retourner en Russie ne pourra être délivrée aux veuves desdits criminels d'Etat que dans des cas exceptionnels et devra être précédée d'une décision particulière de l'empereur. »

Elle reposa le papier sur le bureau. Sa déception était si forte, qu'elle en avait le vertige. Lavinsky, la fenêtre, les tableaux, tout tremblait devant ses yeux. Ainsi, pendant des semaines, elle avait vécu dans la certitude d'un prompt retour en Russie, et cette pauvre revanche sur le destin lui était refusée. Une fois de plus, son avenir dépendait de la volonté du tsar. On eût dit qu'il goûtait un malin plaisir à tenir les gens sous sa griffe, à desserrer l'étreinte, puis à la resserrer, au moment où ses victimes allaient prendre leurs aises.

— Vous pouvez toujours faire une demande, dit Lavinsky évasivement.

— Aura-t-elle des chances d'aboutir ?

— J'en doute. Sa Majesté ne voudra pas créer un précédent.

Une rage méprisante secoua les nerfs de Sophie. En s'écroulant sur elle, ses illusions la laissaient encore plus démunie que naguère. Elle était confondue par la méchanceté des hommes au pouvoir. La Russie, songea-t-elle, était l'un des rares pays dont tout le monde, à l'étranger, s'accordait à aimer le peuple et à détester le gouvernement. « Et maintenant, que faire ? » Elle descendit en elle-même, à la recherche d'une réponse, d'un mot d'ordre, d'une direction, et ne découvrit qu'une solitude et une faiblesse sans recours.

— Je ne puis croire, Excellence, qu'on veuille me retenir indéfiniment en Sibérie alors que je n'ai rien fait pour mériter ce châtiment, dit-elle. Je suis une femme seule. Je ne constitue un danger pour personne...

— Certainement, Madame, dit Lavinsky avec un froid sourire. Mais vous avez tort de considérer la Sibérie comme un pays de restriction et de pénitence. On peut vivre très heureux sur cette belle terre russe. Je connais bien des gens d'ici qui ne voudraient pour rien au monde habiter ailleurs !

Elle ne l'écoutait pas. Ses idées tournaient en rond. Soudain, elle entrevit une chance de salut.

— Il y a une chose que vous semblez oublier,

Excellence ! s'écria-t-elle avec fougue. Une chose très importante ! Je suis française !

— Eh bien ?

— Il est précisé dans votre document que le retour des veuves en Russie pourra être autorisé dans des cas exceptionnels ! Or, je représente un cas exceptionnel ! Sinon par mon malheur, du moins par ma nationalité !

Lavinsky réfléchit et concéda, du bout des lèvres :

— En effet... Je vous conseille de faire figurer cette observation dans votre requête... Cela vous servira, peut-être...

Elle exulta :

— Vous voyez bien !

Il esquissa une moue dubitative.

— Dès demain, reprit-elle, je vous apporterai une demande pour le transfert du corps de mon mari et pour mon propre départ ! En attendant la réponse de l'empereur, je retournerai à Pétrovsk, auprès du général Léparsky. Il a été si bon pour moi ! Tous mes amis sont restés là-bas ! Parmi eux, je me sentirai moins perdue !...

Elle s'apprêtait à prendre congé, mais Lavinsky hocha lourdement la tête et dit :

— Apportez-moi votre demande si vous voulez, mais il me sera impossible de vous renvoyer à Pétrovsk.

— Pourquoi ?

— Parce que cette localité est réservée aux forçats et à leurs épouses.

— Mon mari était un forçat !

— Il ne l'était plus lorsqu'il est mort !

— Qu'est-ce que cela change ?

— Du moment qu'il a été libéré, vous devez être considérée, vous-même, comme une femme libre et, par conséquent, vous ne pouvez plus vous fixer parmi des gens qui n'ont pas encore fini leur temps de bagne.

Cette remarque était si absurde, qu'elle crut d'abord à une plaisanterie.

— Mais Prétrovsk serait le paradis, pour moi, en comparaison de Mertvy Koultouk ! s'exclama-t-elle. Vous ne souhaitez tout de même pas que je sois plus malheureuse une fois libérée qu'à l'époque où mon mari était prisonnier ! Au lieu d'être une mesure de clémence, la relégation équivaudrait à une aggravation de peine !

Pendant qu'elle parlait, il lui sembla que quelque chose en Lavinsky se fermait, se murait. Son œil devenait dur sous les sourcils froncés. Elle n'avait plus devant elle un officier vieillissant, décoré et affable, mais un être pétrifié, résistant, obtus, une énigme administrative.

— Il se peut qu'il en soit ainsi dans votre cas, dit-il. Mais je n'ai pas le droit de faire d'exception. N'ayant plus rien à voir avec les condamnés politiques, vous devez vivre loin d'eux. On ne mélange pas les catégories. Il y a des lieux de détention et des lieux de relégation. Si les relégués retournaient à leur gré parmi les détenus, jugez du désordre !

— Alors, qu'exigez-vous ? dit-elle dans un souffle.

— Vous allez regagner Mertvy Koultouk. Un officier vous y conduira, dès demain.

— Ne pourrais-je partir un peu plus tard, avec les Bouriates qui m'ont amenée ici ?

— Non, Madame. Ce serait contraire au règlement. Lorsque j'aurai la confirmation que vous êtes de nouveau à demeure, je demanderai au pouvoir central l'autorisation de vous assigner un lieu de résidence moins isolé : Kourgan, Tourinsk, voir même Irkoutsk...

Elle secoua les épaules :

— Tout m'est égal, pourvu que je puisse un jour rentrer en Russie !

Lavinsky se leva lentement. Un sourire d'ironie supérieure tirait sa moustache. Il baisa la main de Sophie et dit :

— Je vous souhaite de nous prouver qu'il vaut mieux être française que russe pour gagner la clémence impériale.

— Appuierez-vous ma requête, Excellence ? demanda-t-elle.

— Mais certainement !

Elle comprit qu'il n'en ferait rien.

★

Assis dans la calèche, à côté de Sophie, le lieutenant Pouzyreff ne la quittait pas du regard. Jusqu'au moment où il l'aurait ramenée à Mertvy Koultouk, il ne serait pas tranquille. Les chevaux attaquaient la dernière étape. Déjà, entre les troncs des sapins, scintillait le lac Baïkal. A mesure que Sophie se rapprochait du lieu de sa relégation, à son dépit se mêlait une étrange tendresse. Comme si ce pays, qu'elle avait voulu abandonner, lui fût redevenu cher à son insu. Quand elle aperçut, dans une dépression verdoyante, les yourtes bouriates et, plus loin, le toit incliné de l'isba, elle éprouva l'émotion d'un retour en famille. Quelqu'un l'attendait là-bas, avec une silencieuse impatience. Elle avait envie de courir vers la tombe de Nicolas. Que de choses à lui raconter ! Son voyage, sa visite à Lavinsky, son projet de revenir en Russie... Elle réussirait. Ils partiraient ensemble... Les clochettes de l'attelage emplissaient sa tête, les cahots la secouaient, l'ombre des arbres passait, telle une caresse de plumes grises, sur sa figure. Puis vint le plein soleil, le resplendissant azur de midi. Le lac s'étala à perte de vue, sans une cassure.

— Cramponnez-vous ! cria le cocher.

Les chevaux se lancèrent dans la descente.

Les principaux personnages de ce roman se retrouvent dans le tome I : Les Compagnons du Coquelicot, *dans le tome II :* La Barynia, *dans le tome III :* La Gloire des Vaincus, *et dans le tome V :* Sophie ou la fin des Combats, *qui termine le cycle romanesque de* « La Lumière des Justes ».

NOTE DE L'AUTEUR

La légende s'est emparée très tôt des insurgés du 14 *décembre* 1825. *Les plus grands poètes russes, de Pouchkine à Nékrassoff, ont chanté le martyre de ces héros de la liberté et leurs admirables compagnes. Ainsi s'est affirmée, de génération en génération, l'idée que le séjour des décembristes en exil fut un enfer. Or, n'en déplaise aux âmes sensibles, la réalité fut tout autre. Il y a loin de l'effroyable « Maison des Morts » où Dostoïevsky vécut, enchaîné, parmi des assassins et des voleurs, aux bagnes « pour messieurs » de Tchita et de Pétrovsk, où les premiers révolutionnaires russes se retrouvèrent entre gens de bonne compagnie, sous la direction paterne du général Léparsky. Certes, leurs souffrances morales furent profondes, souvent intolérables, mais leur existence matérielle s'organisa, peu à peu, assez commodément. Ils l'ont raconté eux-mêmes dans leurs Mémoires, comme si, prévoyant la glorification dont ils allaient être l'objet, ils eussent voulu mettre la postérité en garde contre le mensonge. C'est en me fondant principalement sur les témoignages de ces forçats exceptionnels que j'ai écrit mon livre. Les conditions de leur captivité dans les pénitenciers de*

Tchita et de Pétrovsk, les discussions des femmes avec le commandant du bagne, les projets d'évasion, le voyage à pied à travers la Sibérie, tout cela est conforme à la vérité historique. Seule l'aventure de Sophie et de Nicolas a été inventée par moi de toutes pièces.

★

Les ouvrages traitant de l'affaire des décembristes sont innombrables. Le lecteur trouvera, ci-dessous, la liste des plus importants d'entre eux. Sauf indication contraire, il s'agit de publications en langue russe.

ANNENKOFF (Pauline), *Souvenirs.* (Moscou, 1932.)
BASSARGUINE, *Notes.* (Pétrograd, 1917.)
BÉLIAIEFF A.P., *Souvenirs d'un décembriste : ce qu'il a vécu, ce qu'il a ressenti.* (Saint-Pétersbourg, 1888.)
BESTOUJEFF N., *Articles et Lettres* (Moscou-Leningrad, 1933.)
BESTOUJEFF (les frères), *Souvenirs.* (Moscou-Leningrad, 1951.)
BOULANOVA, *Le roman d'un décembriste : Ivacheff.* (Moscou, 1933.)
Les décembristes et leur temps (matériaux et articles). (Moscou, 1927 et 1932.)
Les décembristes aux travaux forcés (matériaux et articles). (Moscou, 1925.)
Les décembristes — écrivains. (Editions l'Héritage Littéraire, 3 volumes, Moscou, 1954-1956.)
GALITZINE, *Souvenirs d'un exilé en Sibérie.*
GOLOUBOFF S., *La flamme jaillit d'une étincelle,* roman. (Moscou-Leningrad, 1950.)
GORBATCHEVSKY, *Notes et Lettres.* (Moscou, 1925.)
GRUNWALD (Constantin de), *Alexandre I*[er]*, le tsar mystique.* (En français. Amiot-Dumont, 1955.)

— *La vie de Nicolas Ier*. (En français. Calmann-Lévy, 1946.)
IAKOUCHKINE, *Notes, articles, lettres d'un décembriste.* (Moscou, 1951.)
KOTLIAREVSKY, *Les décembristes.*
LORER N. I., *Souvenirs d'un décembriste.* (Moscou, 1931.)
LOUNINE, *Mémoires.*
MAXIMOFF S., *La Sibérie et les travaux forcés* (3 volumes, Saint-Pétersbourg, 1891.)
MÉRÉJKOVSKY (Dmitri), *Le mystère d'Alexandre Ier*, roman. (Traduit en français, Editions Calmann-Lévy.)
— *Quatorze décembre,* roman. (Traduit en français, Editions Gallimard.)
NÉTCHKINA, *Le* 14 *décembre.*
— *Le mouvement des décembristes.* (Moscou, 1951.)
OBOLENSKY, *Souvenirs d'un exilé en Sibérie.*
ODOIEVSKY, *Œuvres.* (Académia-Moscou, 1934.)
OLIVIER (Daria), *Les Neiges de décembre,* roman. (En français, Editions Robert Laffont, 1957.)
— *L'Anneau de fer,* roman. (En français, Editions Robert Laffont, 1959.)
POGGIO, *Souvenirs.*
POUSHINE I. I., *Notes au sujet de Pouchkine et Lettres.* (Moscou-Leningrad, 1937-1949.)
ROSEN A. E., *Souvenirs d'un décembriste.* (Saint-Pétersbourg, (1907.)
SAFRONOFF, *Les décembristes en déportation.*
SCHEGOLEFF, *Les femmes des décembristes.* (Etudes Historiques.)
— *Les décembristes.* (Moscou-Leningrad, 1926.)
SCHILDER, *L'Empereur Nicolas Ier*. (2 volumes. Saint-Pétersbourg, 1903.)
TROUBETZKOI S. P., *Notes* (Moscou, 1907.)
TSÉTLIN, *Les décembristes : destin d'une génération.*

TYNIANOFF, *Kukhla*, roman.
VOLKONSKY (Marie), *Souvenirs*. (Leningrad, 1925.)
VOLKONSKY (Serge), *Notes*. (Saint-Pétersbourg, 1902.)
WALISZEWSKY K., *Le règne d'Alexandre Ier*. (3 volumes, en français, Librairie Plon, 1925.)
ZAVALICHINE, *Souvenirs d'un décembriste*, (2 volumes, Munich, 1904. Moscou, 1938.)

Littérature

extrait du catalogue

Cette collection est d'abord marquée par sa diversité : classiques, grands romans contemporains ou même des livres d'auteurs réputés plus difficiles, comme Borges, Soupault, Goes. En fait, c'est tout le roman qui est proposé ici, Henri Troyat, Bernard Clavel, Guy des Cars, Alain Robbe-Grillet, mais aussi des écrivains étrangers tels que Moravia, Colleen McCullough ou Konsalik.

Les classiques tels que Stendhal, Maupassant, Flaubert, Zola, Balzac, etc. sont publiés en texte intégral au prix le plus bas de toute l'édition. Chaque volume est complété par un cahier photos illustrant la biographie de l'auteur.

ADAMS Richard	Les garennes de Watership Down 2078******
AKÉ LOBA	Kocoumbo, l'étudiant noir 1511***
ALLEY Robert	La mort aux enchères 1461**
ANDREWS Virginia C.	Fleurs captives :
	- Fleurs captives 1165****
	- Pétales au vent 1237****
	- Bouquet d'épines 1350****
	- Les racines du passé 1818****
	Ma douce Audrina 1578****
APOLLINAIRE Guillaume	Les onze mille verges 704*
	Les exploits d'un jeune don Juan 875*
AUEL Jean M.	Ayla, l'enfant de la terre 1383****
AVRIL Nicole	Monsieur de Lyon 1049***
	La disgrâce 1344***
	Jeanne 1879***
	L'été de la Saint-Valentin 2038**
BACH Richard	Jonathan Livingston le goéland 1562* illustré
BALZAC Honoré de	Le père Goriot 1988**
BARBER Noël	Tanamera 1804**** & 1805****
BAUDELAIRE Charles	Les fleurs du mal 1939**
BAUM Frank L.	Le magicien d'Oz 1652**
BELMONT Véra	Rouge Baiser 2014***

BLOND Georges	Moi, Laffite, dernier roi des flibustiers 2096****
BOLT Robert	La Mission 2092***
BORGES & BIOY CASARES	Nouveaux contes de Bustos Domecq 1908***
BOVE Emmanuel	Mes amis 1973***
BRADFORD Sarah	Grace 2002****
BREILLAT Catherine	Police 2021***
BRENNAN Peter	Razorback 1834****
BRISKIN Jacqueline	Les sentiers de l'aube 1399**** & 1400****
BROCHIER Jean-Jacques	Odette Genonceau 1111*
	Villa Marguerite 1556**
	Un cauchemar 2046**
BURON Nicole de	Vas-y maman 1031**
	Dix-jours-de-rêve 1481***
	Qui c'est, ce garçon ? 2043***
CALDWELL Erskine	Le bâtard 1757**
CARS Guy des	La brute 47***
	Le château de la juive 97****
	La tricheuse 125***
	L'impure 173****
	La corruptrice 229***
	La demoiselle d'Opéra 246***
	Les filles de joie 265***
	La dame du cirque 295**
	Cette étrange tendresse 303***
	La cathédrale de haine 322***
	L'officier sans nom 331**
	Les sept femmes 347****
	La maudite 361***
	L'habitude d'amour 376**
	Sang d'Afrique 399** & 400**
	Le Grand Monde 447**** & 448****
	La révoltée 492****
	Amour de ma vie 516***
	Le faussaire 548****
	La vipère 615****
	L'entremetteuse 639****
	Une certaine dame 696****
	L'insolence de sa beauté 736***

CARS Guy des (suite)	L'amour s'en va-t-en guerre 765**
	Le donneur 809**
	J'ose 858**
	De cape et de plume 926*** & 927***
	Le mage et le pendule 990*
	Le mage et les lignes de la main... et la bonne aventure... et la graphologie 1094****
	La justicière 1163**
	La vie secrète de Dorothée Gindt 1236**
	La femme qui en savait trop 1293**
	Le château du clown 1357****
	La femme sans frontières 1518***
	Le boulevard des illusions 1710***
	Les reines de cœur 1783***
	La coupable 1880***
	L'envoûteuse 2016*****
	Le faiseur de morts 2063***
CARS Jean des	Sleeping Story 832****
	Haussmann, la gloire du 2nd Empire 1055****
	Louis II de Bavière 1633***
	Elisabeth d'Autriche (Sissi) 1692****
CASTELOT André	Les battements de cœur de l'Histoire 1620****
	Belles et tragiques amours de l'Histoire-1 1956****
	Belles et tragiques amours de l'Histoire-2 1957****
CASTILLO Michel del	Les Louves de l'Escurial 1725****
CASTRIES Duc de	La Pompadour 1651****
	Madame Récamier 1835****
CATO Nancy	L'Australienne 1969**** & 1970****
CESBRON Gilbert	Chiens perdus sans collier 6**
	C'est Mozart qu'on assassine 379***
	La ville couronnée d'épines 979**
	Huit paroles pour l'éternité 1377****
CHARDIGNY Louis	Les maréchaux de Napoléon 1621****
CHASTENET Geneviève	Marie-Louise 2024*****
CHAVELET Élisabeth & DANNE Jacques de	Avenue Foch 1949***
CHEDID Andrée	La maison sans racines 2065**
CHOUCHON Lionel	Le papanoïaque 1540**

DANA Jacqueline	L'été du diable 2064***
DAUDET Alphonse	Tartarin de Tarascon 34*
	Lettres de mon moulin 844*
DECAUX Alain	Les grands mystères du passé 1724****
DÉCURÉ Danielle	Vous avez vu le pilote ? c'est une femme ! 1466*** illustré
DÉON Michel	Louis XIV par lui-même 1693***
DHÔTEL André	Le pays où l'on n'arrive jamais 61**
DIDEROT	Jacques le fataliste 2023***
DJIAN Philippe	37,2° le matin 1951****
	Bleu comme l'enfer 1971****
	Zone érogène 2062****
DORIN Françoise	Les lits à une place 1369****
	Les miroirs truqués 1519****
	Les jupes-culottes 1893****
DOS PASSOS John	Les trois femmes de Jed Morris 1867****
DUMAS Alexandre	La dame de Monsoreau 1841*****
DUTOURD Jean	Henri ou l'éducation nationale 1679***
DZAGOYAN René	Le système Aristote 1817****
EXMELIN A.O.	Histoire des Frères de la côte 1695****
FERRIÈRE Jean-Pierre	Jamais plus comme avant 1241***
	Le diable ne fait pas crédit 1339**
FEUILLÈRE Edwige	Moi, la Clairon 1802**
FIELDING Joy	La femme piégée 1750***
FLAUBERT Gustave	Madame Bovary 103***
FRANCIS Richard	Révolution 1947***
FRANCOS Ania	Sauve-toi, Lola ! 1678****
	Il était des femmes dans la Résistance... 1836****
FRISON-ROCHE	La peau de bison 715**
	Carnets sahariens 866***
	Premier de cordée 936***
	La grande crevasse 951***
	Retour à la montagne 960***
	La piste oubliée 1054***
	La Montagne aux Écritures 1064***
	Le rendez-vous d'Essendilène 1078***
	Le rapt 1181****

	Djebel Amour 1225****
	La dernière migration 1243****
	Peuples chasseurs de l'Arctique 1327****
	Les montagnards de la nuit 1442****
	Le versant du soleil 1451**** & 1452****
	Nahanni 1579***
GALLO Max	La baie des Anges :
	1 - La baie des Anges 860****
	2 - Le palais des Fêtes 861****
	3 - La promenade des Anglais 862****
GEDGE Pauline	La dame du Nil 1223*** & 1224***
	Les seigneurs de la lande 1345**** & 1346****
GERBER Alain	Une rumeur d'éléphant 1948*****
GOES Albrecht	Jusqu'à l'aube 1940***
GRAY Martin	Le livre de la vie 839**
	Les forces de la vie 840**
	Le nouveau livre 1295***
GRÉGOIRE Menie	Tournelune 1654***
GROULT Flora	Maxime ou la déchirure 518**
	Un seul ennui, les jours raccourcissent 897**
	Ni tout à fait la même, ni tout à fait une autre 1174***
	Une vie n'est pas assez 1450***
	Mémoires de moi 1567**
	Le passé infini 1801**
GUERDAN René	François Ier 1852****
GURGAND Marguerite	Les demoiselles de Beaumoreau 1282***
GUTCHEON Beth	Une si longue attente 1670****
HALÉVY Ludovic	L'abbé Constantin 1928**
HALEY Alex	Racines 968**** & 969****
HAYDEN Torey L.	L'enfant qui ne pleurait pas 1606***
	Kevin le révolté 1711****
HAYS Lee	Il était une fois en Amérique 1698***
HÉBRARD Frédérique	Un mari, c'est un mari 823**
	La vie reprendra au printemps 1131**
	La chambre de Goethe 1398***
	Un visage 1505**
	La Citoyenne 2003***

Impression Brodard et Taupin à La Flèche (Sarthe)
le 17 novembre 1986
6905-5 Dépôt légal novembre 1986. ISBN 2-277-13278-0
1er dépôt légal dans la collection : juin 1974
Imprimé en France

Editions J'ai lu
27, rue Cassette, 75006 Paris
diffusion France et étranger : Flammarion